Monika Szwaja
Stateczna i postrzelona

część 2

MONIKA SZWAJA

Stateczna i postrzelona

Część 2

Tytuł serii: Klub Książki Kobiecej
Tytuł tomu: Stateczna i postrzelona część 2

Wydawnictwo EDIPRESSE-KOLEKCJE Spółka z o.o.
ul. Wiejska 19
00-480 Warszawa

Dyrektor wydawniczy: Małgorzata Franke
Dyrektor ds. projektów specjalnych: Magdalena Cylejewska
Brand manager: Milena Smaga
Redaktor prowadzący: Anna Sperling

Projekt graficzny okładki i serii: Paweł Rosołek, RJ Projekt
Łamanie: Prószyński Media
Korekta: Jolanta Tyczyńska

Druk: Tinta, Działdowo

BIURO OBSŁUGI KLIENTA
czynne: pn.–pt. w godz. 8.00–17.00
e-mail: bok@edipresse.pl
tel.: (22) 584 22 22
faks: (22) 584 22 32

ISBN: 978-83-7989-253-2 (seria)
ISBN: 978-83-7989-256-3 (tom 3)
Indeks: 401994

– Nie za wielki – przyznał Tadzio – kiedy patrzeć na to z punktu widzenia normalnego człowieka, takiego jak ty i ja. Natomiast z punktu widzenia naszych klientów, to jest całkiem sporo. Zapewniam cię, moja śliczna Emilko, że obserwujemy wielkie postępy u tych pokręconych, jak to je ładnie określiłaś, dzieci.

– Ja tego określenia nie użyłam złośliwie – zaznaczyłam w trosce o swój obraz w oczach Rafała. Tadzia też, oczywiście. – One są pokręcone.

– No, są. Po roku pracy z nami trochę mniej. Może chciałabyś spróbować trochę nam popomagać?

Wystraszyłam się. Po chwili jednak pomyślałam sobie, że właściwie... dlaczego nie? Nie musiałabym już kupować żadnych niepotrzebnych porcelan... zresztą ileż zastaw do kawy możemy mieć w Rotmistrzówce?

– A jak to sobie wyobrażasz, Tadzinku?

– Po prostu. Przyjedziesz raz i drugi, kiedy będziemy mieli zajęcia, umówimy się przedtem telefonem, żebyś wiedziała kiedy, powiemy ci, co należy robić, i będziemy ci patrzeli na ręce, żebyś nie zrobiła klientowi krzywdy, zamiast pomóc.

– O kurczę, nie wiem.

– Spróbuj – zachęcił mnie Rafał z uśmiechem. – Wiedzy nigdy dość, zdobędziesz nowe doświadczenie, no i potem już będziesz miała jasność, czy chcesz wprowadzać hipoterapię w Rotmistrzówce czy nie.

No, proszę państwa, skoro Rafał mnie namawia... Dlaczego nie miałabym zostać jego uczennicą na indywidualnym kursie hipoterapeutycznym? Na pewno jest doskonałym instruktorem. Okazuje się, że niekoniecznie trzeba być chorym dzieckiem, żeby zwrócił na człowieka uwagę. Wystarczy zadeklarować chęć niesienia pomocy chorym dzieciom. Ależ proszę uprzejmie, bardzo lubię nosić pomoc komukolwiek, taką już mam naturę, harcerka ze mnie prawdziwa. Może przy okazji dowiem się, co z tym jego stanem rodzinnym.

Wróciłam do Rotmistrzówki w stanie lekko i przyjemnie podekscytowanym, wywaliłam wszystkim przed nos stertę porcelany, wysłuchałam wyrazów uznania z powodu jej subtelnej urody (miło mi, chociaż to nie ja ją robiłam, tę porcelanę) i rozejrzałam się za Lulą. Jakoś zawsze czekam na jej akceptację moich poczynań, chciałam, żeby i ona pochwaliła niebieskie cebulki – ale dowiedziałam się, że Lula jak poszła rano do muzeum, tak do tej pory jej nie ma.

Ohohoho. Była szósta po południu. Chciałam zadzwonić do niej na komórkę, ale od razu odezwała się sekretarka.

– Babciu – spytałam babcię Stasię (chybaby je trzeba jakoś ponumerować, te nasze babcie, skoro już mamy dwie) – czy babcia wie, gdzie się podziewa Lula?

– Nie mam pojęcia, dziecko. Sama się zaczynam martwić. Nie wiem, czy to się jakoś łączy, ale godzinę temu wrócił z Jeleniej Góry Wiktor, jakiś zdenerwowany...

– No to co? – zdziwiłam się. – Przecież Lula nie pojechała do Jeleniej, tylko poszła spisywać stare szpargały w tym swoim muzeum.

– Ale Wiktor teorętycznie pojechał tylko porozmawiać z Olgą o tych jej folderach, bo się umówili, że on jej zrobi koncepcję plastyczną, czy jak to się nazywa. Powinien był już dawno wrócić, najdalej o dwunastej w południe, zwłaszcza że na pierwszą się umówił z księdzem Pawłem, ksiądz przyszedł, i tyle że zjadł z nami obiad. Ewa sama musiała ten obiad zrobić, zła była jak osa. Dobrze, że mamy tyle mrożonych pierogów... Marianna uwielbia pierogi... i tego wszystkiego, coście, dziewczynki, przygotowały. Rupert z Malwiną mieli zjeść w Strzesze. Studenci dostali gołąbki, Janek obrał ziemniaki, co to jest właściwie, żeby mężczyzna obierał ziemniaki?

– Równouprawnienie, babciu – mruknęłam. Swoją drogą Janek jest kochany, ja też powinnam była pomyśleć o obiedzie, ale po co miałam myśleć, skoro były one obie, Ewa i Lula, to znaczy Lula miała być. O Boże. Może naprawdę Wiktor coś wie? Może coś między nimi zaszło?

– Ja ci mówię, Emilko – podjęła wątek zasadniczy babcia Stasia – ty go znajdź, bo ja nie wiem, gdzie on poleciał, wściekły taki, i porozmawiaj z nim, proszę. Nie wiem, co się dzieje ostatnio, wszyscy naburmuszeni chodzą.

– Niech się babcia nie dziwi. Wszyscy się martwią, że Ewa zabierze Wiktora i Jagusię i wyjadą stąd, a przecież dobrze nam razem było, nie?

– Och – powiedziała babcia i też się zasępiła. – Masz rację, dziecko. Ale może nie dojdzie do najgorszego. Znajdź tego Wiktora, proszę, bo ja się denerwuję!

– Już idę. A gdzie Omcia Marianna?

– Wywołuje cienie przeszłości pod swoim apfelbaumem. Podejrzewam, że śpi, bo ziewała cały dzień. Trzeba ją stamtąd zabrać, bo jeszcze się przeziębi.

Postanowiłam do babronowej wysłać Janka, ponieważ nie miałam ochoty na beztroskie szczebiotanie. Janek właśnie wracał z jazdy ze swoimi studentkami, które dla niego zaniedbały wspinaczki skałkowe i inne przyjemności, poświęcając się bez reszty doskonaleniu jazdy konnej pod okiem ukochanego instruktora. Oczywiście nie miał nic przeciwko zholowaniu Marianny spod jabłoni, a studentki natychmiast zaofiarowały mu swoją pomoc, którą przyjął chętnie.

Swoją drogą ten nasz Janeczek zakwita ostatnimi czasy. Co to jednak znaczy odrobina adoracji... nawet dla faceta!

Wiktor mógł być w trzech miejscach. Za stajnią na łączce, gdzie szczególnie chętnie produkował zachody słońca w ekspresyjnych kolorach, ewentualnie na końcu padoków, z widokiem na konie, których i tak tam teraz nie było, ewentualnie w swoim własnym pokoju w towarzystwie swojej własnej żony Ewy. Wariantu C postanowiłam nie brać na razie pod uwagę, poleciałam za stajnię, ale były tam tylko nasze dzieci, zajęte produkowaniem latawca z niesłychanie długim ogonem. Udałam się więc w stronę padoków i rzeczywiście, Wiktor siedział na kamieniu, oparty plecami o polną jarzębinę i gapił się w przestrzeń. Podeszłam i popukałam go w ramię. Podniósł na mnie oczy, mało przytomne w wyrazie.

Uznałam, że najlepiej będzie wziąć go z zaskoczenia.

– Cześć, Wituś – powiedziałam tonem rzeczowym. – Babcia Stasia uważa, że wiesz, gdzie się podziewa Lula.

– Skąd mam wiedzieć, kiedy mi uciekła?

– Uciekła ci?

Wiktor obrócił się na kamieniu w moją stronę. Jego wspaniałe brwi wyglądały w tym momencie bardzo bezbronnie.

– Emilka... ja nie chciałbym o tym mówić.

– Za późno. Już powiedziałeś. Słuchaj, ja mogę trzymać buzię na kłódkę, ale chcę wiedzieć, o co chodzi.

Westchnął ciężko, a brwi zjechały mu się na czole.

– Może i lepiej będzie, jeśli się dowiesz... Jesteście zżyte z Lulą...

– Jak siostry – oznajmiłam, nieco kłamliwie. – Co się stało? Zrobiłeś jej krzywdę?

– Nie wiem. Chyba tak, ale bezwiednie.

– Bezwiednie czy nie, to ma znaczenie tylko dla ciebie. Ona oberwała i nic jej tego nie odbierze. No mów wreszcie, co jej zrobiłeś.

Usiadłam obok niego na drugim kamieniu, nie miałam tylko jarzębiny pod plecy.

– Wszystko ci powiem, tylko najpierw odpowiedz mi na jedno pytanie, dobrze? Dlaczego Lula nie wyszła za mąż?

O kurczę.

– Bo nie trafił jej się książę z bajki – mruknęłam wymijająco.

– Emilka, bądź poważna. Proszę.

Zezłościłam się i postanowiłam wyłożyć karty na stół. Ostatecznie Wiktor nie jest pierwszym lepszym glancusiem nie wiadomo skąd, tylko przyjacielem, a ostatnio prawie że rodziną.

– Bo się ożeniłeś z inną, Wiktorku. I moim zdaniem, ona ci to dzisiaj powiedziała, potem dotarło do niej, że ci to powiedziała, a potem poszła, gdzie oczy poniosą. Mam rację?

– Jakbyś przy tym była. To znaczy ona nie powiedziała tego wprost, tylko tak wyszło. Nie wiedziałem, jak zareagować...

– I jak zareagowałeś?!

– Nijak.

– To chyba dobrze. Słuchaj, kurczę, trzeba coś zrobić...

– Uważasz, że powinniśmy zacząć jej szukać? – Zerwał się z kamienia, gotów już, natychmiast lecieć na poszukiwanie. Uznałam, że to dobrze o nim świadczy, ale uspokoiłam go gestem.

– Siedź. Ona wróci, bo jest rozsądna oraz inteligentna i nie będzie robić szopek. Wypłacze się gdzieś w jakimś kącie i wróci, jak jej zejdzie czerwone z oczu. Pytanie, co ty teraz zrobisz?

– W jakim sensie? – Wiktor jakby się przestraszył.

– No przecież nie w tym, że natychmiast wniesiesz pozew o rozwód! Chyba że chcesz?...

Klapnął ciężko na swój kamień i ukrył brwi w dłoniach.

– Ależ u ciebie to proste...

Doszłam do wniosku, że to najlepszy moment, żeby zamilknąć. On teraz powinien poczuć potrzebę wywnętrzenia się. A skoro ja będę milczeć, on będzie mówił sam z siebie.

Miałam rację.

– Zastanawiałem się nad tym cały dzień, Emilko. Cały dzień, a w każdym razie od chwili, kiedy... no, kiedy mi się wiedza poszerzyła. Ty wiesz, że ja się w niej kiedyś trochę kochałem... Strasznie mi się podobała. Tylko że ona była zawsze taka jakaś... niedostępna, zawsze rzeczowa, chłodna, koleżanka to owszem, przyjaciółka już mniej, dziewczyna do kochania już całkiem nie...

Czy wszyscy mężczyźni to idioci? Albo gangsterzy?

– W międzyczasie jakoś się związałem z Ewą, samo to wyszło, chodziliśmy z sobą rok, pobraliśmy się... Słuchaj, w życiu bym nie przypuszczał, że Lula by chciała...

Swoją drogą, jak znam Luleczkę, zrobiła wszystko, żeby tego nie przypuszczał. Kobiety też czasami zasługują na baty. O mój Boże, nachachmęcili, a teraz ja muszę drogi prostować!

– Dopiero dzisiaj tak jakoś jej się wymknęło. Właściwie nawet nic konkretnego, ale...

– To już mówiłeś. Czy obraziłeś ją w jakiś sposób?

– Obraziłem? Nie, raczej nie. Nie w sposób świadomy.

– Rozumiem. Poczuła się odarta ze swojej tajemnicy i teraz jest jej okropnie głupio. Tak?

– Chyba tak to wygląda.

– Musisz z nią porozmawiać, kiedy już przyjdzie. Jak przyjaciel. Żeby się za nią nie wlokło.

– Ale co ja jej powiem? Co ja jej powiem, Emilko?

– Prawdę i tylko prawdę. Rozwiódłbyś się dla niej?

Aż podskoczył. Brwi zjechały mu na środek czoła i tak zostały.

– Wiktor, bądź mężczyzną. Dam sobie głowę uciąć, że odkąd ci uciekła i dotarło do ciebie, co jest na rzeczy, nie myślisz o niczym innym. Do jakiego wniosku doszedłeś?

Miał tak przerażoną minę, że złagodniałam.

– Wiktor. Pamiętaj, że jestem twoją przyjaciółką, Luli też i chcę dla was jak najlepiej. A ponieważ nie jestem osobiście zainteresowana, to mogę ci służyć przytomnością umysłu, bo z twoją chyba jest coś nie tak...

Westchnął rozdzierająco.

– Nie wiem, skąd ty to wszystko wiesz, czy ty naprawdę studiowałaś rolnictwo, czy może psychologię?

– Ogrodnictwo. Którą kochasz?

Znowu go zatkało.

– Obie, jak rozumiem. No to którą kochasz bardziej?

– Jezu, jaka ty jesteś rzeczowa. Nie wiem, którą. Ja w ogóle nie miałem pojęcia, że można kochać dwie kobiety naraz. Okazuje się, że można. Z Ewą jestem siłą rzeczy związany bardziej... z drugiej strony ona się ostatnio zrobiła trochę nieznośna, ja pewnie też... nie bardzo możemy się porozumieć. Z Lulą rozumiemy się w pół słowa. No i zawsze mi się podobała, pociągała mnie. Ale jest przecież Jagódka...

No, raczej!

– Nie potrafiłbym się z nią rozstać. Ja wiem, że to tak wygląda, jakbym był kiepskim ojcem, jakbym się nią mało interesował. Ale my się bardzo kochamy, moja mała córeczka i ja. Nie wyobrażam sobie, że mielibyśmy się spotykać na jakichś cholernych widzeniach raz na tydzień albo co dwa... Ja ją muszę mieć blisko siebie. Jeśli się rozwiodę, Ewa mi jej nie zostawi.

Znowu go zablokowało, ale nic nie mówiłam, czekałam, aż sam się odetka. Oraz wyciągnie wnioski. Wyciągnął. Westchnął strasznie i przemówił.

– Wygląda na to, że powinienem wrócić z Ewą do Krakowa, a Lulę poprosić, żeby zapomniała o wszystkim.

– Uważasz, że Jagódka też powinna wrócić do Krakowa? – zapytałam bezlitośnie.

Uśmiechnął się niewesoło.

– Nie powinna, zdecydowanie. Ja zresztą też nie chcę tego tak naprawdę. Boże, Boże, co się porobiło...

Widziałam, że na samą myśl o powrocie do Krakowa biedny Wiktorek aż się zwija do środka. Szkoda chłopaka. Niczemu nie zawinił. Nikt niczemu nie zawinił. Dlaczego wszyscy mają cierpieć? Postanowiłam, że muszę znaleźć jakieś wyjście, bo przecież na żadne z nich nie można liczyć w tym względzie. Uczucia im wzięły górę i szare komórki dostały wolne dni.

– Słuchaj, mój drogi. Słuchaj mnie, bo będę mówić rozsądnie. Ewa niech jedzie i niech spróbuje nowego życia na uczelni. Ty też jedź, ale nie na zawsze, tylko na jakiś czas, zrób biznesową przyjemność tej swojej klozetpani, zarób jak najwięcej kapuchy, żeby Ewa poczuła solidny finansowy grunt pod nogami, a Jagódkę zostawcie nam. Nic nie mów, jeszcze nie skończyłam. Chyba nie chcecie wpędzić dziecka znowu w te wszystkie alergie? Lubisz patrzeć, jak się mała dusi? Nie, Ewa też raczej nie. My się nią zajmiemy, a wy będziecie przyjeżdżać na wszystkie weekendy i wolne dni. Wreszcie twój ambitny japoniec zapracuje na swoją benzynkę. W międzyczasie Lula też złapie drugi oddech, bo jak ją znam, to właśnie w tej chwili szuka najbliższego połączenia do Timbuktu albo gdzieś równie daleko. Trzeba jej to wyperswadować. I ja się tego podejmuję. Uważam, że pół roku, może mniej, wystarczy nam do tego, żeby Lulę jakoś w tobie odkochać i żebyście wy oboje z Ewą zdecydowali, gdzie będziecie mieszkać. Jagódce nawet pół roku na wsi dobrze zrobi na zdrowie, a ponieważ przy Kajtku ona zdecydowanie mężnieje, więc i charakter jej okrzepnie, i jakby co, łatwiej zniesie powrót do Krakowa. Co ty na to?

Pomyślał jeszcze krótko, a potem wyraźnie podjął decyzję. Objął mnie ramieniem, uściskał serdecznie i w końcu pocałował w rękę.

– Dziękuję ci, moja mądra młodsza siostrzyczko. Jak to jest, że taka ładna dziewczyna ma taki łeb jak sklep?

– To dlatego, że rozstrzygam cudze losy – przyznałam uczciwie. – Nie jestem tak okropnie zaangażowana uczuciowo i mogę sobie spokojnie teoretyzować. Ale może byś mi w ramach rewanżu podpowiedział, co mam zrobić z moim osobistym prawie mężem gangsterem na lewej przepustce?

– Ajajaj – zmartwił się. – Rzeczywiście. Powinniśmy cię jakoś chronić z Jankiem do spółki...

– Zapomnij. Poradzę sobie jakoś, Janek mi pomoże, ksiądz, Tadzio jest blisko... Rafał... obie babcie. Tłum ludzi. A ty idź teraz do Ewy i przeprowadź z nią męską rozmowę. Tylko jej nie bij. A ja poszukam Luli i też jej przemówię do rozsądku.

Poszliśmy w stronę domu, przyjaźnie objęci i zaraz natknęliśmy się na Ewę, niosącą z kurnika koszyk z jajkami. Obdarzyła nas podejrzliwym spojrzeniem.

– Nie patrz na nas takim wzrokiem – poprosił Wiktor, wypuszczając mnie z braterskiego objęcia. – Jesteśmy niewinni. Natomiast chciałbym z tobą poważnie porozmawiać, Ewuniu.

Podniosła brwi, zupełnie tak jak niedowierzający Wiktor. Małżeństwa się upodabniają. Zabrałam jej te jajka.

– On ma rację – powiedziałam pospiesznie. – Musicie porozmawiać. Wiktor właśnie wymyślił bardzo mądrą rzecz, ze mną już skonsultował, bo ja jako niezaangażowana mam tu obiektywne spojrzenie, rozumiesz. Ale myślę, że to świetne rozwiązanie.

– Rozwiązanie czego? – zapytała. – I dla kogo świetne?

– Wiktor ci wszystko wyjaśni. Świetne dla was wszystkich: dla ciebie, Jagódki, Wiktora... – Położyłam nacisk na tę wyliczankę, w nadziei, że Wiktor nie chlapnie z rozpędu całej prawdy o Luli i jej udziale w aferze. – No to ja lecę. Te jajka mają być na kolację?

– Babcie zapragnęły placuszków – poinformowała mnie i została odciągnięta przez męża na stronę. Pewnie poszli z powrotem na koniec padoków, pod jarzębinę czerwoną.

A ja udałam się do kuchni i wyprodukowałam milion placków ze śliwkami. Babcie w ich wieku nie powinny jeść takich ilości tłustych, smażonych racuszków! Niemniej zjadły i jakoś nie umarły, natomiast wprawiło je to w doskonały nastrój. Siedziały potem długo na ganku i uczyły się nawzajem jakichś przeraźliwych polskich i niemieckich pieśni. Zdaje się, że były to ponure ballady o nieszczęśliwych miłościach.

Lula wróciła dopiero późnym wieczorem i od razu poszła do siebie. Dałam jej spokój. Na razie.

Lula

Wszystko nam się rozpada.

Emilka

Wyjechali. Ewa jeszcze trochę palpitowała, zanim zgodziła się na jedynie słuszne rozwiązanie opracowane przez Wiktora (niech sobie tak myśli, co mi szkodzi), Wiktor strasznie sponurzał na myśl o rozstaniu z Jagódką (czy tylko?!), Jagódka się poryczała, ale w końcu rozsądek zwyciężył. W przypadku Jagódki walnie dopomogły, oczywiście, oba Pudełka, duże i małe, roztaczając przed nią wspaniałe perspektywy nauki konnej jazdy i innych gier i zabaw terenowych z włażeniem na duże drzewa włącznie. Dyplomatycznie powiedziały jej o tym w nieobecności Ewy, która mogłaby zażądać przyrzeczenia niweczącego rozkosz włażenia na te drzewa. Łzy Jagódki obeschły i tylko upewniła się, że tatuś i mamusia będą codziennie dzwonić. Tatunio kupił jej w tym celu telefon komórkowy, a Kajtek zobowiązał się zabić każdego w szkole, kto chciałby na ten telefon uczynić jakikolwiek zamach (mali chuligani mają się w szkołach świetnie, mimo zaangażowania ochroniarzy stojących na bramce).

Lula udaje, że wszystko jest w najlepszym porządku, ale widzę wyraźnie, że zachowuje się jak kiepski automat, zdecydowanie sprzed epoki droidów z „Gwiezdnych wojen".

Studenci od Olgi też zbierają się do odlotu, bo zaczyna się rok akademicki. Nie płaczemy specjalnie z tej przyczyny, albowiem Olga podeśle nam na dniach kolejny obozik, tym razem jakichś wesołych emerytów. Nie do wiary. Grupa facetów po siedemdziesiątce i kobitek emerytek, zamierzających zdobywać góry i młodą (???) piersią wchłaniać wiatr, czy jakoś tak. I prężnymi stopy deptać chmury. I nawet jeździć na koniach, bo to wszystko jakiś klub miłośników kawalerii (chyba przedwojennej!), niedostatecznie bogatych, żeby posiadać własne konie. Hej, hej, ułani, malowane dzieci.

Jutro wyjeżdża też do Warszawy Malwina, zainaugurować zajęcia na swoim uniwersytecie. Wierny Rupert podąża za nią, więc Omcia jest troszkę markotna. Na pocieszenie postanowiła zostawić sobie uczonego Kiryska i sponsoruje mu pobyt w Rotmistrzówce. Kirysek nie chciał przyjąć tak wspaniałomyślnego gestu, ale było mu okropnie szkoda wyjeżdżać, nie dokończywszy pasjonującej współpracy z panią babronową, która wszak jest nieocenionym źródłem informacji historycznych. Dusza historyka zwyciężyła wrodzone poczucie przyzwoitości – tak to określił, sumitując się strasznie przy wczorajszej kolacji – niech więc już będzie, co ma być...

– Pewnie, że będże, co ma bycz – powiedziała Omcia swobodnie. – Ma bycz tak, jak ja chcę. A ja chcę z panem rozmawiacz, Herr Kirysek, bo tylko pan pozwala mi tak dlugo gadacz bez przerwy.

– Ależ Omciu – obruszyłam się zupełnie szczerze.

– Przecież my bardzo lubimy, jak nam opowiadasz o życiu! Omcia zachichotała z miną nader chytrą.

– A bo ja szę przy was hamuję, moje dżecko. Jakbym mówila godżynę bez przerwy, to żadne z was by tego ne wyczimalo. Albo dwie. A Herr Kirysek wyczimuje i nawet proszy jeszcze. Poza tym ja chcę szę dolożycz do szwiadomoszczy historycznej w narodże.

– Polskim czy niemieckim? – zainteresował się Kajtek.

– A to zależy, czy Herr Kirysek będże mial tlumaczenia – odrzekła logicznie Omcia. – W kaszdym raże my tu z panem robimy piękne z pożytecznym... Tak to szę u was mówi? No. I to mne trochę poczeszy, jak mój Rupert wyjedże...

– Ale my niedługo wrócimy – zakomunikowała beztrosko Malwina. – Prawdopodobnie też z grupą studentów. Chciałabym aż do zimy prowadzić w Karkonoszach badania. Bardzo ciekawie się zapowiadają, na pewno powstanie poważna praca na ich podstawie.

– A tych studentów tak ci ze studiów wypuszczą, Malwinko? – Babcia Stasia była sceptyczna. – Przecież oni mają normalne zajęcia.

– Mam plany co do takiej grupki idącej indywidualnym tokiem studiów – wyjaśniła Malwina. – Kilka miesięcy spędzonych na prawdziwych badaniach plus wykłady i ćwiczenia, które będę z nimi prowadziła, dadzą im na pewno więcej niż tak zwane normalne zajęcia na uniwersytecie, z daleka od jakiejkolwiek przyrody.

– I kto za to wszystko zapłaci? – Babcia miała jednak wątpliwości. – Studenci?

– Uniwersytet. To znaczy nie do końca, ale my mamy sponsora na te badania.

– Omcia? – zaśmiałam się.

– Wyjątkowo nie. – Malwina też się uśmiechnęła. – Są na to fundusze różnych unijnych i phare'owskich programów. Wycisnę z nich, ile się tylko da.

Po Malwinie widać było, że zawsze wyciśnie, ile się da, ze wszystkiego, co jej wpadnie w ręce. Oczywiście w dobrej sprawie. I świetnie, albowiem będziemy potrzebowali gości, ażeby utrzymać Rotmistrzówkę.

Lula

Zostaliśmy sami.

Może zresztą nie do końca sami, ale bez Ewy, Malwiny, Ruperta – no i bez Wiktora. Mam wrażenie, że wszystko to dokonało się z mojej winy, co jest, naturalnie, kompletnie bez sensu, bo jeśli nawet miałam swój niewielki udział w wyjeździe Wiktora, to przecież nie miałam najmniejszego wpływu na Malwinę i Ruperta. Wygląda na to, że coś niedobrego dzieje się z moim postrzeganiem rzeczywistości. Doktor Freud miałby zapewne to i owo do powiedzenia na ten temat. Ponieważ jednak doktor Freud jest również chwilowo nieobecny wśród nas, a pozostali nie orientują się – na szczęście! – w moich dusznych perturbacjach (chociaż nie dałabym głowy za Emilkę, ale ona, nawet jeśli wie cokolwiek, nabrała wody w usta i siedzi cicho) – mam spokój. To znaczy, mogę sobie sama rozmyślać do woli... i zastanawiać się, co powinnam teraz zrobić?

Rozsądek podpowiada, że nic.

Nie będę ukrywać, że odpłakałam swoje. Kiedy uciekłam Wiktorowi z Pożegnania z Afryką, nie wiedziałam, co zrobić, gdzie uciec, a przede wszystkim – jak mu się na oczy pokazać. Chciałam natychmiast wyjeżdżać, gdzie oczy poniosą, na szczęście (na szczęście???) nie bardzo wiedziały, gdzie mnie ponieść – bo przecież ani do Szczecina, gdzie w moim mieszkaniu przebywa kilku sympatycznych marynarzy pływających, ani do Australii... Do Australii jeszcze byłoby nieźle, bo daleko, ale nie mamy armat, czyli nie miałabym pieniędzy na podróż. Wróciłam z kamienną twarzą do Rotmistrzówki i udawałam, że boli mnie głowa. Migrena to pożyteczna rzecz do wymówek, już w dawnych wiekach panie miewały globusa w trudnych momentach.

No i jakoś rozeszło się po kościach. Łaska boska, że Wiktor nie próbował już niczego wyjaśniać ani tłumaczyć.

A jutro wyjeżdżają studenci. Rano przyszły do mnie te dwie panienki, co to ostatnio świata nie widzą poza Jankiem, Asia i Patrycja.

– Bo wiesz – powiedziała Patrycja, mizdrząc się okropnie – ty jesteś od dawna zżyta z Jasiem... może byś nam poradziła... chcemy zrobić pożegnalne ognisko...

– Z prezentami na do widzenia – wtrąciła Asia i potrząsnęła mi przed nosem bujnym uwłosieniem w kolorze blond. – Nie wiemy, co by naszego kochanego pana Janeczka najbardziej ucieszyło...

– Naszego kochanego pana instruktora – dodała Patrycja, wytrzeszczając na mnie oczy, artystycznie umalowane w różne kolory. Z taką tęczą na powiekach powinna wyglądać jak idiotka, ale wygląda po prostu świetnie, czego nie rozumiem. I nie rozumiem, dlaczego Janek na widok tych jej abstrakcyjnych malowideł uśmiecha się pod wąsem i bezwiednie prostuje plecy. A może i nie bezwiednie. A ona do niego wytrzeszcza o wiele bardziej niż do mnie.

– Mam wam podpowiedzieć, co macie mu kupić na pożegnanie? – upewniłam się.

– No tak. Żeby nas ciepło wspominał – zagruchała Asia. – Myślałyśmy o jakimś kosmetyku, nie wiesz przypadkiem, jakiej on używa wody po goleniu? Bo pachnie po prostu bosko!

Bosko, patrzcie ludzie, ciekawe, czy one go wąchają przed jazdą, czy po!

– Nie wiem, czym się Janek oblewa – powiedziałam zgodnie z prawdą. – Zapytajcie lepiej Kajtka.

Patrycja zamrugała kilometrowymi rzęsami w kolorze blue marine.

– Kajtka nie – rzekła stanowczo. – Kajtek nie będzie wiedział. Na pewno poprzekręca nazwy i marki, no, rozumiesz, nie mamy do niego zaufania w tej mierze.

– Ale ja wam mówię, że nie wiem!

– Ale może mogłabyś się dowiedzieć? – Patrycja spoglądała na mnie uwodzicielsko spod blond loka.

– Jeśli go zapytam, to nie będzie miał niespodzianki. Kupcie mu coś neutralnego. Albo coś dowcipnego. Wykażcie się pomysłem.

Studentki popatrzały po sobie z głębokim zastanowieniem.

– Może stringi – podrzuciła z wahaniem Patrycja.

Stringi!

– Nieeee. – Asia kręciła głową z powątpiewaniem. – Stringi ryzykowne. On jest taki poważny...

Tu zastygła z rozmarzonym wyrazem twarzy, tylko blond firanki majtały jej się nad oczami, które przymknęła, zapewne piastując pod powiekami obraz Jasia Pudełko w seksownych stringach i niczym więcej.

Goły Janek Pudełko. To ciekawe. Czy on w ogóle ma co pokazywać? Całymi latami siedział przed komputerem – zaraz, skoro Kajtek jest wysportowanym karateką, to może Janek też? Może nawet było coś kiedyś mówione na ten temat, ale nie pamiętam, nie zwróciłam uwagi. Wiktor... to wiem, Wiktor jest zbudowany jak jakiś olimpijczyk Praksytelesa albo może Fidiasza... Widziałam nieraz, bo Wiktor chętnie łaził po obejściu z nagim torsem, a Janek zawsze miał na sobie dżinsy i jakieś podkoszulki z dziwnymi nadrukami. Pytałam go kiedyś, co to za figury, a on mi powiedział, że fraktale. Nawet wytłumaczył, co to jest, ale nie słuchałam uważnie, bo właśnie wtedy przyszedł Wiktor z portretem Marianny, tym z sadem i jabłonką.

– No to jak uważasz? Będzie dobrze? Janeczek się ucieszy?

– Przepraszam, zamyśliłam się. A co mu w końcu chcecie kupić?

– Teraz to ci nie powiemy – obruszyły się studentki.

– Nie słuchałaś, co mówiłyśmy!

– Oj, mówiłam, że przepraszam...

Ale już uciekły, chichocząc. Pensjonarki!

A wieczorem okazało się, że podarowały mu rękawiczki do jazdy konnej, bardzo ładne, irchowe, starannie wykonane i wykończone (musiały nieźle kosztować). Na grzbiecie lewej było wyszyte czerwoną nicią imię Asia, a na prawej, oczywiście, Patrycja. Nie mam pojęcia, kiedy zdążyły to wyhaftować.

Oczywiście, jak się do niego przykleiły, to nie odkleiły się przed zakończeniem wspólnej biesiady ze śpiewami, grubo po północy. Twierdziły przy tym, że jest zimno i one muszą po prostu zadbać o kochanego pana instruktora, bo jeszcze zmarznie, biedaczek. Zaproponowałam w tym momencie przeniesienie biesiady do salonu, gdzie jest ciepło i gdzie nie musiałyby go z takim poświęceniem ogrzewać własnymi ciałami, ale zostałam zakrzyczana. Krzyczał między innymi Janek. Coś takiego.

Protestowały też obydwie babcie, bardzo energicznie. Babcia Stanisława kazała przynieść z szaf różne futra i szuby, okręciły się tym i były bardzo zadowolone.

Prezenty rzeczywiście były dla nas wszystkich, co uznaliśmy za miłe i wzruszające. My, kobiety, zostałyśmy obdarowane niedrogimi, ale gustownymi biżutkami z kamieni półszlachetnych; pewnie studenci odwiedzili muzeum minerałów w Szklarskiej Porębie, na zakręcie szosy – babcie dostały ametysty w postaci broszek, Emilka i ja wisiorki – ona z pasiastym szaro-niebiesko--beżowo-brązowym agatem, sama wytworność, a ja z pięknym, czerwonym karneolem, przeświecającym od środka. Jagódkę ucieszył sznureczek różnobarwnej mieszanki, a Kajtek dostał... pudełko. Malutkie, wycięte z jednego kryształu różowego kwarcu.

– Ale fajne. – Obracał je w dłoni, najwyraźniej nie chcąc zadać cisnącego się na usta pytania: po co mi to?

– To jest małe pudełko dla małego Pudełki. Schowasz w nim sobie swoją największą tajemnicę – powiedziała Patrycja.

– Albo dasz w nim pierścionek zaręczynowy jakiejś pięknej damie za jakieś piętnaście lat – dodała Asia.

– Tak naprawdę my też nie wiedziałyśmy, dlaczego ci je

chcemy podarować, ale coś nam mówiło, że tak mamy zrobić. Należy słuchać impulsów w życiu, wiesz, młody? Iść za porywem serca.

– Aha – powiedział ostrożnie młody. – Moja mama mówiła, że serce nie jest dobrym doradcą. Że trzeba raczej słuchać zdrowego rozsądku.

Spojrzałam w popłochu na Janka. Skrzywił się trochę, odłożył zabójcze rękawiczki i mruknął w stronę swojego pierworodnego:

– A ja myślę, że najlepiej jest znaleźć jakiś złoty środek. Niewykluczone, że takowy zresztą nie istnieje – dodał po chwili.

– No to czego ja mam się właściwie trzymać? – zapytał Kajtek rozsądnie.

– Na życie nie ma mądrych – westchnęła babcia Stasia. – Młodzieży, czy nie moglibyście zaśpiewać czegoś wesołego, bo powiało egzystencjalnym smutkiem z tej całej dyskusji. Jak z grobu.

Na to Asia z Patrycją jak jeden mąż przytuliły się do Janka i wydały z siebie rzewną pieśń:

– Mój sokoleeeeeee czarnooki!

– Sokół nie ma czarnych oczu – zaprotestował jeden ze studentów zwany nie wiadomo czemu Gwózdkiem, widocznie posiadający zacięcie ornitologiczne. – On ma bure takie.

– Pyyyytaj o mnie góóóór wysokich – zawodziły dziewczyny, nie odrywając się od Janka. – Pytaj o mnie kwiatów polnych...

– Ptaków polnych!

– Ptaków. Ptaków? I uwooooolnij mnieeeee!

Janek wyglądał jak rozweselony właściciel niedużego haremu.

– Mój sokole, mój przejrzystyyyyy!

– No nie – zaprotestował Gwóźdek. – Ja się nie zgadzam na żadne przejrzyste sokoły. Przecież to ewidentna bzdura. Śpiewamy coś innego.

– Ja proszę rozmarynu – zażądała znienacka babcia Marianna. – Ty mne, Stanyslawa, szpiewala taka piosenka o rozmarynu. Mne szę to podobalo.

– O mój rozmarynie, rozwijaj się – zaśpiewał ochoczo Gwóźdek. – O to chodziło, pani hrabino?

– Baronin, ne hrabina. Baronowa – sprostowała Marianna z wdziękiem. – Wy do mne, dżeczy, też możecze mówicz Oma, babcza. Szpiewaj, szpiewaj.

– Pójdę do dzieewczyny, pójdę do jedynej, zaciągnę się... na sznurku...

– Dlaczego na sznurku? – chciała wiedzieć Marianna. – Czągnącz na sznurku? Do czego?

– Do dziewczyny to zapytam się – skorygowała babcia Stasia. – Dopiero jak mi odpowie „nie kocham cię"...

– Już wiem – zawołał ucieszony Gwóźdek. – Ułani werbują, strzelcy maszerują, zaciągnę się...

– Na sznurku – dośpiewali Kajtek z Jagódką.

– Do czego on szę zacząginie na sznurku???

– Dadzą mi kabacik z wyłogami, dadzą mi kabacik z wyłogami...

– Co to jest kabaczyk? On szę je? Warziwo?

– I czarne buciki, i czarne buciki z ostrogami...

– Na sznurku!

– Nyc ne rozumim, ale to ladna piosenka, szpiewajcze dalej. – Marianna pogodziła się z losem i pociągnęła zdrowy łyk koniaczku przyniesionego przez nas wyłącznie do użytku starszych pań (młodzież i tak wolała piwo). Pieśń popłynęła już bez przeszkód, aż dobrnęła do okropnie nieprzyzwoitej ostatniej zwrotki, nie jestem pewna, czy istniejącej w pierwotnej wersji utworu. Marianna znowu domagała się tłumaczenia, ale zakrzyczeliśmy ją gremialnie. Jest w narodzie jednak jakieś poczucie stosowności.

Ogólnie było bardzo miło, ale chyba nie będę płakać za studentkami Asią i Patrycją. Ciekawe, czy Janek zamierza nosić te cudne rękawiczki!

Emilka

Pusto bez Ewy i Wiktora! Studentów też już nie ma, niby można trochę odetchnąć, ale jakoś smutno! Omcia markoci za Rupertem, dobrze, że ma Kiryska na pociechę. A do mnie zadzwonił Tadzio z propozycją, żebym przyjechała do Książa, popatrzeć, jak oni męczą dzieci. Jadę! Rotmistrzówka sobie beze mnie poradzi jeden dzień!

Czy mi się wydawało, czy Asia i Partycja pobierały z rąk Omci jakąś forsę przy wyjeździe? Może miałam przywidzenia zresztą, wyjeżdżali jakoś strasznie rano.

Lula

Nie do wiary, ale Janek nosi te idiotyczne rękawiczki! Pojechaliśmy sobie dzisiaj na taką małą, całkowicie prywatną jazdkę po okolicznych łąkach – Janek na Latawcu, ja na Bibułce, Kajtek na Loli i Jagódka na Myszy. Pierwszy teren Jagódki. Była szalenie podekscytowana – w przeciwieństwie do Myszy, której zapewne zdawało się, że idzie luzem, bez jeźdźca. Oczywiście, stara, cwana kobyła, miała w nosie polecenia swojej małej rajterki, ale skoro już szła w zastępie, to nie chciało jej się robić żadnych sztuczek. Odważyliśmy się nawet na malutki kłusik

– ja bym nie ryzykowała, ale Janek spokojnie stwierdził, że tyle razy Jagódka już kłusowała na lonży i tak jej to dobrze szło, że nie ma strachu. No i miał rację – Jagódka szczęśliwa cała, wyprostowana jak miniaturowy ułan, płynęła na kosmatym grzbiecie swojej przyjaciółki Myszki, aż miło było na nią popatrzeć. Jechałam pierwsza i czasem odwracałam się, żeby zobaczyć to szczęście w jej ślepkach. Przy okazji widziałam szeroki uśmiech Kajtka (po Janku go ma) i zadowolenie na obliczu jego ojca (trzymającego wodze dłońmi przyodzianymi wytwornie w irchę z haftem. Czerwonym!!!). Janek zamykał nasz mały zastępik – świadomość, że mamy go za sobą, że patrzy na nas i czuwa, żeby nic złego się nie wydarzyło, była nawet miła.

Spotkaliśmy na drodze Krzysia Przybysza. Jechał swoją terenówką, na nasz widok zatrzymał się, wyraził aprobatę dla wzorowej postawy w siodle małej Jagódki (rozpromieniła się jak samo słońce) i zakomunikował, że za nami tęskni. Bardzo był ostatnio zajęty, ale chciałby wpaść, pogadać, wypić herbatę... A Emilka jest?

Powiedziałam zgodnie z prawdą, że pojechała do Książa, gdzie ma dwóch przyjaciół, starego i nowego, którzy uczą ją pracy z chorymi dziećmi. Podkreśliłam przyjaciół. Krzysio zmarkotniał. No, no. Niech on lepiej pamięta o pani leśniczynie i swoich leśniczątkach.

Emilka

Ja się muszę wreszcie dowiedzieć, dlaczego Rafał przestał być lekarzem! Podejście do pacjentów ma lepsze niż Bruno Walicki, a może nawet niż doktor Pawica! Niestety, ani się zająknął na ten temat, dwie godziny natomiast gadał – do mnie! – o schorzeniach neurologicznych, w których leczeniu pomocna jest hipoterapia. Jednocześnie woziliśmy na grzbiecie Hanysa dziewuszkę z porażeniem mózgowym, na dodatek z domieszką autyzmu (Tadzinek w tym czasie zajmował się drugą dziewuszką). To nie do wiary, jaki ten koń jest mądry! Nie mogło mu być wygodnie, bo panienka miotała się na nim, w dodatku wydając dziwne dźwięki o wysokiej częstotliwości, które musiały mu wiercić dziury w uszach. Złego słowa jej nie powiedział. Wcale przy tym nie robił wrażenia mułowatego, takiego, co to mu jest wszystko jedno, czy wozi kartofle, czy żywych ludzi. Przeciwnie, reagował, uważał, słuchał i patrzył, co się dzieje. Byłam nim zachwycona i kiedy odprowadzaliśmy go po zajęciach do stajni, pocałowałam go w wielki czarny nochal. W odpowiedzi usiłował mi zdjąć apaszkę z szyi. I zjeść.

Trochę się bałam tych zajęć, bałam się, że nie zniosę widoku tych biednych, chorych i nieszczęśliwych dzieciaczków, ale Rafał miał rację – kiedy zaczęliśmy z nimi pracować, ważne było tylko, żeby zrobić swoje, żeby dać im jak najwięcej i w jak największym komforcie.

– Pamiętaj – mówił do mnie Rafał, kiedy oboje szliśmy przy małej Izie (jej mama wykorzystała moją obecność i pognała do zamku kupować jakieś filiżanki – poleciłam jej niebieskie z cebulowym wzorkiem), uważając, żeby nie spadła z szerokiego grzbietu Hanysa – możesz początkowo mieć wrażenie, że to wszystko tutaj to jest robota głupiego. Ale jeśli popracujesz z nami dłużej, sama zauważysz poprawę. Iza początkowo leżała mu na grzbiecie jak wór, a teraz reaguje, widać, że się cieszy, że go lubi, że jest jej przyjemnie. Masz pojęcie, że ona nie wyrażała przedtem żadnych emocji?

29

– Rafałku – powiedziałam nieśmiało. – A z czego ty wnosisz, że ona okazuje jakieś emocje? Bo ja nic nie widzę...

Roześmiał się.

– Kwestia czasu. Ja patrzę na Izunię od pół roku. No dobrze, mała – zwrócił się do dziewczynki, która bezwładnie zwisała z Hanysa, lekko się przy tym śliniąc.

– Zmienimy teraz pozycję. Połóż się trochę inaczej. No, hopsia.

Z delikatnością i siłą odwrócił dziewczynkę tak, aby leżała na koniu równolegle do jego grzbietu.

– Przytul się do konika, nie bój się. To przecież tylko nasz stary, dobry Hanys. Bardzo ładnie. Teraz sobie jeszcze trochę pochodzimy. Ciocia Emilka będzie cię pilnowała z drugiej strony, żebyś nie spadła. A ja sobie pójdę tutaj, obok ciebie.

Izunia coś mruknęła i jakby spróbowała objąć szyję Hanysa. Bez powodzenia, rączki zwisły jej bezwładnie wzdłuż boków konia. Spojrzałam na Rafała, prawdopodobnie rozpaczliwie. Znowu się uśmiechnął.

– Mówię ci, jest postęp. Uwierz mi. Trzy miesiące temu nawet nie próbowała próbować. No to jazda.

Ruszyliśmy znowu w ten monotonny spacer. Rzeczywiście, na tym etapie świadomości mogę mu tylko uwierzyć.

Złapałam się na tym, że chcę mu wierzyć.

Podczas kiedy my we dwoje pracowaliśmy z Izunią, Tadzio woził drugie dziecko, a pomocy udzielała mu drobna blondyneczka o zatroskanym wyrazie twarzy.

– To jest mama Zuzanki – poinformował mnie Rafał znad grzbietu Hanysa. – Bardzo dzielna i wspaniała osoba. Niestety, samotna. Tatuś, zorientowawszy się, że dziecko jest ciężko chore, dał dyla. Wrażliwiec. Nie mógł patrzeć, jak się męczą ukochane istoty.

– O matko – powiedziałam. – Ale gnój. Pomaga im jakoś?

– Z tego co wiem, to przysyła dwieście złotych miesięcznie na dziecko. Więcej nie może, bo jest na świeżym dorobku. Zostawił im mieszkanie, i to go bardzo nadszarpnęło, więc nie może się zanadto rzucać z tymi pieniędzmi.

Ironia i obrzydzenie w głosie Rafała kontrastowały z delikatnością, z jaką obracał znowu Izunię na Hanysowym grzbiecie. Popatrzyłam na blondyneczkę. Będzie trochę ponad trzydziestkę. Ładna. Taki kwiatek, typu niezapominajka na przykład, albo może lobelia, stroiczka. Delikatna. Ale skoro radzi sobie z taką sytuacją, to żadna z niej niezapominajka, tylko raczej górska pierwiosnka, co to wyrośnie na ziarnku piasku przytulonym do skały i nie pozwoli się zwiać w przepaście żadnym wichrom.

Podzieliłam się z Rafałem moimi botanicznymi porównaniami, co go rozśmieszyło, ale przyznał mi rację.

– Dostała pani nowe imię – zakomunikował blondyneczce, kiedy zakończyliśmy już zajęcia i obie mamy (ta od Izuni w międzyczasie wróciła z kartonem niebieskich filiżanek) siadły z nami przy małym stoliczku celem złapania oddechu (mama Izuni, na szczęście, posiada tatusia do kompletu, tyle że aktualnie złożonego niemocą w postaci ospy wietrznej, którą podłapał od jakiegoś ucznia w szkole, gdzie uczy geografii). – Jak to było, Emilko? Prymulka?

– *Primula minima*. Pierwiosnka maleńka.

– A może być *Primula maxima*? – wtrącił się Tadzio.

– Bo maleńka do pani niespecjalnie pasuje, moim zdaniem. Ja w każdym razie uważam, że pani jest wielka. Mnóstwo ludzi załamałoby się na pani miejscu.

– Nie wiem – szepnęła Primula Maxima, której zatroskane oblicze rozjaśnił zażenowany uśmiech. – Myślę, że pan przesadza, panie Tadeuszu. Mnóstwo kobiet na moim miejscu postąpiłoby tak samo. Przecież Zuzia to moje dziecko. Jedyne. Jeśli ja się nią nie zajmę, to kto to zrobi? Obcy ludzie?

– Jakie to proste w pani ujęciu. – Tadzio śmiał się, jak to Tadzio, ale widziałam, że coś tam jeszcze pod tym śmiechem było.

– To naprawdę proste. Mogłam zrezygnować i oddać Zuzię do jakiegoś zakładu, szpitala, nie wiem gdzie... są takie placówki, moi przyjaciele nawet chcieli mi załatwić miejsce dla Zuzi w takim domu... ale chciałam sama spróbować. No i okazało się, że można wytrzymać. Zresztą w żadnej placówce nikt nie zajmowałby się Zuzią cały dzień, a ja w domu to mogę robić.

– A z czego pani żyje? – wtrąciła się do rozmowy mama Izuni.

– Mam rentę na Zuzię, alimenty od mojego byłego, trochę mi pomagają rodzice i trochę zarabiam sama, bo daję lekcje hiszpańskiego. Nie jest źle.

Pogadaliśmy jeszcze chwilę i obie mamy ze swoimi córeczkami odjechały samochodami marki Tico – ta od Izuni miała fioletowe, a Primula srebrny metalik.

Tadzinek westchnął głęboko.

– I taka jeszcze mówi, że nie jest źle – sapnął. – Zarzyna się kobieta z uśmiechem na ustach. Boże, dzięki ci, że nie dałeś mi dziecka z ciężkim upośledzeniem!

– Na razie nie dał ci żadnego – zauważył przytomnie Rafał. – Ale miejmy nadzieję, że twoje dzieci, Tadziu, będą okazami zdrowia i urody. Czego ci życzę.

– O mój Boże, mój Boże – powiedział Tadzio ponuro i poszedł do domu po piwo. I wodę mineralną dla mnie, drajwerki.

Zdobyłam się na odwagę.

– A ty, Rafałku, masz jakąś rodzinę?

– Całe mnóstwo – uśmiechnął się. – Mama, tata, dwie siostry, stado wujków i cioć z obu stron, kuzyni i kuzynki, tabuny powinowatych...

– Miałam na myśli żonę i dzieci.

– Już nie.

Chciałam bezczelnie zapytać, co z nimi zrobił, skoro miał i nie ma, ale wyraz jego twarzy sprawił, że zamknęłam się i nie zapytałam.

Zapadła między nami idiotyczna cisza, miałam ochotę zapaść się pod ziemię albo rozwiać się w powietrzu. Na szczęście w tym momencie zadzwoniła moja komórka. Złapałam ją z uczuciem ulgi.

– Witam cię, Emilko moja droga.

Uczucie ulgi diabli wzięli natychmiast. Lesław!

– No i co u ciebie słychać? Nie odzywasz się do mnie, uciekasz gdzieś do Książa...

Skąd on to wie?

Odblokowało mnie.

– Jakoś nie tęsknię za tobą – powiedziałam sucho.

– Do Książa jeżdżę, bo lubię.

– Konie. Rozumiem. Konie i koniarzy. Kiedyś lubiłaś samochody. Ale ja rozumiem, świat się zmienia, a my z nim. A propos samochodów, to skoro Warta wypłaciła ci odszkodowanie, chyba nie ma przeszkód, żebyśmy się mogli rozliczyć. Co ty na to?

– Nie przypominam sobie, żebym miała z tobą jakieś rozliczenia – warknęłam do słuchawki, bo już mi zaskoczenie minęło, natomiast ogarnęła mnie złość. Dowiedział się o odszkodowaniu. A gdzie ochrona tajemnicy klienta? Ale pewnie, co im tam ochrona, jak gangster machnie forsą przed nosem. – I myślałam, że już sobie to wyjaśniliśmy jakiś czas temu!

– I mnie się tak wydawało, kochanie. Wyjaśniliśmy sobie, że oczekuję od ciebie pewnej określonej kwoty, będącej określoną częścią wartości chryslera, którego ode mnie dostałaś, pozwoliłaś sobie ukraść i rozbić... To będzie sto dwadzieścia baniek, o ile dobrze liczę. Na szczęście pomyślałem w porę o ubezpieczeniu twojej zabaweczki.

– Sam mówisz, że mojej. Chrysler był mój. Od samego początku. Jego wartość potraktuj, proszę, jako odszkodowanie za straty moralne, których doznałam, naiwnie ufając w twoją uczciwość.

– Emilko, Emilko, jak to nieładnie wygląda w twojej interpretacji...

– A jeszcze gorzej w rzeczywistości! Pamiętaj, że nawet prokuratura nie położyła łapy na samochodzie, bo uznała, że jest bezapelacyjnie i granitowo mój! W żadnym sądzie nie udowodnisz, że jest inaczej!

– A kto by tam chodził do sądu, kochanie. Jak zapewne się domyślasz, nie mam najlepszego zdania o naszym wymiarze sprawiedliwości. Z wzajemnością zresztą. Myślę natomiast o różnych domowych sposobach...

Tu mnie wreszcie zatchnęło. Matko Boska, jakie domowe sposoby? Przecież to gangster, mafioso, co on ma na myśli?

– Jesteś tam jeszcze, Emilko? Pamiętaj, kochanie, że nie ma to jak rękodzieło.

Jakie rękodzieło, Boże jedyny? Chce mnie zamordować? Ręcznie! Upozoruje wypadek?

– Bo wiesz – ciągnął spokojnie i jadowicie. – Macie tam w tej swojej Rotmistrzówce różne zwierzątka, podobno do niektórych jesteś przywiązana specjalnie... słyszałem o jakimś Latawcu, podobno głupi koń, nie wiem, co ty w nim widzisz takiego, ja tam zawsze uważałem, że konie mechaniczne są przyjemniejsze i bardziej, jakby to powiedzieć... dla białych ludzi...

Matko Boska po raz drugi! Konie!

– Jeżeli naszym koniom stanie się jakakolwiek krzywda – syknęłam roztrzęsiona – zabiję cię!

W słuchawce dał się słyszeć serdeczny śmiech mojego byłego gangusia. Jak ja mogłam być w nim zakochana???

– Emilko, dziecko. A kto mi udowodni cokolwiek? Czy ja się w ogóle zbliżam do tej waszej zapowietrzonej stajni? Ja nie lubię koni, one mnie nawet może uczulają, dostaję od nich egzemy...

– Sam jesteś cholerna egzema! – wrzasnęłam. – Nie waż się palcem tknąć naszych koni! Ty ani twój pieprzony personel! Natychmiast zgłaszam na policję pogróżki z twojej strony! Mam tu świadków tej rozmowy, włączyłam głośnik od samego początku, słyszeli i potwierdzą!

– Słyszeliśmy i potwierdzimy! – ryknął basowym głosem Tadzio, który zdążył już wrócić z napojami i strzygł uszami jak zaniepokojony folblut. Odebrał mi słuchawkę i kontynuował przemowę. – Emilka ma tu przyjaciół i jeśli stanie się jej jakakolwiek krzywda, to krew się poleje, rozumiesz, pętaku? Twoja! Jeszcze jeden telefon i będziesz miał mordę jak befsztyk tatarski. A teraz...

Tu mój dzielny obrońca w słowach baaardzo nieprzyzwoitych powiedział Leszkowi, co ma zrobić i dokąd się udać. Wyłączył komórkę i podał mi ją z zatroskanym wyrazem poczciwego oblicza.

– Rozumiem, że to był ten twój?

Pokiwałam głową, niezdolna wydusić z siebie ludzkiej mowy. Rafał patrzył na nas szeroko otwartymi oczami.

– Cholera – mruknął Tadzinek. – Ja mu wprawdzie nawtykałem, ale boję się, że on się niespecjalnie przejął. Przypuszczam, że niejeden mu takie teksty wstawiał... O co mu chodziło?

– Chce, żebym mu oddała dwie trzecie odszkodowania za tego chryslera, co ci mówiłam, pamiętasz.

– Nie wygłupiaj się. Nic mu nie oddawaj, musisz z czegoś żyć. Na policji zamelduj koniecznie, my z Rafałem poświadczymy, że ci groził. A propos, tobie czy koniom?

Streściłam rozmowę, której teoretycznie obaj byli świadkami. Tadzio kiwał głową ze zrozumieniem, natomiast Rafał poprosił o wyjaśnienia.

– Bo, widzicie – rzekł jakby nieco strapiony – ja nie jestem w kursie dzieła, a chciałbym wiedzieć, co to za ponure afery otaczają naszą Emilkę.

Powiedział „naszą"! Zrobiło mi się lepiej. Pokrótce opowiedziałam mu stosowne fragmenty swojego życiorysu. Słuchał uważnie... zupełnie jakbym była mamą dziecka z porażeniem mózgowym.

– No, no – mruknął, kiedy skończyłam. – To wszystko jest raczej nieprzyjemne. Tadzio ma rację, trzeba iść na policję, zadzwoń może też, Emilko, do tego swojego znajomego prokuratora. Mam nadzieję, że uda wam się upilnować konie. Czy ktoś ze wsi u was pracuje?

– Nie, my sami sobie radzimy – odpowiedziałam i nagle zrobiło mi się zimno. Po wyjeździe Wiktora była mowa o tym, że dorywczo do pomocy Jankowi trzeba będzie zatrudnić któregoś Misiaka. Znowu złapałam komórkę. – Jasiu! To ja, Emilka. Słuchaj, czy ty już się umawiałeś z Misiakami? Byli już w Rotmistrzówce?

– Jeszcze nie, dopiero jutro mamy układać paszę na zimę...

– Jasiu, ja cię proszę, natychmiast ich odwołaj! Nie mają prawa zbliżać się do Rotmistrzówki! My ci pomożemy, Lula i ja. Damy sobie radę sami. Tylko ich natychmiast odwołaj!

– Dobrze, ale co się stało?

– Leszek, wiesz, mój były...

– Wiem. Co Leszek?

– Groził, że coś zrobi koniom, mówił o Latawcu. Jasiu, ja cię proszę!

– Dobrze, rozumiem, nie martw się. Zaraz ich złapię i unieważnię nasze plany. Kiedy wracasz?

– Niedługo. Chyba jeszcze zajadę na policję, tak mi radzą chłopaki tutaj...

– Bardzo rozsądnie. Czekamy na ciebie. Trzymaj się, dzielna Emilko.

Kochany Janeczek. Nie gada po próżnicy, wie, co jest ważne, reaguje natychmiast i prawidłowo. Czy ta Lula jest nieprzytomna? Z drugiej strony, może jemu się odwróciło pod wpływem studentek? I teraz będzie szukał młodszej? Ależ się porobiło. Muszę nią chyba jakoś potrząsnąć.

– W porządku?

– W porządku, Tadziu. To ja chyba będę wracać. Nie wiem, na którą policję jechać, tu czy w Karpaczu? Jak myślicie?

– Chyba w Karpaczu... bliżej ciebie, to znaczy twojego obecnego miejsca zamieszkania...

– Albo w Jeleniej Górze – dodał Rafał. – Tam jest jakaś ważniejsza policja, kiedyś była wojewódzka.

– To ja już pojadę – westchnęłam. Taki był miły dzień i diabli wzięli wszystko... – A prawda, co z tym waszym świadkowaniem? Bo chyba naprawdę byłoby dobrze, żeby ktoś poświadczył, że on mi groził...

– Pojedziemy z tobą – zadecydował Tadzio bez namysłu. – Za tobą. Przejedziemy się motorkiem. Miał być jeszcze dzisiaj na terapii Marcin Grabowski, pamiętasz go? Ale jak byłem po piwo, to dzwoniła jego mama, że jest przeziębiony i leży w łóżku. Mamy czas. Patrzcie, jak to dobrze, że nie wypiliśmy tego piwa.

Dostrzegłam pewną możliwość i postanowiłam ją wykorzystać.

– A może by któryś z was pojechał moim samochodem? Bo ja – zaszemrałam, starając się, żeby to wypadło bezradnie – tak się jakoś głupio poczułam, to chyba przez te emocje...

– Dobrze, ja z tobą pojadę – zgodził się natychmiast Rafał, zapewne wiedziony odruchem lekarza, opiekuna słabszych. – A jak się czujesz, powiedz?

– No, tak byle jak – miauknęłam, spoglądając na niego rzewnie. – To trudno określić. Właściwie nic mi nie jest, mogę jechać sama...

– Lepiej nie – pokręcił głową Rafał. – Nie ma sensu ryzykować, teraz niby nic, a jeśli zasłabniesz w drodze?

Lekko uniesiona brew Tadzinka powiedziała mi, że on chyba domyśla się, co jest na rzeczy. Zawsze byłam okazem zdrowia.

Dobra, dobra. Byłam, ale może już nie jestem! Teraz jestem kobietą po przejściach i mam prawo do słabości!

Tadzio prychnął śmiechem i poszedł szykować swojego stalowego rumaka marki Kawasaki. My zaś wsiedliśmy do astry – on, ma się rozumieć, po lewej stronie, a ja na fotelu pasażera – Rafał wrzucił jedynkę...

Nawet nie chciało nam się rozmawiać po drodze. Jeśli się w czyimś towarzystwie dobrze milczy, to chyba coś znaczy?

Tuż za Wałbrzychem wyprzedził nas jadący z prędkością nadświetlną szalony motocyklista.

– Dawca nerek – powiedziałam z lekką pogardą, myśląc jednocześnie o regularnym profilu Rafała i o tym, czy regularny profil oznacza uporządkowaną osobowość. Sądząc po Rafale, owszem, oznacza.

– Wypluj to słowo – zaśmiał się właściciel regularnego profilu. – To przecież Tadek.

– O Matko Boska! Tfu, tfu, na psa urok, na koci ogonek! Nie poznałam go w tym baniaku na głowie! Wygląda jak kosmita!

– Panienki to kochają – zakomunikował profil. – A Tadzio ma kompleksy, więc lubi sobie czasem dodać blasku...

– Tadzio zawsze miał kompleksy. – Jak miło jest plotkować o przyjaciołach! – I za nic na świecie nie chciał uwierzyć, że żadnej normalnej dziewczynie nie będzie przeszkadzał jego wzrost, bo nie we wzroście jest Tadzinka siła! Siła Tadzinka mieści się w jego osobowości oraz uroku osobistym.

– Powiedziałabyś mu to? – Zerknął na mnie znad kierownicy.

– Ja mu to sto razy mówiłam. Ja i wszystkie koleżanki z naszego roku. Groch o ścianę, mówię ci.

– Może on chciał nie sto razy i nie od wszystkich, tylko raz i od jednej?

– Masz kogoś konkretnego na myśli?

– A za kogo Tadzio krowy doił?...

Och ty, neurologu, ty nie bądź taki cwany. Bo się nie uchowasz. Swoją drogą, Tadzio opowiadał mu życiorys czy co?

– Krowy to była koleżeńska przysługa – oświadczyłam stanowczo. – A mówił ci, jak mu zrobiłam pół zielnika na pierwszym roku? Może nawet dwie trzecie zielnika.

– Mówił, mówił. Wiesz, że on do tej pory ma ten zielnik? Bardzo przeżył, kiedy sobie znalazłaś kogoś...

– Coś takiego! On ci wszystko opowiadał? To po co udawałeś, że nie słyszałeś o moim gangsterze?

– Tadek mi nie mówił o gangsterze, tylko kiedyś przy piwie usłyszałem historię o pięknej dziewczynie, za którą doił krowy na praktyce, w której się śmiertelnie kochał, a z powodu zielnika nawet trochę myślał, że z wzajemnością... i która to dziewczyna spotkała mężczyznę swojego życia, i to nie on był tym mężczyzną...

– Ten tamten też nie był – powiedziałam gniewnie. – Jak się okazało. Był łobuzem. Łagodnie mówiąc.

– Bardzo łagodnie – zgodził się ze mną Rafał. – Dobrze się stało, że pozbyłaś się go w porę.

– To nie ja się go pozbyłam, to władza mi go sprzątnęła znienacka sprzed nosa. Ja bym za niego wyszła, a teraz nosiłabym mu paczki do mamra. Albo by mnie przez pomyłkę zastrzelił któryś z jego koleżków. Albo bym mu się znudziła i on kazałby mnie zastrzelić któremuś ze swoich koleżków...

– Nie wyobrażam sobie, żebyś naprawdę nosiła paczki do mamra facetowi, który by cię oszukał – zaśmiał się Rafał. – Ale może byście właśnie siedzieli w jakimś ciepłym kraju, na ciepłej plaży, popijali zimne drinki prosto z ananasa...

– W ananasie podaje się to kokosowe świństwo. Ja tego nie znoszę. Ale wiesz, chyba dobrze się stało, jak się stało, chrzanić ciepłe kraje, ja tam lubię polską złotą jesień i nie cierpię, kiedy jest mi za gorąco. I uważam, że miałam wielkie szczęście z tą Rotmistrzówką...

– Pasujesz tam, rzeczywiście.

Zgrabnie wyprzedził ciągnące się niemrawo pod górę dwa TIR-y. Ja bym się tak bała.

– Ty się nie boisz wyprzedzać pod górkę?

– To mała górka, widoczność jest bardzo dobra, popatrz, nie ma ciągłej linii, tylko przerywana...

Miałam straszną ochotę zagadnąć go o jego tajemnicze życie osobiste, o ten zawód, którego się nauczył, ale go nie wykonuje, o żonę... miał ją czy nie? Ale przypomniałam sobie w porę, jak mnie ściął, kiedy go spytałam o te rzeczy, i zamknęłam gębę, zanim zdążyłam ją w tej sprawie otworzyć. Zagadnęłam go natomiast o jakieś szczegóły dotyczące terapii małej Izuni i ten fascynujący temat (to naprawdę ciekawe, choć może nie aż tak, jak ta Rafała hipotetyczna żona i kwestia, komu zrobił krzywdę na stole operacyjnym...) wystarczył nam aż do Kamiennej Góry. Od Kamiennej Góry do rozdroża pod Jelenią Górą omawialiśmy Marcinka Grabowskiego i Zuzię, córkę Primuli M. Wreszcie temat nam się wyczerpał.

– Na co myśmy się w końcu zdecydowali? – zapytał Rafał. – Karpacz czy Jelenia?

– Na nic chyba. Jedźmy do Karpacza. A gdzie pojechał Tadzio?

– Nie mam pojęcia. Zadzwonisz do niego?

Zadzwoniłam, przygotowana na to, że nie odbierze,
bo przecież łeb ma w tej wielkiej czarnej bani i nie ma
prawa słyszeć sygnału. Odebrał.

– O, Emilka – ucieszył się. – Gdzie myśmy w końcu
mieli jechać?

– A gdzie jesteś?

– A rybkę sobie jem w tej smażalni obok Chaty za
Wsią. Zamówić wam po pstrągu?

– Rafał, chcesz zjeść pstrąga?

– Pewnie, a co już nie jedziemy na policję?

– Policja nie ucieknie – powiedziałam beztrosko.
Obecność neurologa u mojego boku sprawiała mi dużą
przyjemność i nie miałam zamiaru rezygnować z niej zbyt
wcześnie. Ostatecznie komisariat policji powinien być
czynny dwadzieścia cztery na dwadzieścia cztery, a jeśli
nie, to tym lepiej, pojedziemy sobie jeszcze i do Jeleniej
Góry...

Pstrągi były pyszne, z widokiem na Karkonosze w za-
chodzącym słońcu. Pewnie za te widoki doliczają czło-
wiekowi datę urodzin do rachunku, ale niech im tam.

Prawie zapomnieliśmy, że mamy coś do załatwienia.

Rafał ocknął się pierwszy. Zarządził płacenie i od-
wrót. Odwróciliśmy się więc od stawów rybnych i po-
mknęliśmy jak dwie strzały, mniejsza czarna i większa
czerwona, prościutko na policję w Karpaczu.

Przyjął nas sympatyczny blondyn w mundurze i kazał
sobie powiedzieć, w czym rzecz.

– Jeden facet groził mi przez telefon – powiedziałam.

– To znaczy niezupełnie mnie, ale koniom.

Blondyn spojrzał na mnie jak na wariatkę.

– Koniom groził?

– Mówił, że zrobi krzywdę naszym koniom. Ja jestem z Rotmistrzówki w Marysinie.

– Aha, od pani Suchowolskiej – mruknął blondyn. – To tam się coś dzieje? Bo po śmierci rotmistrza wszystko bardzo podupadło. Ja tam się uczyłem konno jeździć jako szczeniak.

– Już się podniosło z upadku – zawiadomiłam go z satysfakcją. – Mamy ośrodek jeździecki i agroturystykę. Pracujemy tam w kilka osób. Między innymi ja. No. I niedawno do Marysina przyjechał za mną mój były chłop...

– Mąż?

– Nie, ale prawie. Nie został moim mężem, bo się okazał cholernym gangsterem i poszedł siedzieć.

– Skoro poszedł siedzieć, to jak przyjechał?

– Bo wyszedł. Na jakąś lewą przepustkę czy coś.

– Skąd pani wie, że na lewą?

– Bo jest zdrowy jak koń, a podobno wyszedł ze względu na słabe zdrowie. Jak on ma słabe zdrowie, to ja jestem sierotka Marysia. I krasnoludki.

– I mówi pani, że pani groził? Dlaczego? A w ogóle jaki gangster?

– Kałach niejaki. Słyszał pan może?

Blondyn zbystrzał.

– Kałach? Brzezicki?

– Brzezicki Lesław.

– Jest tutaj? Na naszym terenie?

– Jest. Mieszka u pana Łopucha w Marysinie. Chciał u nas. Babcia Suchowolska go wywaliła na pysk.

Blondyn sięgnął po słuchawkę.

– Misiu? Jesteś jeszcze? To zejdź tu do mnie, szybko. Jest u mnie pani, która opowiada ciekawe rzeczy. O Kałachu niejakim. Znasz człowieka.

Odłożył słuchawkę.

– Na Kałacha to ja jestem za mały – wyjaśnił. – Zaraz przyjdzie mój kolega, on się państwem zajmie.

Dał się słyszeć rumor na schodach, po których najwyraźniej zbiegał ktoś w podkutych butach.

Facet, który ukazał się w drzwiach, natychmiast wzbudził mój szczery zachwyt. Tak powinien wyglądać gość od unieszkodliwiania gangsterów! Dwa metry wzrostu, bary niedźwiedzia, łeb ostrzyżony na lotniskowiec, błękitne oczy w ogorzałej twarzy. Przy takim supermanie Willem Dafoe w swoich najlepszych kreacjach to pikuś.

– Dzień dobry – powiedział od progu głębokim barytonem. – Podkomisarz Mirosław Michalski. To pani?

Podałam mu rękę, którą uścisnął ostrożnie. Niewykluczone, że gdyby uścisnął mniej ostrożnie, toby mi ją zgruchotał. Łapy też miał jak niedźwiedź. Bardzo stosowna ksywa. Tadzio i Rafał również dokonali prezentacji, zaznaczając od razu, że są świadkami, słyszeli wszystko i zamierzają czuwać, żeby mi się krzywda nijaka nie stała.

No, rycerze moi kochani!

Podkomisarz Misio nieco ich zlekceważył, wpijając we mnie błękitne źrenice i przewiercając mnie wzrokiem na wylot. Jakby łakomie. Nie wiedziałam tylko, czy to apetyt na moje wdzięki, czy raczej na Kałacha.

Wyglądało na to, że jednak na Kałacha.

– Pani w sprawie Lesława Brzezickiego?

– Tak, panie komisarzu – zaszemrałam. W towarzystwie tego wielkiego faceta czułam się jak biedroneczka, mróweczka, ewentualnie coś jeszcze mniejszego. Bakteria. Ale nie było to zupełnie nieprzyjemne.

– To ja poproszę państwa do siebie. Siądziemy spokojnie i porozmawiamy jak ludzie. Tu stale ktoś przychodzi.

Zaprowadził nas, waląc podkutymi butami w kolejne schodki, do pokoju piętro wyżej. Władczym ruchem ręki zmiótł z biurka do szuflady jakieś papierzyska, sięgnął do elektrycznego imbryka i przytknął włącznikiem.

– W sprawie Kałacha to ja nawet kawę zrobię. Mają państwo ochotę?

Państwo mieli. Po tych pstrągach pić nam się chciało wszystkim. Podkomisarz sypnął hojnie fusianki do trzech kubków – jeden miał już przygotowany, pewnie właśnie zasiadał do spokojnej pracy umysłowej – zalał ją wrzątkiem i podsunął nam słoiczek po nutelli.

– Cukier – wyjaśnił. – Śmietanki nie mam, niestety. Teraz proszę, niech pani mówi. Będę nagrywał. Nie przeszkadza to pani, mam nadzieję?

– W najmniejszym stopniu. Dwie łyżeczki poproszę. Zdenerwowałam się. Słodkie dobrze robi na nerwy.

– Spokojnie, tu nic złego się pani przecież nie stanie.

– Wielkolud nadzwyczaj uprzejmie posłodził mi kawę; nie mam pojęcia, dlaczego sama tego nie zrobiłam. Tacy duzi faceci budzą we mnie potrzebę bycia pod opieką. Tychże dużych facetów. – Proszę zacząć od początku. Jak się pani nazywa, skąd pani zna Brzezickiego i tak dalej.

Opowiedziałam podkomisarzowi Misiowi pół swojego życiorysu, aż doszłam do dzisiejszego dnia i do telefonu Lesława. Rafał i Tadzio słuchali zupełnie tak samo uważnie jak podkomisarz. Wszyscy trzej zachowywali kamienne oblicza. Czułam się, jakbym była na planie filmu sensacyjnego. Mało brakowało, a zaczęłabym szeptać. Pohamowałam się, na szczęście.

Moi dwaj przyjaciele potwierdzili prawdziwość tego wszystkiego, co mówiłam o telefonie – od razu zełgałam, że włączyłam głośnik komórki na początku rozmowy i że obaj słyszeli wszystko. Nawet nie mrugnęli okiem.

A w błękitnych oczach podkomisarza Misia pojawiły się dodatkowe błyski. Wyłączył swoje urządzenie nagrywające, wypił jednym haustem pół kubka fusianki, o której zapomniał, słuchając moich rewelacji, i wziął głęboki oddech.

– Nie będę ukrywał – rzekł głosem doskonale obojętnym – że powiedziała nam pani sporo interesujących rzeczy. Nie wszystko jednak, co dotyczy pani byłego... męża?

– Prawie męża – sprostowałam z godnością.

– Byłego-prawie-męża – zgodził się bez oporu podkomisarz. – Nie wszystko, co go dotyczy, jest w moich kompetencjach. Sprawa może okazać się szersza niż telefon z groźbami. Chciałbym panią prosić, żeby zechciała pani jutro porozmawiać z jednym moim kolegą, a właściwie przełożonym z powiatowej.

– Czy on jest równie piękny, jak pan? – zapytałam, zanim zdążyłam pomyśleć, i zobaczyłam z uciechą, jak kamienne oblicze podkomisarza zmienia wyraz na dużo głupszy.

Szybko się opanował.

– Jest piękniejszy – powiedział niedbale. – Wszystkie koleżanki policjantki za nim szaleją. To typ intelektualisty. Spodoba się pani. Czy mogę państwa umówić?

– A pan przy tym spotkaniu będzie?

– Nic by mnie nie powstrzymało. Dziewiąta rano odpowiada pani?

– Wolałabym dziesiątą, to pomogę przy śniadaniu.

– Dobrze. Dziesiąta rano w powiatowej. Trafi pani? A może podjechać po panią do Rotmistrzówki?

– Mógłby pan?

Dałabym sobie głowę uciąć, że zarówno Tadzinek, jak i Rafał spojrzeli na podkomisarza nieprzyjaźnie. Trudno. Zazdrośni? A co w tym złego, że mnie uprzejmy człowiek odeskortuje na policję?

– Oczywiście. Będę jechał z Karpacza, bo muszę tu być rano, chętnie zboczę. Kiedyś uczyłem się jeździć konno u pana rotmistrza.

Pół świata uczyło się jeździć konno u pana rotmistrza.

Pożegnaliśmy się mile (Tadzio i Rafał nieco chłodniej) i pojechaliśmy do domu na kolację.

Ledwie weszliśmy za próg, otoczyli nas rozżarci domownicy, żądający wyjaśnień. Dostaliśmy jeść i pić, ale nie mogliśmy ani jeść, ani pić, dopóki wszystko nie zostało powiedziane. Niestety, jak się okazało, Jankowi nie udało się odwołać Misiaków, bo telefon w ich domu konsekwentnie milczał, a komórek, łobuzy, nie mają. Może im zresztą Leszek zafundował, tylko dranie nie podali numerów...

– I co teraz zrobimy? – Babcia była zatroskana. – Jeżeli oni, nie daj Bóg, zrobią coś koniom...

– Będziemy pilnować stajni całą noc – powiedziałam stanowczo. – Nie możemy ryzykować. Słuchajcie, a gdzie są nasze dzieci?

Dotarło do mnie w tej chwili, że nie widzę Kajtka ani Jagódki i omal nie umarłam ze zdenerwowania. Cholerny Kałach mówił o koniach, ale przecież dzieci...

– Dzieci są właśnie w stajni – zawiadomiła mnie szybko Lula. – Nie martw się, jeszcze jest wcześnie, jeżeli

Misiaki mają zamiar jakoś zadziałać, to poczekają, aż dom pójdzie spać. Są razem i są z nimi psy, nic złego się nie stanie.

– A ja tu widzę pewien problem – oświadczył znienacka Tadzinek, ocierając usta po szlacheckim bigosiku przyrządzanym u nas według receptury babcinej, do którego zdołał się wreszcie dobrać. – Bo mianowicie, jeżeli my z Rafałem teraz wyjedziemy, to zostanie wam tylko jeden chłop do tego stróżowania... kobiet chyba nie bierzecie pod uwagę?

– Jest jeszcze Kirysek – bąknęła Lula.

– Ja sobie poradzę – mruknął Janek. – Kiryska bym nie ruszał, on jest gościem. Wezmę psy do stajni, nikt obcy nie wejdzie, bo narobią wrzasku. A ja mam lekki sen. Oraz czarny pas.

W tym momencie zobaczyłam z przyjemnością, jak oczy mojej kochanej Luli otwierają się szerzej. Może nareszcie zobaczyła w Jasiu mężczyznę! Swoją drogą nieźle się tajniaczył. Czarny pas! Słowa na ten temat nie pisnął do tej pory.

W tym momencie do rozmowy wtrącił się Rafał, również odsuwając od siebie pusty talerz po bigosie i spoglądając za nim jakby z tęsknotą.

– Myślę, że racjonalniej będzie podzielić noc na trzy części. Zadzwonimy do naszej szefowej, zawiadomimy ją, że będziemy dopiero jutro. I pomożemy ci, Jasiu, z tym pilnowaniem. Wiesz, w razie czego.

– A nie macie obowiązków we własnej stajni? – chciała wiedzieć babcia.

– Mamy – odparł Tadzio. – Dlatego musimy zadzwonić do szefowej, żeby złapała jeszcze takiego jednego Andrusiaka, on nam czasem pomaga. Dzwoń, Rafał.

48

– Dobre chlopcy – odezwała się Omcia, która do tej pory tylko słuchała z wypiekami na twarzy. – Ale ne wierzcze im, to ne chodży o żadne konie, ony chcą dostacz rano tego twojego bigosa, Stanyslawa!

Ryknęliśmy wszyscy zgodnym śmiechem. Atmosfera przestała być taka strasznie napięta. Tylko babcia nie chciała poddać się ogólnemu odprężeniu.

– Jedna noc nie rozwiązuje nam problemu – powiedziała nerwowo. – A co będzie jutro? Pojutrze? Tadzio i Rafał nie mogą u nas zamieszkać. Wiktora nie ma. Boże, Boże, ja nie wiem, co będzie...

– Jutro idę na policję – przypomniałam. – Może policja coś wymyśli. Mają tam takiego fajnego podkomisarza, co wygląda jak wcielenie walki z gangsterami. Babciu, on mówił, że tu się uczył jeździć konno. Michalski. Chyba. Mirosław. Mówią na niego Misio.

– Nie Misio, tylko Misiu. – Babcia rozjaśniła się niespodziewanym uśmiechem. – Mianownik kto, co? Misiu. Misiu Michalski. Pamiętam, dobry był chłopak, tylko temperament go roznosił. No i zresztą przejechał się na tym temperamencie.

– Babcia opowie – zażądałam. Rafał i Tadeusz udawali, że interesuje ich wyłącznie herbata.

– Misia wychowywała matka, sama, w Karpaczu, bo ojciec ich zostawił i poszedł sobie do innej pani; od maleńkiego do nas przybiegał po szkole i pracował w stajni, żeby tylko zarobić na jazdy. Opowiadał mi, że matka chciałaby go widzieć na medycynie, ale jemu co innego było w głowie. Skończył jakieś studia, chyba inżynierskie, ale poszedł do policji. Wiem, że był komandosem, takim, co chodzi w kominiarce, antyterrorystą...

Aha. I zostało mu upodobanie do fryzury na lotniskowiec i ogólnego sznytu! A w babci zapewne wtedy właśnie zrodziła się sympatia do antyterrorystów w kominiarkach.

– Pracował w Jeleniej Górze, awansował, podobno bardzo zdolny policjant z niego był, ale go wylali z tej Jeleniej Góry i przenieśli do komisariatu w Karpaczu...

– A co – zaciekawiła się Omcia – szczelił kogosz w dżób?

– Gorzej. Połamał kości jakiemuś bandziorowi, który postrzelił jego kolegę. Podobno chciał go zabić na miejscu, ale skończyło się na ciężkich obrażeniach. No i pożegnał się z awansami na jakiś czas. Dziennikarze zrobili z tego całą aferę, że policjant gorszy od bandyty...

– A ja szę bardzo cieszę, że mu polamal te koszczy – zawiadomiła nas Omcia. – Tak szę należy. P...czysluguje. Ja go chcę poznacz, tego waszego Mysza.

– Będzie tu jutro rano – powiedział Tadzio z pewnym przekąsem. – Po Emilkę. Zawiezie ją do komendy.

– Na policji zawsze przyjemniej z eskortą – oświadczyłam stanowczo i niewinnie. A ponieważ poczułam się nagle kobietą po świeżych przejściach, zmęczoną po prostu straszliwie, zawiadomiłam wszystkich obecnych, że oddalam się do własnego pokoju celem zażycia zasłużonego odpoczynku.

Zrobiłam to i padłam u siebie jak lilia ścięta nieubłaganym ostrzem ogrodniczego sekatora.

Ten sekator nie pasuje do romantycznego stylu.

Moje lilie egzotyczne załatwił Pędzel. W pełni rozkwitu. Też mało romantyczne.

Jak lilia złamana wichurą. Ot co.

Zauważyłam, że kiedy wychodziłam z salonu, neurolog odprowadził mnie wzrokiem.

NO I DOBRZE.

Lula

Ta Emilka jest niemożliwa. Pojawił się tu dzisiaj rano policjant Misiu, na którego czekaliśmy wszyscy, ciekawi faceta, który połamał żebra złoczyńcy gołymi rękami – owszem, owszem, wygląda na to, posturę ma jak najbardziej odpowiednią, wyraz twarzy pokerowy, czyli żaden.

No, może nie do końca taki znowu pokerowy. Kiedy patrzył na Emilkę, tracił sporo ze swej niewzruszoności... Może nawet zaczął wyglądać na faceta, który dostał karetę z ręki.

Nie jestem zazdrosna, ale policzyłam: Wiktor na nią tak patrzył (tłumaczył się głupio, że traktuje ją jako dzieło sztuki wykonane przez matkę naturę – oczywista brednia: albo sztuka, albo natura i on po ASP powinien to wiedzieć!!!), leśniczy Krzyś patrzył, wszyscy studenci z obozu Olgi, ten jej Tadzio od dojenia krów, Rafał świeżo poznany, nawet ten szubrawy Łopuch. Wszyscy faceci po prostu, po co ja wyliczam?

Jak ona to robi?

Zaraz. Nie wszyscy. Nie patrzył tak na nią Rupert, ale on w ogóle nie odrywał oczu od Malwiny.

Janek też nie...

Ciekawe, dlaczego.

Nie działa na niego??? Jak to jest możliwe, skoro działa na wszystkich??????

Ludwiko Kiszczyńska. Stawianie tylu idiotycznych wykrzykników jest manierą pensjonarską, a ty, moja droga, pensjonarką nie jesteś już od...

A kogo obchodzi, od kiedy.

Poza tym nie wykrzykników, tylko pytajników.

I w ogóle MNIEJSZA Z TYM.

Duże litery też są pensjonarskie. Ciekawe, czy Emilka stosuje duże litery i mnóstwo wykrzykników, znaków zapytania i wielokropków w swoim dzienniku laptopowym, czy może notebookowym, w każdym razie elektronicznym? A może to się nazywa blog czy jakoś tak? Nieważne. Tam ma łatwiej, naciska raz i już jej leci. Może dobrze byłoby mieć komputer osobisty i przenośny?

Sześć tysięcy. Już lecę do banku.

Pozostaniemy przy tradycyjnej metodzie.

Rafał i Tadzio zostali u nas na noc i na zmianę z Jasiem trzymali wartę w stajni. Nic się nie działo, może ten cały gangster zorientował się, że Emilka poszła na policję i nie chciał ryzykować. Do Tadzia natomiast zadzwoniła rano ich szefowa, jak się zdaje, z awanturą. Nie wiem dlaczego, przecież uzgodnili, że zostają, i załatwili sobie zastępstwo na wieczór i rano. Tadeusz nic nie powiedział, mruknął coś o nieprzyjemnościach i nawet bez śniadania obaj nasi nowi przyjaciele – chyba już możemy ich traktować jako ogólnych przyjaciół, nie tylko Emilczynych? – odjechali stalowym potworem, który wzbudził dziki zachwyt Kajtka.

Tadzio na odjezdnym zdążył mu jeszcze obiecać, że pozwoli mu się przejechać, kiedy znowu nas odwiedzą.

Emilka na policji siedziała w miarę krótko, wróciła raczej zadowolona i przy obiedzie (odgrzewane mrożone zrazy zawijane z kaszą i zupa borowikowa z kartonu

Horteksu z kupnym makaronem – w sumie wstyd, ale czasem i kucharka musi mieć wolne) zdała nam relację ze spotkania.

– No więc ten Misiu posiada w powiatowej kolegę. Starszego kolegę i w ogóle przełożonego. Gula niejaki. To znaczy nie Gula, tylko Gulcewicz, ale taką ma ksywę. Jacek Gulcewicz, bardzo sympatyczny chłopak, podinspektor, to chyba już dość wysoka szarża jak na policjanta. Mam wrażenie, że Misiu też by już był podinspektor, czy coś, ale wdał się w to łamanie żeber i mu się omsknęło...

Założę się o każdą sumę pieniędzy, których nie posiadam, że niejaki Gula również wpatrywał się w Emilkę jak kot w miseczkę świeżo posiekanej wątróbki drobiowej, lekko podsmażonej.

– Ja się od razu zorientowałam, to znaczy właściwie oni mi powiedzieli, że Gula, a nawet Gula z Misiem współpracowali z tym moim znajomym prokuratorem ze Szczecina...

Ach, prawda. Sporządzając wykaz Emilki podbojów, zapomniałam wpisać prokuratora.

– Bo mój osobisty mafioso nie ograniczał się wcale do terenu naszego województwa, broń Boże, razem ze swoimi koleżkami mieli szeroką skalę działania, zdaje się, że cała zachodnia połowa Polski była ich. Więc rozpracowywała go spora gromada co bardziej kumatych policjantów z tego dzikiego zachodu. Jak go wreszcie zapuszkowali, to się zrobiło bez mała święto narodowe. Dajcie trochę mizerii, bardzo proszę. No a kiedy wyszedł z mamra, to znowuż nastała żałoba narodowa. Wszyscy porządni ludzie są w nerwach, że on się jakoś wyłga i od wyroku. Natomiast... o mamo, zatkałam się tą kaszą. Poproszę sosiku.

– Emilko, czy chcesz, żebyśmy cię zbiorowo zamordowali? – zapytała uprzejmie babcia.

– Już mówię. Natomiast mają nadzieję, ci porządni ludzie, o których mówię, że on coś zrobi na tej wolności, to znaczy przepustce. Czy jak to się nazywa. Wtedy go łapną.

– Ne rozumim – powiedziała Marianna, niezadowolona. – Co mu zrobią?

– Złapią go. I znowu posadzą. Już dziękuję za sosik, wszystko było pyszne. Może jeszcze trochę samego mięska. I mizerii dużo, Jasiu, dziękuję.

– Nadal ne rozumim. To ma bycz dobrze, że on cosz złego zrobi?

– Nie, Omciu. Nie to, że on zrobi coś złego, tylko chodzi o to, że jeżeli on coś złego zrobi, to trzeba go na tym przyłapać.

– Na gorącym wyczynku!

– Uczynku.

– To ne jest od wyczyniacz?

– Od czynić.

– Odczynić to uroki – mruknęła babcia, ale cicho, pewnie w obawie, że Marianna zechce drążyć temat etymologicznie, co odsunęłoby nas od kryminału na czas prawdopodobnie dłuższy.

– Oni mi nic nie chcieli powiedzieć, oczywiście – kontynuowała Emilka z ustami pełnymi ogórków – ale ja się sama domyśliłam, bo jestem bardzo inteligentna.

– Emilko, proszę po porządku – zażądała babcia. – Bo ja się gubię. Na czym oni go chcą przyłapać? Na robieniu krzywdy naszym koniom? Tfu, odpukuję.

– Niekoniecznie – oświadczyła Emilka tonem tajemniczym i przełknęła swoje ogórki. – Bo zobaczcie sami.

On się kręci wokół nas, ale tak jakoś niemrawo. Niezdecydowanie. To wygląda, jakby sobie od czasu do czasu przypominał, że trzeba mi spsuć trochę nerwów. I tak co jakiś czas się wychyla, a potem znowu przytaja i ja go w ogóle nie obchodzę. Mnie się wydaje, że on gdzieś mąci coś dużego, a to całe dokuczanie nam to jest tylko przykrywka. Rozumiecie? Chodzi o to, żeby wszyscy myśleli, że on tu jest ze względu na mnie, a tak naprawdę to jest wręcz odwrotnie.

Tylko Marianna nie do końca pojęła wywód Emilki, ale Janek wytłumaczył jej to po niemiecku, żeby już się nie męczyła. Zaczęliśmy natychmiast snuć przypuszczenia co do niecnych zamiarów kolegów gangsterów. Najbardziej nam pasował duży przerzut narkotyków, tylko żadne z nas nie wiedziało, w którą stronę one powinny iść – od nas czy do nas. Zdaje się, że to u nas jest produkcja i nawet cieszymy się dobrą marką w świecie. W każdym razie przejść granicznych jest pod ręką sporo, można też próbować turystycznie, to znaczy na przykład iść na Śnieżkę albo gdzie indziej i przekazać sobie plecak z amfetaminą...

– Coś ty, ciociu – powiedział z politowaniem Kajtek, kiedy wyrwałam się z koncepcją plecaka z amfetaminą.

– Jaki plecak. To się wozi TIR-ami. Mniej się nie opłaca.

– Może na rozkręcenie interesu – zastanowiła się babcia. – Emilka mówiła, że mu skonfiskowali cały majątek.

– Eee, pewnie miał pochowane to i owo – prychnął z politowaniem dla naszej naiwności Kajtek. – W bankach szwajcarskich na ten przykład.

– To dźecko za dużo ogląda telewizji – pokręciła głową Marianna. – Kryminalów. Zęzacji. Skąd ty to wszystko wiesz, chlopcze?

– Babciu. Takie rzeczy się wie. Wcale nie muszę oglądać filmów, wystarczą „Wiadomości" i „Panorama". I TVN 24.

– Janku, Janku, powynenesz mu zabronycz tyle oglądacz. Bo szę nam dobre dżecko zdemoralizuje.

– Nie ma takiej możliwości, babciu Marianno. – Kajtek lekceważącym gestem strzepnął kaszę z rękawa. – Ja to wszystko muszę oglądać, bo nasza pani od wiedzy o świecie, bo my mamy taki przedmiot, babciu Marianno, no więc nasza pani nam każe być w kursie dzieła. A jak nie jesteśmy, to nam stawia pały. Babciu, ja nawet skład rządu znam na pamięć i przewodniczących wszystkich komisji sejmowych. Na bieżąco. Bo to się zmienia.

– Matko Boska – zmartwiła się babcia Stasia. – To dopiero może ci zaszkodzić, Kajtusiu...

– Ja to traktuję jako ćwiczenie mnemotechniczne – machnął ręką Kajtek.

– Ne mówcze przi mne takie trudne wyrazy!

– On mówi, że sobie pamięć ćwiczy, Omciu. Nie przejmuj się. Ja bym teraz raczej proponowała wszystkim umysłom wyćwiczonym i niewyćwiczonym, żeby się zaczęły zastanawiać, jaki interes ma do zrobienia mój były niedoszły na tym terenie. Dlaczego tu w ogóle przyjechał?

Mniej więcej kwadrans zabawialiśmy się wysuwaniem hipotez, ale wszystkie były dość idiotyczne, a przede wszystkim nie do sprawdzenia. Przez nas, w każdym razie. Postanowiłam więc wziąć rządy w swoje ręce i zagoniłam dzieci do sprzątania kurnika, któremu już się to od dawna należało, Emilkę do porządkowania ogrodu, który zarósł jak busz, Janka wysłałam do koni, babcie na werandę z kawką i niech obserwują teren, a sama poszłam do kuchni, sprawdzić zapasy żywności, bo przecież jutro przyjeżdżają emeryci, a za trzy dni Malwina z tym swoim dziwnym obozem młodocianych biologów (Marianna od tego jaśnieje, bo Rupercik wraca!).

A podejrzanymi interesami Kałacha niech się zajmują Gula z Misiem.

Emilka

Przyjechali staruszkowie i dom nam się zaroił, i rozebrzmiał ochoczymi okrzykami oraz śpiewem chóralnym i solowym. Jest ich sześcioro, czterech przeczasiałych ułanów i dwie amazonki po siedemdziesiątce. Chciałabym ja tak wyglądać, kiedy skończę pięćdziesiąt! Bardzo sympatyczni, potwornie energiczni, przybyli o dziewiątej rano, zjedli szybkie śniadanie, pobiegli do swoich pokojów (daliśmy im trzy mniejsze dwójki, z uwagi na szóstkę studentów, których przywiezie Malwina, a którzy będą mieszkali po troje, w dwójkach z dostawkami), przebrali się z ciuchów podróżnych w ciuchy wysokogórskie – buty alpejskie jakieś, pumpy, wielgachne wełniane skarpety, swetry, wiatrówki i kraciaste koszule pod spodem, zaopatrzyli się w suchy prowiant i pomknęli na najbliższy szlak, dziarsko podśpiewując.

Po ich wymarszu cisza w Rotmistrzówce rozdzwoniła się jak dzwon Zygmunt.

W tej ciszy usłyszałam wreszcie sygnał własnej komórki. Tadzinek trzeci już raz usiłował mnie złapać, spragniony wieści z placu boju. Poinformowałam go, że na placu boju cisza, a on mnie poinformował, że u nich wręcz przeciwnie, szefowa zrobiła im jakąś koszmarną awanturę, kompletnie nieuzasadnioną – bo przecież rozmawiali z nią w sprawie pozostania u nas na noc – któryś koń dostał kolki i ona uznała, że to dlatego, że ich nie było pod ręką. Jakaś idiotka!

– Mówiłem ci, że ona jest niesympatyczna...

– Ale nie mówiłeś, że wariatka. Mówiłeś, że cyborg. Może coś ma w tym, że robi wam awanturę i oskarża o niestworzone rzeczy?

– Co może mieć? Chciała się wyładować i tyle.

– No, nie wiem. Może. Ale nie podoba mi się to.

– Nikomu się nie podoba. A jak poradziliście sobie z pilnowaniem koni w nocy?

– Nijak. Policja ich pilnowała. Przynajmniej tak twierdzili, że będą dyskretnie rzucać okiem na stajnię. Ale nie widzieliśmy nikogo.

– Pewnie na tym właśnie polega dyskrecja...

Kazał mi jeszcze uważać na siebie i wyłączył się.

Lula

Nasze babcie są jakieś nietypowe, i to obydwie. Może zresztą teraz obowiązuje inny model babci niż kiedyś. Kiedy byłam dzieckiem, babcie siadywały na ganeczkach, piły herbatkę drobnymi łykami, wyszywały serwetki haftem richelieu albo kaszubskim (moja babcia miała całą teczkę wzorów kaszubskich, które uwielbiała, i słusznie, bo są przepiękne), troskały się o to, czy dzieci aby nie przemoczyły stópek, biegając po zroszonej trawie, co trzeci dzień piekły murzynka albo kruche ciasteczka...

Nasze babcie ani myślą piec cokolwiek. Zażądały natomiast od Pudełków pokazu. Skoro Janek już się zdekonspirował jako karateka (o Kajetanie wiedzieliśmy wcześniej), niech zrobi starszym paniom przyjemność. Janek najpierw się wzbraniał, ale obiecali z Kajtkiem, że troszkę razem poćwiczą i zaprezentują swoje rodzinne możliwości.

Przy tej okazji Janek postanowił jechać do Wrocławia i kupić sobie nowe kimono, bo starego, po pierwsze, nie przywiózł, po drugie zaś, komuś je pożyczył do ćwiczeń i nie pamięta komu, więc nawet nie wiedziałby, komu ma je odebrać.

Już nigdy nie powiem ani nawet nie pomyślę, że znam kogoś naprawdę. Janek informatyk, komputerowiec, jajogłowy, cicha woda – mistrzem sztuki walki?

Ale przecież zawsze świetnie jeździł konno, dlaczego więc nie miałby uprawiać jeszcze jakichś innych dyscyplin?

No to dlaczego ja o tym nie wiedziałam?

Pewnie niewiele mnie to obchodziło, spotykaliśmy się zawsze w grupie, a w tej grupie był również Wiktor...

Dziwna sprawa – Wiktor dzwonił, rozmawiał z Emilką, zapowiedzieli się z Ewą na weekend – a kiedy Emilka przekazała mi tę wiadomość – nie zrobiła ona na mnie większego wrażenia.

Dlaczego?

Czyżby coś się skończyło?

Skoro mowa o końcach – mam nadzieję, że koniec afery kryminalnej absorbującej Emilkę nastąpi w miarę szybko, bo nie mam z niej wielkiego pożytku (z Emilki, nie z afery), a nie chciałabym zaniedbać mojego osobistego zajęcia w muzeum. Chyba zaczynam się przywiązywać do tej ziemi – zabrzmiało to dość patetycznie, ale naprawdę coraz bardziej mam wrażenie, że tu jest moje miejsce na świecie. W Szczecinie teoretycznie robiłam coś ważnego, w ważnym Muzeum Narodowym, a tak naprawdę nikomu nie zależało na rezultatach mojej pracy. A tu, w malutkim muzeum regionalnym, jak tylko skończę inwentaryzację, zasiądziemy z moim szefem do opracowania nowej koncepcji placówki (czyżbym miała zostać Ślimakiem?) ze stałymi i czasowymi ekspozycjami, z terminarzem wystaw na dwa lata do przodu. W oparciu o tę inwentaryzację między innymi. I to będzie nasza wspólna koncepcja, a nie dyrektorskie zarządzenia do wykonania.

A Rotmistrzówka? Tu też się przyjęłam. I nawet odpowiada mi to dzielenie pracy na pół – trochę tu, trochę tam. Spokojnie. Życie nie kończy się jutro ani za tydzień. O czym się dowiedziałam dopiero tutaj.

Wydaje mi się, że Janek z Kajtkiem też się przyjęli. Wiktor z Ewą to dwie niewiadome, a Emilka... trzecia. Z jej temperamentem – nie wiem, do czego ta dziewczyna dąży tak naprawdę.

Emilka

W piątek późnym wieczorem przyjechały Wiktory, a nazajutrz Janek z Kajtkiem zrobili pokaz!

Staruszkowie kawalerzyści, jak się tylko zorientowali, co w trawie piszczy, zażądali, aby pokaz odbył się w ich przytomności, wyznaczyliśmy zatem sobotnie wczesne przedpołudnie jako godzinę zero. Pudełka zaprezentowały się nad wyraz godnie, obaj w kimonach, przy czym czarny pas Janeczka bił po oczach. Kajtek miał jakiś inny, niebieski czy może zielony, nie zapamiętałam dokładnie. Jakoś nie mogę sobie przyswoić tej całej symboliki, te wszystkie pasy, dany i Bóg wie co jeszcze. Dla mnie ważne jest to, co facet potrafi zrobić. Nooooo, Pudełka pokazały, co potrafią. Najpierw demonstrowali różne dziwne chwyty, potem zaczęli się kopać po oczach i przewracać na trawniku – dziw, że obaj wyszli z tego z życiem. I nawet nie połamali sobie nawzajem rąk i nóg, a dałabym głowę, że coś chrupało. Może zresztą nie były to chrupoty, tylko łomot ciał rzucanych na glebę. Babcie – zarówno nasze, jak i ułańskie były zachwycone, a dziadkowie szwoleżerowie (czy szwoleżerzy? Muszę zapytać Lulę, jak będzie prawidłowo) aż klepali się z uciechy po udach i kolanach, wydając rubaszne okrzyki.

Po sprawieniu sobie nawzajem potężnego lania, Pudełka – oba zdrowiutkie, czemu się doprawdy dziwię – przyniosły sobie pomoce naukowe i zaczęły demolkę. Rozwalali jakieś kłody drzewa, cegły, w końcu Janek ułożył na pniaczku spory stos dachówek (z naszej stodoły, stare, zostały po remoncie dachu), skupił się strasznie i walnął w nie kantem dłoni. Rozpryski tylko pirzgnęły dookoła.

W oczach Luli widziałam prawdziwe uznanie. Dla Jasia, notabene, na Kajtka prawie nie spojrzała. A nieładnie, obaj dawali z siebie wszystko. A najśmieszniejsze, że na Wiktora prawie nie zwracała uwagi! Wydaje mi się, że babcie też to spostrzegły i mrugały do siebie cwanymi oczkami na ten temat.

Pudełka zakończyły przedstawienie, kłaniając się sumiennie wszystkim i sobie nawzajem. Otrzymali brawa, na jakie zasłużyli, i przyjęli je godnie, jak na samurajów przystało. Czy samurajowie uprawiali karate? Muszę zapytać Lulę. Chociaż po co, zapytam Jasia albo Kajtka, będą mieli lepsze rozeznanie w temacie.

Wiktory jakieś małomówne. Wyglądają, jakby znowu się poprztykali. Jagódka nie posiadała się z radości, kiedy się pojawili, nie pozwoliła się zagonić do łóżka i biegała tylko od ojcowskich kolan do maminych objęć. W związku z tym nie udało nam się ich odpytać, jak tam wyglądają rodzinne przemyślenia i decyzje. Oczywiście, to i owo nam powiedzieli, na przykład, że Ewa wróciła na uczelnię i przymierza się poważnie do objęcia tej swojej katedry po parszywym profesorku, a znowuż Wiktor wpadł w łapy klozetowej bizneswoman, która czekała na niego bez mała z asystą orkiestry dętej – i coś tam dla niej projektuje. Coś dużego, powiedział.

No, jak coś dużego, to zapewne dobrze płatnego. Pewnie tę nową, ambitną kampanię reklamową. Oświadczył, że zamierza się nachapać, a potem znowu spocznie na laurach i będzie malował to, na co będzie miał ochotę.

– Wiesz, Emilko – wyrwało mu się w kuchni, kiedy robiliśmy wszystkim poobiednią herbatę – jak już skończę z tą moją chlebodawczynią i wycisnę z niej wszystkie możliwe soki, i będę bogaty jak świnia, i jak przyjadę tutaj, to żeby nic mi jej nie przypominało, wybuduję sobie taki klopek z drewna za stodołą, a myć się będę w stajni, szlauchem. Żadnych papierów toaletowych, dezodorantów do świeżego powietrza, odwaniaczy, dowaniaczy, mydelniczek, ręczniczków, nic.

– A czym się będziesz wycierał?

– Liśćmi łopucha. A propos, co u naszego nieprzyjaciela?

W kilku zdaniach przedstawiłam mu aktualną sytuację. Zmartwił się.

– Sama widzisz, powinienem tu być. Janek jako jedyny mężczyzna w domu, kiedy tu się takie rzeczy dzieją... Cholera jasna, Emilko, poradź, co mam zrobić. Przecież z moją klozetpanią mogę pracować na odległość, to znaczy na doskok. Jak przekonać Ewę, żeby puściła kantem tę całą karierę naukową? Bo wiesz, ja wcale nie wiem, czy jej naprawdę na tym zależy, czy chciała po prostu mieć satysfakcję. Że jej na wierzchu. Ona lubi, jak jest jej na wierzchu, i bardzo cierpiała, kiedy musiała się poddać.

Przerwałam ustawianie filiżanek na wielkiej tacy.

– Myślałeś o rozwodzie?

– Myślałem. Nie zrobię tego Jagódce.

Nagle mnie olśniło. Nie zrobi tego Jagódce!

– Wiktorku – powiedziałam uroczyście. – Jagódce nie. Ewie. Wiem, co musisz Ewie zrobić.

Spojrzał na mnie wzrokiem znękanym i pytającym.

– Dziecko!

Upuścił cukierniczkę, której odpadło uszko.

– Co ty wyprawiasz, będę musiała jechać do Książa, dokupić!

– Ja przykleję...

– Nie, nie będzie ładnie. Pojadę, poświęcę się. Jak moja rada?

– Ależ mnie zaskoczyłaś! Ale czekaj, czekaj, może to właśnie jest genialny sposób... tylko wiesz, Ewa teraz nie nastawia się na życie rodzinne, my się zabezpieczamy...

– Wituś, ile ty masz lat? Ja ci mam tłumaczyć, jak sobie poradzić? Uwiedź ją znienacka, podmień jej pigułki, wysil mózgownicę! Chyba że nie chcesz mieć drugiej córeczki... albo synka.

– Chcę jak cholera – wyznał ponuro Wiktor. – Chyba nawet wolałbym drugą córeczkę. Nazwałbym ją Malinka. Jagódka i Malinka Łaskie.

– A synek Ogórek – przerwałam niecierpliwie.

– Dlaczego Ogórek? – zdziwił się. – Myślałem o Hieronimie, to z powodu Boscha, mam do niego słabość...

– Ogórek jest jagodą – wyjaśniłam. – Nie patrz tak na mnie, naprawdę jest. Pomidor też. Ale niech sobie będzie Hieronim, tylko się nie przyznawaj, że to od Boscha, mów, że od Hirka Wrony. Bosch i tak się facetom kojarzy głównie z wiertarkami. A babom z pralkami.

– Och, Emilko, zabiłaś mi klina...

– Bardzo dobrze. Teraz działaj, kochany, działaj! Tylko nie nazwij czasem synka na Z. Żadne Zygmusie, Zbyszki ani Zdzisie!

– Zdzisio mi się nie podoba. A właściwie dlaczego nie na Z?

– Żeby, jak dorośnie, nie pisali o nim „magister Z. Łaski". Albo „profesor Z. Łaski". No wiesz, to by źle wyglądało w mowie. Ewentualnie możesz mu dać Stanisław, to w skrócie będzie Stan Łaski. I pilnuj Ewy dni płodnych, chyba to umiesz obliczyć, żeby ci się wysiłki nie zmarnowały.

Jeszcze raz obrzucił mnie błędnym wzrokiem, dźwignął tacę, którą mu przygotowałam i postawił ją z powrotem.

– Emilko, a jeżeli Ewa nie będzie chciała z dwojgiem dzieci mieszkać w Rotmistrzówce na górce?

– To zarób tyle, żeby wybudować aneks dla rodziny Łaskich. Albo całkiem nowy dom. Ale lepiej, żebyście byli z nami. Ja się do was przywiązałam, wiesz?

– Och, kochana...

W tym momencie weszła Ewa i obrzuciła nas podejrzliwym spojrzeniem.

– Co, och, kochana? Co wy tu robicie tyle czasu? Czekamy na herbatę, ułani chcą jeszcze iść na wycieczkę do Świątyni Wang.

– Już niesiemy – wyszemrał potulnie Wiktor i puścił do mnie oko.

Odrobinka zazdrości w tej sytuacji nie zaszkodzi. Niech Ewa ma świadomość, że jej mąż jest mrocznym przedmiotem pożądania innych bab.

Lula

Wydawało mi się, że znam Janka jak siebie samą bez mała, ale okazało się, że nic podobnego, w ogóle nie wiem, co w nim siedzi i jaki jest naprawdę. Nie przypuszczałabym nigdy, że jest mistrzem wschodniej sztuki walki, jakiejkolwiek sztuki walki! Spokojny, rzeczowy, niezawodny Janek rozbijający gołą ręką stertę cegieł!

– A bo wiesz, moja droga – powiedział, kiedy zagadnęłam go w tej kwestii – karate też jest tak naprawdę spokojne, rzeczowe i niezawodne. A rozbijanie ręką cegieł czy dachówek, czy jakiejś bandyckiej mordy to najmniej ważne w tej sztuce.

I dodał kilka naprawdę interesujących zdań na temat wschodniej filozofii. Będę musiała go poprosić, żeby mnie bardziej oświecił na ten temat.

Emilka

W związku z cukierniczką uszkodzoną przez Wiktorka w emocjach byłam zmuszona poświęcić się i pojechać do Książa, kupić nową. Przez chwilę myślałam, żeby może kupić od razu dwie takie same, ale po co? Nadgorliwość gorsza od faszyzmu. Przecież w razie czego mogę zawsze się poświęcać w tej sprawie.

Ewa coś tam mówiła o jakimś sklepie w Jeleniej Górze, gdzie sprzedają taką ceramikę, ale skąd ja mogę wiedzieć, czy akurat mają tam takie cukierniczki? A w Książu mają.

Ewa nie ma pojęcia, że zawisły nad nią czarne chmury spisku uknutego przez jej wiernego męża i młodą przyjaciółkę. Baaardzo jestem ciekawa, jak też Wiktor zabierze się do dzieła. Obawiam się jednak, że nie będzie mi wypadało indagować go o szczegóły. Mam nadzieję, że podejdzie do problemu metodycznie i uwzględni wszystkie okoliczności. Kiedy wyjeżdżali, Jagódka miała łzy w oczach, chociaż starała się udawać dzielnego wojaka. To nie jest w porządku, żeby dziecko było z dala od rodziców.

Teraz mi przyszło do głowy, że może Ewa w podświadomości swojej pokrętnej wcale nie chciała tego Krakowa? Wiktor ją zna, chciała postawić na swoim, a potem – kto wie? Może sprawa małej Malinki (lub małego Ogóreczka – Hieronimka – Boszyka od-obrazków--a-nie-od-pralek-automatycznych) przejdzie łatwiej, niż nam się zdaje w tej chwili?

Czas pokaże.

W nagrodę za to, że jestem taka inteligentna i tak ładnie wyciągam wnioski, podjechałam do chłopaków. I natychmiast tego pożałowałam. Trafiłam bowiem na sytuację dla nich nieprzyjemną, mianowicie ta ich szefowa (nie cybernetyczna, tylko zwyczajnie okropnie chamowata) robiła im właśnie awanturę przy ludziach. Że, mianowicie, postąpili wbrew wyraźnemu zaleceniu i nie zawiadomili klientów o podniesieniu cen za zajęcia hipoterapeutyczne, wszystko drożeje i usługi też drożeją, co to jest, ona nie jest instytucją charytatywną, żadnego kontraktu z Funduszem Zdrowia nie ma i mieć nie będzie, bo za takie drobne fenigi jak od Funduszu można dostać, to jej się nie opłaca, poza tym Fundusz hipoterapii nie refunduje, poza tym nawet gdyby refundował, poza tym to są usługi wysokospecjalistyczne – i tak rzeką całą to płynęło z różowych usteczek, podczas kiedy chłopcy stali jak przymurowani, konie stały jak przymurowane, dzieci z nich zwisały – Zuzia od Prymulki i Marcin Grabowski, a Prymulka i Grabowski oczy mieli coraz większe, przy czym oczy Grabowskiego wzbierały odrazą, a oczy Prymulki troską, bo pewnie forsą to ona nie śmierdzi...

Widziałam, że w Tadzinku też wzbiera coś dużego, ale się hamował. Pewnie nie chciał robić awantur w obecności dzieci, żeby ich dodatkowo nie stresować. Natomiast Rafał nie wytrzymał. Spostrzegł mnie i władczym gestem ręki przywołał, oddał mi wodze Hanysa i łapkę Zuzanki, po czym podszedł do nadającej wciąż baby.

– Bardzo panią przepraszam – powiedział przez zaciśnięte zęby. – Nie będziemy tu rozmawiali na nasze wewnętrzne tematy, państwo nie muszą tego wszystkiego słuchać...

– Pan się zapomina, panie Rafale – syknęło babsko. – To nie pan jest tu szefem, tylko ja. I będziemy rozmawiać tam, gdzie mnie to odpowiada. I wtedy, kiedy mnie to odpowiada. To wasza wina, że nie powiadomiliście w porę klientów o zmianie...

W tym momencie ujrzałam z satysfakcją, jak Rafał ujmuje ją pod ramię i spokojnie, ale raczej stanowczo wyprowadza z pola walki. Blady Tadzio ujął wodze swojego konia z Marcinem na grzbiecie i gestem polecił mi zrobić to samo z Hanysem. Ruszyliśmy wolnym stępem w kółko, jakby nic się nie stało. O tym, że się jednak stało, świadczyły miny zarówno Prymulki, jak i Grabowskiego, którzy teraz, oparci o drągi okalające ujeżdżalnię, rozmawiali między sobą przyciszonymi głosami.

– Dobrze sobie radzisz – odezwał się nagle przy mnie głos Rafała. Nie zauważyłam, kiedy nadszedł. – Zmień jej pozycję, tak jak ci pokazywałem poprzednim razem. Nic się nie bój, Zuziu, teraz ciocia cię obróci trochę inaczej, będziesz widziała grzywę konika. Złap ją rączkami, spróbuj.

A gdzie tam biedna Zuzia miałaby łapać Hanysa za grzywę tymi powykręcanymi łapkami... Ale jakby spróbowała. Pomogłam jej odzyskać nieco chwiejną równowagę i ruszyliśmy w dalszą drogę w kółko. Rafał szedł z drugiej strony konia, ale nic nie robił, czuwał tylko, żeby nam się dziewczynka nie przegibnęła.

Po raz kolejny w życiu awansowałam na ciocię. Ale numer.

Miałam nadzieję, że Rafał nie zauważył, że omal się nie rozbeczałam, kiedy Zuzia wykonała tę swoją próbę (jaką próbę, cień próby!) łapania Hanysa za grzywę. Pewnie zauważył zresztą, tylko on jest taktowny.

A jakim cudem udało się Tadziowi powstrzymać Marcina od wrzasków dezaprobaty, które to wrzaski doskonale pamiętałam z Grabowskich pobytu w Rotmistrzówce – to już w ogóle nie wiem. Nawiasem mówiąc, Marcin nie zwisał z końskiego grzbietu tak strasznie bezradnie jak Zuzia, ale on od początku był w lepszym stanie. No i nie jest autystyczny, tylko rozbestwiony. Rafał też na niego dobrze działał. Ciekawe, czy to wchodzi w zakres szkolenia?

Zajęcia trwały jeszcze dziesięć minut, do pełnej godziny, a po ich zakończeniu rodzice poprosili nas o chwilę rozmowy. Grabowski rzucił mi się na szyję z uściskami, których zaniedbał na wstępie, ale to z powodu awantury, no i tak naturalnie pani weszła w te zajęcia, pani Emilko...

– Jakby pani to całe życie robiła. Tak się cieszę, że panią widzę, naprawdę. Marcin uwielbia te jazdy i one mu doskonale robią. Panie Tadeuszu, jak teraz będzie z tą ceną?

– Mamy podnieść o dwadzieścia pięć procent...

– Od kiedy?

– Od poprzedniego razu. Rafał, co szefowa powiedziała?

– Niestety, musimy się zastosować. Przykro nam, że państwo byliście świadkami tej sceny, ale rzeczywiście, my tu tylko pracujemy, stawki ustala szefowa. Obawiam się zresztą, że wszędzie jest ostatnio dość drogo...

– Jakoś sobie poradzimy – zawołał żywo Grabowski. – Prawda, proszę pani?

Prymula powątpiewająco kręciła głową.

– Będziemy musieli, ale nie wiem...

Reszta tekstu utonęła w głębokim westchnieniu. Tadzinek zrobił się czerwony i podejrzewam, że gdyby pani szefowa była w pobliżu, dostałaby za swoje bez względu na konsekwencje.

Kiedy rodzice i dzieci odjechali, Tadzio wybuchnął i wypowiedział kilka bardzo obrazowych określeń swojej chlebodawczyni. Po czym zamilkł, wziął za wodze oba konie stojące spokojnie przy drągu i oddalił się w kierunku stajni.

Byłam ciekawa, co Rafał powiedział swojej szefowej, że się tak dała wyprowadzić i zaniechała awantury, która wyraźnie sprawiała jej sporo przyjemności.

– Powiedziałem jej, że jesteś dziennikarką z telewizji wrocławskiej i lepiej przy tobie nie omawiać takich drażliwych kwestii, bo zaraz zrobisz raban na temat biednych, chorych dzieci i ich bezradnych rodziców, których ona chce skroić na pieniądze.

– Uwierzyła?

Uśmiechnął się.

– Może nie do końca, ale wolała nie ryzykować.

– Ona was nie szanuje...

– My jej też nie szanujemy. Ale nie jest dzisiaj łatwo o pracę, więc się nie wyrywamy z tym brakiem szacunku.

– Jak tak dalej pójdzie, będziemy nosić liberię – powiedział zgryźliwym tonem Tadzio, który pozbył się koni i wrócił do nas.

Pomyślałam, że to jest elegancka liberia, bo sobie przypomniałam, jak zabójczo Tadzinek wyglądał w sznycie angielskiego jeźdźca, kiedy przyjechał po baronową w charakterze konnej asysty do bryczki. Ale się nie wyrwałam na wszelki wypadek. Swoją drogą ciekawe, jak Rafał wyglądałby w takim stroju? Przypuszczalnie dużo bardziej zabójczo. A ciekawe, jak wyglądał w lekarskim kitelku? Chyba też nieźle. Teraz szyją dość twarzowe ubrania dla lekarzy.

Wracając do Marysina, myślałam jeszcze o czymś. A gdyby tak chłopcy rzucili o ścianę swoją głupią szeficę i zainstalowali się w Rotmistrzówce? Coś mi mówi, że z Wiktorów już nie będzie pożytku, a Janek sam wszystkich męskich robót nie obleci. Kajtek mu, oczywiście, pomoże, my też, ale co chłop, to chłop. W końcu trzeba będzie kogoś obcego wynająć, może niekoniecznie Misiaków, ale z kolei gdzie szukać chętnych do roboty? A płacić kokosów nie będziemy, bo nie mamy z czego. A gdybyśmy tak zaprowadzili u siebie hipoterapię? W okolicy na pewno znajdą się klienci. Trzeba by tylko znaleźć jakieś rozwiązanie dla dotychczasowej klienteli. Ci z okolic Wałbrzycha spokojnie mogą przyjeżdżać do nas, to nie taka znowu straszna odległość, ci z Wrocławia będą mieli gorzej, ale nie wierzę, żeby w okolicach Wrocławia nie było konkurencji. Tadzio i Rafał na pewno mają rozeznanie w temacie.

Zanim dojechałam na Przełęcz Kowarską, miałam wszystko obmyślane i rozplanowane z zakwaterowaniem włącznie. Muszę przedstawić sprawę na rodzinnym panelu.

Lula

Baronowa babcia Marianna jest szczęśliwa – wrócił ukochany wnuczek. Razem z Malwiną i piątką studentów płci obojga, przy czym płeć męska jest w mniejszości, reprezentowana przez dwóch przyjemnych młodzieńców z lokami do pasa i olśniewającymi uśmiechami na sześćdziesiąt cztery zęby każdy. Jeden ma na imię Miłosz, a drugi nie wiadomo jak, bowiem wszyscy operują ksywą Czesław. Stanowią coś w rodzaju jednego organizmu, są nierozłączni, a wyglądają jak weselsza, młodsza i piękniejsza odmiana Hamleta (o ile pamiętam, był on „tłustej kompleksji i tchu krótkiego", a ci dwaj to sportowcy wyczynowcy) – nieodmiennie w czarnych ubiorach, z łańcuszkami podzwaniającymi na szerokich klatkach piersiowych. Z trudem powstrzymałam się od zapytania, czy mają do tych łańcuszków medaliony z portretami tatusia, króla duńskiego. Trudno mi było uwierzyć, że stanowią absolutną chlubę uczelni, koszą wszystkie możliwe nagrody naukowe i zaginają profesorów. Za moich czasów (piętnaście lat temu!) tak wyglądali wyłącznie playboye żyjący z ciężkiej krwawicy zapracowanych rodziców.

Dziewczyny w tym zespole kontrastowo, jakby chciały podkreślić, że dla nich taki szczegół jak wygląd nie ma najmniejszego znaczenia. Szare myszy, ale z gatunku tych dosyć agresywnych. Chyba postanowiły dla podkreślenia osobowości zrezygnować raz na zawsze z mało ważnych form grzecznościowych, uśmiechów i innych podobnych drobiazgów. Też podobno kosy naukowe, wielkie indywidualności i nadzieja polskiej biologii. Mają na imię: Jana, Justyna i Dominika. Dominika, zwana przez kolegów Niką (koleżanki nie stosują żadnych infantylnych zdrobnień), czasem nie wytrzymuje w powadze i wyrywa się ze zdrowym, rześkim śmiechem (zwłaszcza kiedy ją kolesie rozśmieszają), wtedy bywa karcona podwójnym spojrzeniem ciężkim od nagany.

Dubeltowy organizm pod tytułem Czesław Miłosz natychmiast zapragnął rozszerzyć program obozu szkoleniowego o naukę konnej jazdy, opiekunka Malwina nie miała nic przeciwko, oczywiście za tę fanaberię chłopcy już zapłacą sami. Coś mi się zdaje, że przytłamszona Nika prędzej czy później do nich dołączy. Na razie damska część obozu wyraziła désintéressement w tej rozrywkowej materii.

Biedna ta damska część, przynajmniej dopóki będzie musiała jadać posiłki w towarzystwie naszych wesołych ułanów. Tryskają oni bowiem radością życia, która się dziewczętom wydaje (takie w każdym razie czynią wrażenie) dość obrzydliwa. Nie mam pojęcia, jak one z takim podejściem do życia zdołają wykrzesać w sobie entuzjazm do nauki o rzadko spotykanych robaczkach.

Dziś i jutro studenci mają w planie wyłącznie aklimatyzację, od pojutrza pędzą w góry. Mają szczęście, że jesień zapowiada się ładna i ciepła. Jak mówiła Malwina, będą prowadzić intensywne badania, dopóki ich mróz siarczysty nie wygoni z gór. Doszli do porozumienia z Parkiem Narodowym i będą codziennie dowożeni najbliżej Wielkiego Stawu, jak tylko się da podjechać parkowym łazikiem. Chyba i tak zostanie im do przejścia jeszcze niezły kawałek. Palą się do tego te żylaste, naukowe organizmy. Może to biologia tak ma, nam na historii sztuki by się nie chciało.

Emilka od rana, zamiast mi pomagać, pojechała do Książa, rzekomo po cukierniczkę, której Wiktor utrącił uszko. Cukierniczka ma na imię Rafał. Albo Tadeusz, ale raczej Rafał. Chciałam jej nawet zrobić coś w rodzaju awantury, że mnie zostawia na gospodarstwie samą, i to w obliczu nowych gości, ale napatoczył się Janek i zdusił awanturę w zarodku, obiecując mi pomoc. Rzeczywiście, robił wszystko, co mu kazałam, a kiedy Kajtek i Jagódka wrócili ze szkoły, sprawnie przydzielił im zadania, tak że zdążyliśmy ze wszystkim, z pokojami i z obiadem. Emilka wróciła na podwieczorek, przytomnie przywożąc wielką ilość drożdżowych bułeczek kupionych w jakiejś cukierni po drodze. Dobrze, że zadzwoniła, bo już się zabierałam do rozrabiania ciasta.

– No coś ty, Luleczka – powiedziała słodko i moim zdaniem fałszywie. – Po co masz piec, ja tu trafiłam takie prawie jak twoje, świeżutkie, prosto od krowy, prywatna cukiernia w Kamiennej Górze, sama zjadłam trzy, bo zapomniałam o obiedzie i mnie zassało. Słuchaj, stanęłam na stopie i poczułam zapach, facet właśnie z pieca blachy wyciągał!

Chciałam na nią warknąć, żeby nie była taka mądra, bo powinna tu siedzieć i doginać, ale w tym momencie Janek postawił przede mną nadzwyczajnie pachnącą kawę i jakoś mi przeszła chęć do awantur. Drugi raz dzisiaj.

Okazało się, że Janek dosypał do tej kawy trochę czekolady i trochę wanilii, dolał jakiegoś alkoholu i doszedł do wniosku, że musi mnie tym wszystkim uczęstować.

– Należy ci się nagroda za pracowitość – powiedział, podsuwając mi filiżankę. – Nie gniewaj się na Emilkę, młoda jest, to ją nosi. Chyba nawet wiem co.

– Do Książa to ja też wiem co. Słuchaj, Jasiu, jeżeli ty tu wlałeś jakiś koniak, to ja tego nie wypiję, bo przecież padnę. I kto zrobi kolację?

– Zagonimy Emilkę. Ale nie martw się, nie padniesz. Odrobina whisky tu jest, naprawdę parę kropel, nic ci nie będzie. To mój patent na kawę po irlandzku z dodatkami à la Pudełko.

– A może wypijemy jak ludzie, na ganku, a nie w kuchni?

– Na ganku jest za zimno na kawowe posiedzenia, ponadto znajdują się tam ułani i rżną w brydża, nie zważając na chłód. W salonie siedzą obie babcie i cała ta nadzieja polskiej nauki. Tu nam będzie najprzyjemniej.

– Boże jedyny, przecież ja im jeszcze nie dałam świeżej pościeli, nie zdążyłam, przygotowałam, ale wciąż leży na komodzie...

Już chciałam się zrywać od stołu i lecieć, ale Janek niespodziewanie przytrzymał mnie za rękę.

– Siedź. Leży na komodzie, to jeszcze trochę poleży. Komoda to bardzo dobre miejsce na pościel. Przecież nikt normalny o tej porze nie pójdzie spać. Wypijmy spokojnie naszą kawę, póki gorąca, ja ręczę, że będzie ci smakować, tylko nie pozwól jej wystygnąć.

Klapnęłam z powrotem na krzesło. Janek puścił moją rękę, a mnie przemknęło przcz głowę, że właściwie szkoda, niechby sobie ją jeszcze trochę potrzymał.

– Nie goń tak, Luleczko – powiedział miękko. – Naprawdę nie musisz. Nie wszystko musi być zrobione natychmiast i nie wszystko musi być zrobione najlepiej na świecie. Wystarczy, jeśli będzie zrobione dobrze. A ja teraz już nie będę czekał, aż mnie zawołasz, pomogę ci we wszystkim. Emilka to dobra dziewczyna, zresztą pogadam z nią, przemówię jej do sumienia, żeby się nie migała. I myślę, że trzeba będzie zatrudnić kogoś do kuchni, czy do sprzątania. Może ta cała, jak jej tam, Żaklina?

Pod wpływem tej kawy zrobiło mi się bardzo przyjemnie, tak przyjemnie, że sprawa ponownego zatrudnienia Żakliny mało mnie obeszła. Chociaż właściwie to jest dobra idea... I proszę – nikt nie pomyślał o tym, że się przepracuję, tylko Janek. Niezawodny Janek.

Może ja niesłusznie myślę o nim tylko jako o tym „niezawodnym Jasiu", co to zawsze jest na miejscu, kiedy trzeba? Może nie tylko z powodu kawy zrobiło mi się przyjemnie? Dla mnie on był zawsze taki oczywisty!

A te dwie studentki, Patrycja i Asia, latały za nim jak wariatki... Rękawiczki mu kupiły, jakieś mejle do niego piszą, Kajtek mówił...

I to karate...

Chyba nie taki Janek oczywisty, jak mi się do tej pory zdawało.

Emilka

Nie przedstawiłam wczoraj mojej nowej idei na rodzinnym forum, ponieważ nie było odpowiedniego klimatu. Omcia cieszyła się jak dziecko, bowiem Rupercik wrócił na jej łono, Malwina przywiozła swoją supergrupę do badania dziwnych stworzonek jeziornych czy może nadjeziornych, a Jasio zrobił mi wykład, po którym dostałam ataku wyrzutów sumienia, bo rzeczywiście ostatnio zwalam większość roboty na biedną Lulę, a ta perfekcjonistka ani piśnie, tylko robi. Janek twierdzi, że już wczoraj miała przestać milczeć i zamierzała zrobić mi awanturę, ale chyba nie wie, co mówi. Lula i awantura?

Nasi nowi goście jakby należeli do dwóch różnych gatunków przyrodniczych, chłopaki bardzo zabawne i skłonne do harców, a dziewczyny mocno nabzdyczone, z wyjątkiem jednej, która trochę się jednak boi kumpelek i stara się tak samo nadymać jak one. Obiecałam chłopakom – czyli Czesławowi Miłoszowi – że trochę z nimi pojeżdżę; właściwie to oni sami mnie wybrali z naszej instruktorskiej trójki – no i dzisiaj jeździliśmy po okolicy. Mają pewne podstawy, nie będę się z nimi wygłupiać z żadną lonżą, po prostu będziemy sobie robić przyjemne jazdy w teren, a czego się podczas nich nauczą, to ich. Próbowali namówić tę całą Nikę, żeby z nami pojechała, ale odmówiła. Nie na długo jej starczy tej siły woli – chłopaki są śmieszne nieprzytomnie.

Pomiędzy obiadem i podwieczorkiem udało mi się zwołać Sanhedryn w osobach babci, Luli, Jasia i Omci, która odspawała się chwilowo od Rupercika, czy raczej Rupercik ją rzucił i zniknął gdzieś w towarzystwie lubej

Malwiny. Porzucona Omcia poczuła samotność, więc nie można jej było zostawić odłogiem.

Opowiedziałam im wszystkim, jaką sytuację zastałam w Książu i jaki mi pomysł zaświtał w związku z tym.

Pierwsza zareagowała Lula.

– Widzę, że już całkiem położyłaś krechę na Wik... na Ewie i Wiktorze? A jeśli jednak zechcą wrócić?

– Nie wiem, czy zechcą. Na razie się na to nie zanosi. Ewa dopiero zaczęła pracę na uczelni, Wiktor projektuje nową kampanię reklamową dla tej swojej nadzianej zleceniodawczyni. Poza tym nawet jeśli wrócą, to z Wiktora pożytku w gospodarstwie i tak nie będzie, bo on jest artysta i będzie chciał malować, a nie gnój wyrzucać. Ja uważam, że oni sobie raczej wynajmą albo kupią dom w pobliżu, może nawet tę chałupę po rodzicach starej Kiełbasińskiej, co to dla nich za mieszkanie na stryszku w Rotmistrzówce... to nie na całe życie. A jak już im się rodzina powiększy?

– Ewa będze miala dżecko? – zareagowała żywiutko Omcia.

– Jeszcze nic o tym nie słyszałam. – Mam nadzieję, że nie było widać, jak się czerwienię. – Ale przecież oni są rozwojowi, mogą się rozmnażać. Wiktor robiłby te swoje reklamy dla pieniędzy i malował dla przyjemności, poza tym prowadziłby tę naszą galerię, księdza spotkałam niedawno, pytał, co z galerią, a ja nie wiedziałam, co mu odpowiedzieć.

– To jest chyba dosyć rozsądne – odezwał się Janek. – A powiedz mi, Emilko moja, czy Rafał i Tadek wiedzą o twoim pomyśle?

– Jeszcze nie. Dopracowałam go w drodze do domu, a poza tym nie będę im rzucać takich pomysłów bez konsultacji z wami.

– Bardzo słusznie – zagrzmiała babcia Stasia. – To mi się podoba, Emilko. Szacunek. Prawda, Marianno?

– Prawda, Stanysława – odgrzmiała babcia Marianna. – Szacunek dla starszych, dla rodżyny, to jest ważne w życu. Ważne decyzje czeba konsultowacz. A poza tym ja myszlę, że Emilia ma rację, bardzo dobre chlopcy są Rafal i Tadeusz, tylko nie wiadomo, czy one będą chczaly do nas przyjechacz...

– Porozmawiaj z nimi, Emilko – zdecydowała babcia. – Jeśli im to rozwiązanie będzie odpowiadało, to ja się chętnie zgadzam. Lula?

– Dlaczego nie? Oni są sympatyczni. No i ta hipoterapia... zawsze to jakieś rozszerzenie oferty. Chociaż gdyby Wiktor zdecydował się wrócić...

– Ale tu chyba Emilka ma rację – nie do pracy w Rotmistrzówce. Jasiu?

– Jestem za.

– Doskonale. Teraz wszystko zależy od nich. No, ciekawa jestem, czy się zdecydują. Trochę nam będzie ciasno, ale chyba w sumie nieźle.

No to w sumie znowu muszę jechać do Książa!

Lula

Zauważyłam, że od pewnego czasu moje życie nabrało intensywności. I to chyba od chwili, kiedy Emilka pojawiła się na horyzoncie. Ona pierwsza przecież rzuciła hasło do zaopiekowania się babcią i zamieszkania w Rotmistrzówce, wokół niej też w jakiś naturalny sposób kręcą się wszystkie najważniejsze wydarzenia. Ona skłoniła Wiktora do podjęcia decyzji, na co ja – jego stara w końcu przyjaciółka – nie odważyłabym się nigdy w życiu. Ona też ma właśnie zamiar urządzić życie od nowa Rafałowi i Tadeuszowi i wcale niewykluczone, że oni na to pójdą. Co w tej dziewczynie siedzi? Janek, jak się zdaje, uważa, że samo dobre. Jest to przekonanie charakterystyczne dla wszystkich mężczyzn, którzy się z nią zetknęli. Nie mówię, że nie mają racji, ale też nie jestem pewna, czy nie zaczyna mnie ona troszkę irytować. Może jestem zazdrosna? Tylko o co, na miłość boską? O urodę? Czy raczej o swobodę bycia, na którą sama nigdy nie potrafiłam się zdobyć?

Następnego poranka po tym, jak zbiorowo zaakceptowaliśmy pomysł z hipoterapią, ta wariatka – zamiast pomagać mi przy sprzątaniu po śniadaniu! – wsiadła do samochodu i pognała do Książa.

– Rozumiecie sami – rzuciła nam na odjezdnym – że nie mogę chłopakom przedstawiać naszej koncepcji przez telefon. To za poważna sprawa. Zresztą muszę im patrzeć w oczy i widzieć, jak zareagują, a przez telefon oczu nie widać. Lula, kochana, przysięgam, że jak to wszystko się rozstrzygnie, dam ci tydzień absolutnie wolnego i sama będę wszystko robić, a teraz Janeczek ci pomoże i dzieci, jak wrócą ze szkoły. Jasiu, pomożesz, prawda?

Jasio, oczywiście, skinął tylko głową z maślanym uśmiechem. Doprawdy, czy nawet on musi się maślić na widok pięknych oczu Emilki? A ona w dodatku rzuciła mu się na szyję i go wyściskała, co mu najwyraźniej sprawiło wielką przyjemność.

Za wielką!

Trzeba tę Emilkę w końcu wydać za kogoś. Tylko czy to pomoże na cokolwiek?

Pół godziny po jej odjeździe zjawił się u nas znienacka policjant Misiu, teoretycznie z wizytą towarzyską u babci

Stasi. Babcia szalenie się ucieszyła, natychmiast zawołała swoją przyjaciółkę Mariannę (papużki nierozłączki to przy nich pikuś, jak powiedziałaby Emilka – co ja tak z tą Emilką?!) i obie wdały się w beztroskie wyciąganie z przedstawiciela prawa tajemnic służbowych. Doprawdy, nasze staruszki łakną sensacji jak kania dżdżu!

Niestety, podkomisarz Misiu nie dał się wziąć na plewy i nie chciał opowiedzieć babciom, czym się teraz zajmuje w sensie służbowym. Zdradził natomiast bardzo wyraźne rozczarowanie z powodu nieobecności Emilki, którą, jak twierdził, pragnął odpytać o kilka szczegółów dotyczących jej byłego niedoszłego.

– Ty mi oczu nie zamydlaj, chłopcze – powiedziała do niego babcia Stasia z dużą dozą bezpośredniości. – Przecież ja doskonale widzę, jak ci się do niej oczy świecą. Powiedz lepiej, czy już masz coś na tego jej gangstera, bo my tu w nerwach cali jesteśmy o nasze konie, a nie daj Boże i o nas samych. Dzieci mamy w Rotmistrzówce!

Podkomisarz Misiu przewrócił oczyma nad filiżanką doskonałej kawy, którą im uprzejmie doniosłam.

– Pani Stanisławo...

– Możesz mi mówić babciu, jak wszyscy – przyzwoliła łaskawie babcia. – Tylko nie mąć!

– No więc proszę, niech mnie babcia zrozumie. Ja naprawdę nie mogę opowiadać nawet najbliższym osobom o tym, co robimy. Pracujemy, jak możemy. Niech się panie nie obawiają ani o konie, ani o dzieci, pilnujemy was...

– Ja tam was nigdzie nie widziałam!

– To bardzo dobrze, wcale byśmy nie chcieli być widoczni...

– Mlody szlowieku – wtrąciła nagle babcia Marianna – mnie szę wydaje, że wy wcząż nie macze nic. I wcale was tutaj ne ma. A ja panu podpowiem. Czeba udawacz, że szukacze moich brylantów, a jeszcze lepiej wcale nie udawacz, tylko naprawdę szukacz, a może przi okazji znajdżecze i będże z was pożytek. Ja szę odwdżęczę. A ten gangster będże widżal, że szę tu ludże kręcą, to da spokój koniom.

– O jakich brylantach mówimy? – zainteresował się szybciutko podkomisarz Misiu.

Marianna wdała się w obszerne wyjaśnienia, ale podkomisarz okazał daleko idący sceptycyzm, twierdząc, że skoro do tej pory brylanty nie dały o sobie znać, to raczej już nie dadzą i należy pożegnać się z nimi z godnością i ostatecznie. Chyba jej nie przekonał. Zmusiła go za to – z wydatną pomocą babci Stasi – do opowiedzenia kilku soczystych przygód z życia antyterrorystów. Podejrzewam, że wszystkie, co do jednej, były na poczekaniu wyssane z palca.

Emilka

Nie wiem, czy coś z tego będzie. Mój młodzieńczy entuzjazm został potraktowany z niespodziewanym (przeze mnie w każdym razie) chłodem. To znaczy, nawet sympatycznie się do niego odnieśli, powiedzieli, że jest im przyjemnie, że się cieszą, tratatata... ale przecież na razie nikt ich z pracy nie wyrzuca, a szefowa chociaż obrzydliwa dosyć, to jednak wciąż jeszcze płaci regularnie, klientów mają stałych i nie mogą tak nagle znikać im z pola widzenia... Jednym słowem, mam się wypchać swoimi pomysłami.

Tak dosłownie tego nie powiedzieli, ale inaczej nie można było zrozumieć.

Nie to nie. Chyba trzeba będzie w tym układzie nająć Misiaków do pomocy Jasiowi w stajni...

I narazić przez to konie! Nigdy.

Prędzej sama będę gnój wyrzucać!

A już się powoli przywiązywałam do myśli o hipoterapii dla tych różnych pokręconych dzieciaczków. Olga, z którą rozmawiałam przez telefon o tej sprawie, uznała, że pomysł jest znakomity, żadnych ośrodków hipoterapeutycznych w promieniu pięćdziesięciu kilometrów nie ma na pewno, bylibyśmy jedyni na rynku. A ona zdążyłaby jeszcze dopisać stosowny tekst w swoim nowym katalogu, w którym mamy wykupione (dzięki Krzysiowi Przybyszowi po życzliwej cenie promocyjnej) ćwierć strony z cudnymi zdjęciami księdza Pawła...

Które to zdjęcia dostaliśmy od niego za najzupełniejsze friko!

Trzeba by się księdzu odwdzięczyć i zrobić mu tę wystawę z wernisażem, jakiego świat nie widział.

Chyba będę musiała się tym sama zająć, bo coś mi się widzi, że Wiktor rozwiązuje teraz swoje ważne problemy życiowe i galeria mu nie w głowie.

Lula

Wiktor z Ewą znowu wpadli na weekend jak po ogień. Ewa wciąż zaabsorbowana sprawami uczelnianymi, ściśle doczepiona do swojej komórki i Wiktor prawie nieodrywający się od laptopa, w którym przechowuje koncepcje jakichś nadzwyczajnych chwytów reklamowych, które mają nas przekonać, że jedynie urządzenie łazienki przy pomocy firmy Piprztycka i Spółka przyniesie nam szczęście, zdrowie i gwarantowaną satysfakcję, niezależnie od tego, czy myjemy się cztery razy dziennie, czy też raz do roku około Wielkiejnocy. Aż mi wstyd było za nich, bo prawie nie zajęli się Jagódką, poświęcając jej zaledwie kilka chwil po przywitaniu. Na szczęście Kajtek czuwał, Janek też i obaj zabrali ją na superjazdę w teren, po raz pierwszy tak daleko, poza obręb Marysina.

Zapytałam Wiktora wprost, czemu z nimi nie pojechał. Jagódka na pewno chciałaby, żeby kochany tatuś zobaczył, jaki z niej dzielny rajter.

– A bo wiesz co?... Sam właściwie nie wiem – odpowiedział mi, jak na niego mało inteligentnie. – Od jakiegoś czasu wcale prawie nie odrywam się od tego cholernego komputera, chciałbym już wreszcie dopiąć wszystko na ostatni guzik, oddać babie i skasować ją na pieniądze. Dawno miałbym ją z głowy, ale parę szczegółów jej nie odpowiadało i musiałem zmieniać koncepcje. Jeżeli teraz mi będzie grymasić, to ją chyba zabiję. Ale jeżeli przyjmie, to będę miał na jakiś czas forsę i trochę spauzuję. Tylko czy w tym całym porąbanym reklamowym interesie można spauzować? Nie jest wykluczone, że moja klientka zmusi mnie do przyjęcia zlecenia od jednej takiej jej koleżansi, co to ma biznes spożywczy, ale ten biznes spożywczy przestał jej wystarczać do szczęścia i teraz koleżansia zamierza wprowadzić na rynek nowe odkrywcze pismo dla kobiet, cholera jasna by to wzięła. Dla ambitnych kobiet, takich, co to buty muszą mieć od Gucciego albo od Prady, kostiumiki od Chanel i Lagerfelda, paltociki od Armaniego, a do urządzania sobie kuchni i sypialni biorą specjalnego dizajnera, który kosi od nich za to tyle, ile przeciętny nauczyciel zarabia przez trzy lata. Z nadgodzinami. Wypisz wymaluj jak nowe Ruskie. Lula, powiedz mi, czy chciałabyś mieć kuchnię urządzoną przez dizajnera?

Pewnie, że bym chciała. Takie kuchnie nie nadają się do gotowania w nich obiadów, mogłabym spokojnie urządzić strajk, bo już chwilami mam dosyć bicia kotletów! Gdyby nie Janek, chybabym oszalała jako gosposia od wszystkiego. Janek zawsze jakoś znajduje czas, żeby mi przyjść z pomocą.

A Wiktora tak naprawdę nic nie tłumaczy. Dziecko to dziecko i nie wolno lekceważyć faktu, że właśnie nauczyło się jeździć na koniu! Nawet jeśli tym koniem jest tylko stara, leniwa, tłusta Mysza.

Emilka

Hura, hura.

Piękny Wiktorek wraz ze swoimi zniewalająco pysznymi brwiami pojawił się na horyzoncie, a Lula nic! Czyżby zaczynały owocować wszystkie nasze tajne posunięcia? Babcie wprawdzie wyparły się w żywe oczy, kiedy znienacka zapytałam je o forsę, którą inkasowały od nich Aśka z Partycją, ale kto by im tam wierzył, starym chytruskom! Zwłaszcza że natychmiast chciały koniecznie wiedzieć, dlaczego to ja ostatnio rzucam się Jasiowi na szyję ze zdwojoną częstotliwością (faktycznie, jakoś tak się składa) i chichocząc, wysuwały różne propozycje – jak to określiły – zdynamizowania wzajemnych stosunków tych dwojga. To znaczy Luli i Jasia.

– *Mein Gott* – mówiła Marianna, popijając z wdziękiem herbatkę ziołową – ja już nie mogę paczecz, jak ta biedna, kochana Lula szę męczy! Kto to widżal, kochacz szę w szlowieku z rodżyną! To znaczy, ja sama kiedysz szę kochalam w takim jednym, co tu mieszkal nedaleko, on był spokrewniony z Hochbergami i miał narzyczoną, ale ja sobie nader szybko wyperswadowala taka miloszcz!

– Święte słowa, moja droga – zabasowała jej babcia Stasia, która jednakowoż nad herbatkę ziołową przedkładała ziołową nalewkę, prezent od Krzysia Przybysza. – Lula jest za dobrą dziewczyną, a Janek ma za dobry charakter, żebyśmy tak to puściły swoim torem. Bo jakby to miało iść swoim torem, to Lula raczej by Wiktorowi wybudowała mały ołtarzyk i modliła się do niego codziennie, niż zrobiła jakikolwiek krok w kierunku Janka. Ty, Emilko, też bardzo dobrze wymyśliłaś, ty się na Jasia rzucaj, ściskaj go i komplementuj, ja widzę, że Lula zaczyna patrzeć na to żabim oczkiem, może wreszcie do niej dotrze, że ma pod nosem człowieka jak kryształ! I moim zdaniem on ją chce!

Omcia popatrzyła krytycznym okiem na karafkę z nalewką, ale po drobnym namyśle podstawiła babci kieliszek.

– Może jednak ja spróbuję tego twojego specjalitetu, Stanyslawa, nalej mi, proszę oczupynkę. Tak szę mówi, oczupynkę? *Sehr gut*, bardzo dobrze. Ale ja mam jedna wątplywoszcz. Jeżeli Emilia będże szę Jaszowi rzucala i rzucala, to może on pomyszli, że ona szę w nim zakochala? Hę? A Emilia jest piękna dżewczyna, ja widzę, wszyscy panowie na nią paczą przyjemnie. I co to będże wtedy? Stanyslawa, Stanyslawa, żeby my czasem nie pcze... pczekombynowali? Tak Kajtek mówi, nie? Pczekombynowacz.

– O, do licha – mruknęła babcia Stasia, zupełnie jakby mnie przy tym nie było. – Masz rację, Marysiu. Na naszą Emilkę wszyscy lecą, jakby się tak Jankowi odwróciło... Emilka! Ty może jednak przyhamuj troszkę, co? Z tą adoracją Jasia? Jak myślisz?

– No co też babcia – prychnęłam. – Jasio jest monogamista. Jasio może tylko jedną kobietę kochać naraz, a moim zdaniem kocha się w Luli jeszcze od czasów przedpotopowych! Ożenił się tylko przez pomyłkę. Swoją drogą, patrzcie babcie, jakie te chłopy niestałe. Powinien był czekać na Lulę; ona na Wiktora czekała, to znaczy była wierna swojemu uczuciu, chociaż Wiktor się wydał za Ewę!

– I naprawdę uważasz, dziecko, że możesz się na Jasia rzucać bezkarnie?

– Na sto procent, babciu.

– No to dobrze. To jednak się na niego rzucaj, a Lula niech będzie zazdrosna. Ziarnko do ziarnka, a zbierze się miarka. Tylko uważaj! A jakbyś zauważyła, że Jasiowi coś się odwraca, natychmiast przestań.

– Dobrze, babciu – powiedziałam grzecznie. – Przestanę. Ale pod jednym warunkiem. Że powiecie wreszcie prawdę w sprawie Aśki i Patrycji! Dawałyście im forsę za uwodzenie Jasia czy nie?

– Zaraz uwodzenie – sarknęła babcia. – Umowa była, że mu troszkę przypodchlebią, i to tylko wtedy, kiedy Lula będzie ich miała na widoku. Starały się dziewczęta uczciwie, to i drobna rekompensata słusznie się należała. No i zwrot kosztów.

– Zwrot kosztów?!

– Na przykład za te rękawiczki. Były dosyć drogie, a i Kiełbasińskiej trzeba było zapłacić ekstra za haft, na dodatek w terminie ekspresowym, a jeszcze na skórce źle się wyszywa... Albo za dodatkowe jazdy. Przecież za dodatkowe jazdy u nas się płaci.

– Ojejusiu – powiedziałam z podziwem. – A ile babcie im odpaliły za samą fatygę?

– A... taki drobiazg, to zresztą Marianna sponsorowała...

– Omciu?!

– Co, Omczu, co Omczu... Nedużo. Zlecenie było specjalne, estra, czeba było pokazacz ynwencję... No i chyba dalo skutek, tak trochę, nie?

– Omciu, ile Omcia im dała?

– Sto ojro każda dżewczynka dostala plus koszta. Powiedżaly, że to dobrze jest.

– Ja myślę! A co się przy tym najeździły za darmo! Tak nawiasem – dla mnie babcie też przewidziały honorarium?

Babcie spojrzały po sobie z namysłem.

– Dlaczego nie? – zaczęła Marianna, ale Stasia jej przerwała.

– O nie, moja kochana Emilko. Ty musisz się przyłożyć do utrzymania domowej harmonii oraz szczęścia rodzinnego! Jesteśmy rodziną, prawda? Wiktorki najwyraźniej są na drodze do usamodzielnienia się, rodzina się kruszy, więc trzeba umocnić fundamenty!

Argument przemówił mi do wyobraźni.

– Dobrze, proszę babć. Będę umacniała fundamenty. Za friko. Jakby babcie odniosły wrażenie, że przeginam, to proszę mi dać znać.

No i jak tu nie kochać naszych staruszek?

Lula

Emilka miała dobry pomysł. Zanim Wiktor i Ewa wyjechali, zdążyła przedstawić projekt kolejnej wystawy w naszej galerii – trochę ostatnio zaniedbanej – planowaliśmy zresztą od samego początku, że po obrazach Wiktora pokażemy zdjęcia księdza Pawła. Wiktor został zobowiązany do uruchomienia mediów, najlepiej ogólnopolskich. Siedząc w Krakowie, ma przecież pewne możliwości. Nie uchylał się wcale, owszem, obiecał zrobić maksymalny szum. Ma mu w tym pomóc ta jego potencjalna zleceniodawczyni, jak sam się wyrażał, „koleżansia klozetowej bizneswoman". Nie wiem tylko, czy koleżansia, która zamierza tworzyć pismo dla kieszonkowych snobków, zainteresuje się wiejską galerią. Wyraziłam swoje wątpliwości w tym zakresie, ale zostałam zakrzyczana. Przez Wiktora i Emilkę. Oboje zgodnym chórem twierdzili, że nie to ważne, co ważne, tylko to, co się wylansuje. Bardzo dobrze. Niech koleżansia lansuje naszą galerię i niech o niej powie wszystkim swoim koleżansiom.

Zirytowało mnie tylko trochę, kiedy Emilka zaczęła demonstracyjnie pytać Jasia o opinię, niby to niewinnie zaglądając mu w oczy i łapiąc go za rękaw. W ogóle denerwuje mnie ostatnio ta cała Emilka, muzeum przez nią zaniedbuję, moja inwentaryzacja leży i kwiczy, z uczonym Kiryskiem nie mam o czym rozmawiać, chociaż to najmniejsza rzecz, bo go wchłonęło zapisywanie historycznych ciekawostek, które usłyszał od Marianny. Pewnie nam się Kirysek habilituje z tego wszystkiego.

Janek wymyślił ostatnio dzieciom nową rozrywkę – jeżdżą do westernowego miasteczka podpatrywać, jak się tam trenuje konie. Emilka opowiedziała im jakieś cuda o tamtejszym szeryfie i postanowili rozszerzyć sobie jeździeckie horyzonty. Oczywiście na razie wyłącznie w wymiarze teoretycznym. Być może jednak – jak tak dalej pójdzie – Rotmistrzówka zmieni charakter z ułańskiej na kowbojski.

I to będzie już zupełnie bez sensu, bo kowboje rotmistrzów nie mieli.

– Ale miała ich zapewne kawaleria Stanów Zjednoczonych – zauważył Janek, kiedy podzieliłam się z nim wątpliwościami. – Wiesz, ci przepiękni chłopcy, którzy nadjeżdżali zawsze w końcowych scenach prawdziwych starych westernów. I robili porządek z niedobrymi Indianami. Oraz z gangsterami. Nawiasem mówiąc, przydaliby nam się tacy w sprawie Emilczynego kryminalisty, nie uważasz, moja droga?

Odmruknęłam coś niechętnie, bo temat Emilki, zwłaszcza w ustach Jasia denerwuje mnie jakoś ostatnimi czasy. Janek zrozumiał moje mruknięcie opacznie.

– Nie martw się, kochana, ja chcę tylko, żeby dzieciaki miały porównanie. Jedź kiedyś z nami, zobaczysz, jak pięknie Jagódka trzyma się na byku...

– Jasiu, ty oszalałeś?

– Ależ oczywiście, że nic podobnego. Byk jest automatyczny. No, sztuczny. Ale duży i nieźle wywija...

– Jasiu! A jeśli Jagódka spadnie, jak my się Wiktorom na oczy pokażemy?

– Już spadała. Za każdym razem. Tam się walczy do upadu, ale spada na miękkie. Luleczko, czy ty naprawdę myślisz, że ja nie myślę?

– Ja nic nie myślę, ja się boję o dzieci...

– No to się przestań bać.

Spojrzałam na niego jak na dziwoląga i w tejże chwili dotarło do mnie, że zachowuję się jak idiotka, mało tego, że coś mi z głowy wyżera szare komórki, może naprawdę mam za dużo pracy i to przez to?

Muszę pogonić Emilkę!

Chyba miałam rekordowo głupi wyraz twarzy, bo Janek już nic mi nie tłumaczył, natomiast zrobił coś dziwnego – wychodząc już z kuchni, bo oczywiście w kuchni toczyliśmy ten dialog, nad garnkiem zupy pomidorowej zgoła, ze świeżych pomidorów – no więc wychodząc z tej kuchni, z kuchni, w której grzęznę na całe dnie – przez Emilkę i jej wszystkie wykręty! – no więc, wychodząc z tej kuchni, on mnie pocałował.

To był bardzo przyjemny pocałunek. Krótki i jakby mimochodem, ale jednak pocałunek.

Nie cmok-cmok.

Jest to ZASTANAWIAJĄCE.

Będę się zatem zastanawiać, produkując górę zrazów zawijanych z boczkiem i ogórkiem kiszonym oraz z ledwie dostrzegalnym akcentem czosnkowo-cebulowym.

W sumie – chyba lubię robić zrazy. Jest to czynność tak marudna, że można się przy tym zastanawiać do woli...

Emilka

Nie do wiary, co za cholerny gnojek z mojego niedoszłego!

Już myślałam, że te wszystkie groźby w stosunku do koni są tylko takim sobie czczym gadaniem, ale okazało się, że on naprawdę chciał skrzywdzić Latawca! Chyba bym wolała, żeby mnie coś złego zrobił.

Oczywiście, nie zamierzał sobie przy tym osobiście brudzić rąk, tylko wynajął tego starego grzyba Misiaka i jego młodego syna, brudasa. Co za szczęście, że udało się zapobiec nieszczęściu!

I to Rafał zapobiegł, nie kto inny... wiedziałam, że... Nie wiem, co wiedziałam. Nic nie wiedziałam.

Ale COŚ MI MÓWIŁO. No dobrze, nieważne, co mi mówiło. Mówiło i już.

Wprawdzie udział w wydarzeniu miało jeszcze mnóstwo osób, ale to Rafał złapał gnoja za rękę, bo gdyby nie to – nie chcę w ogóle myśleć!

Akurat wyglądało na to, że Rotmistrzówka świeci pustkami, czas był przedpołudniowy, babcie w salonie przy pogaduszkach, dzieci w szkole, leciwi kawalerzyści zdobywali kolejne góry (ryzykując chyba zawały serca, bo mają straszne tempo jak na swój wiek podeszły), studenci i Malwina z Rupertem też w górach na spotkaniu z umówionymi endemitami, Lula i ja oraz nasze obydwa psy w kuchni, Janek pojechał do Jeleniej Góry po zakupy półhurtowe... Teoretycznie byli gdzieś w pobliżu chłopcy podkomisarza Misia, ale w praktyce pies z kulawą nogą ich nie widział. Konie łaziły spokojnie po padoku, widziałyśmy je z kuchennego okna. Oczywiście nie wszystkie naraz i tylko sporadycznie, kiedy Lula pozwalała mi podnieść oczy znad upiornej stolnicy z mnóstwem pierogów klejonych na zapas... chyba dla armii napoleońskiej wracającej spod Moskwy, albo dla innej, równie licznej i wygłodzonej hałastry.

I na to wszystko pojawił się znienacka Misio, przepraszam – Misiu – we własnej, reprezentacyjnej osobie, zastukał do nas, jak jaki ułan, w okienną szybę, został natychmiast zaproszony i poczęstowany świeżymi pierogami – pod ich wpływem chyba zapomniał, po co przyszedł właściwie. Zdaje się, że chciał jeszcze raz uściślać daty przybycia Lesława do Marysina i naszych z nim niesympatycznych spotkań – ale te pierogi go strasznie wciągnęły, zresztą nie było pośpiechu, więc siedział i spożywał, i jeszcze gapił się na mnie, co chyba denerwowało trochę Lulę. A czasem częstował Niupę i Pędzla farszem, co denerwowało Lulę jeszcze bardziej. I tak czas nam upływał mile, kiedy nagle załomotało coś w szybę, Niupa warknęła, Pędzel zaszczekał i za oknem zmaterializowała się twarz Tadzinka, bardzo wzburzona.

Otworzyłam mu to okno, a on, zamiast witać się kulturalnie, wrzasnął tylko:

– Natychmiast chodźcie ze mną na padok. Pan komisarz też. Biegiem!

Zrobiło mi się lekko słabo, natychmiast wyobraziłam sobie nasze konie leżące pokotem w trawie, ale zanim zdążyłam zapytać Tadzia, co się stało, on już pędził z powrotem. Popędziliśmy więc za nim – psy na czele, Misiu dławiący się pierogiem i my dwie, całe w nerwach i w mące.

Na padoku – na szczęście! – nie leżał żaden koń, przeciwnie, leżał młody Misiak, a na nim siedział Rafał. Dookoła nich w zaciekawioną grupę skupiły się konie i psy.

– O, pan komisarz – zauważył Rafał, nie zsiadając z Misiaka. – Miło, że pan jest, bo pańskich dzielnych wojaków ani widu, ani słychu. Ma pan może jakieś kajdanki albo co, bo chętnie bym już wstał z tego gnoja.

– A mam, całkiem przypadkowo – odrzekł ze swobodą podkomisarz i zadzwonił żelazami. – Na jaką okoliczność zatrzymujemy pana Misiaka Dżuniora? Wstawaj, Mundek. Co przeskrobałeś?

– O nie – wysapał młody Misiak z trudem i dźwignął się z gleby, mocno wymiętoszony. – Tak to nie będzie. Pan komisarz sam widzi, napadł na mnie ten nieznany mi obywatel i dokonał na mnie rękoczynu, podczas gdy ja bynajmniej nie robiłem niczego złego, tylko chciałem przywitać się z końmi, ja te konie, panie komisarzu, znam...

– Nie pierdziel, Mundziu – zbagatelizował tłumaczenia Misiaka podkomisarz. – Panowie, co się stało?

Rafał wygładził na sobie cokolwiek zmięte ciuchy.

– Pokaż państwu, Tadziu, cośmy zabrali panu, jakmutam, Misiakowi.

Tadzio schylił się i podjął z ziemi mały przedmiocik.

– Co to jest? – zaciekawił się podkomisarz.

– Oni są psychiczni – pospieszył z informacją Misiak. – Przylecieli do mnie z jakimś debilnym patyczkiem i przewrócili na ziemię, ja będę składał na nich oficjalną skargę do prokuratury o napaść...

– Mundziu, prosiłem, żebyś się zamknął – warknął podkomisarz. – Faktycznie, patyczek. Co to takiego, to jakaś tajna broń?

– Taki patyczek – rozpoczął wyjaśnienia Tadzio – jest zaostrzony na końcu. Widzicie to?

Widzieliśmy, ale nic nam to nie mówiło.

– Jechaliśmy właśnie do was z wizytą – podjął Tadzio, już prawie spokojnie – ale tu niedaleko złapaliśmy gumę, więc zmieniliśmy koło i zaraz, po jakichś dwustu metrach złapaliśmy drugą gumę, ale już nie było czego wymieniać, więc postanowiliśmy przejść te pół kilometra na piechotę i poprosić was o jakąś pomoc. Jak doszliśmy do granicy waszych padoków, to nam się zdawało, że ktoś się tu skrada przez krzaki, więc zastosowaliśmy metodę Indian Apaczów, przestaliśmy hałasować i rzucać się w oczy... no i cóż my widzimy? Pan Misiak młodszy podchodzi spokojnie do Latawca, nie rzuca się, więc Latawiec, ufne stworzonko, niczego nie podejrzewa. A pan Misiak go zachodzi od ogona. I powiem wam, że gdyby nie to, że Rafał wykazał się błyskawicznym refleksem, to ten gnój śmierdzący zdążyłby mu ten patyczek wsadzić w tyłek.

Spojrzeliśmy po sobie, nic nie rozumiejąc.

– Złapałem go w ostatnim momencie – przyznał Rafał i przejął narrację. – Miał to w łapie, więc mu tę łapę na wszelki wypadek wykręciłem. Ale też nie wiedziałem, po co chciał to zrobić. Dopiero Tadzio mi wytłumaczył i ma szczęście ten skunks, że go nie zabiłem, a słusznie mu się należy...

Jak jeden mąż spojrzeliśmy tym razem na Tadzinka.

– Opowiedział mi o tym jeden mądry człowiek na naszej wspólnej uczelni, droga Emilko – powiedział Tadzinek przez zaciśnięte zęby. – Taki zaostrzony patyczek wsuwa się koniowi w tyłek, patyczek przebija prostnicę, bardzo szybko dochodzi do zapalenia otrzewnej i po koniu. Kwestia kilku dni i jest to nie do wykrycia praktycznie. Były takie przypadki, niestety.

Zrobiło mi się słabo. Mój Latawiec! Mój kochany, mądry, ufny, zabawny Latawiec...

Podkomisarz Misiu zbladł pod swoją filmową opalenizną i z najwyższą odrazą spojrzał na Misiaka, który coś tam jeszcze usiłował gadać o napaści.

– Panowie – zwrócił się do Tadzia i Rafała. – Jesteście pewni, że on to chciał zrobić?

– Prawie zrobił – odparł Tadzio sucho. – Rafał złapał go za rękę już w momencie, kiedy celował Latawcowi tym patykiem pod ogon.

– Kto ci to kazał zrobić? – warknął Misiu w stronę Misiaka.

– Jakie zrobić, co zrobić? – postawił się Misiak. – Nic mi nie udowodnicie. Coś się wam pop...

Zanim Misiak młodszy wypluł z siebie niecenzuralne słowo, podkomisarz Misiu, dawny uczeń pana Rotmistrza i koniarz, najwyraźniej rozjuszony do białości – odwinął się nagle, a jego potężne ramię wystrzeliło w powietrze. Misiak padł jak podcięty kłos, w to samo miejsce, na którym leżał przed chwilą. Rafał tym razem nie musiał na nim siadać, bo Mundzio nie wyglądał, jakby miał wstawać w najbliższym czasie.

Pochyliliśmy się nad nim.

– W co waliłeś? – spytał rzeczowo Tadzinek.

– W ryj – odrzekł krótko podkomisarz.

– No, no – powiedział Rafał z podziwem w głosie. – Ale cios. Moje uznanie, panie komisarzu...

– Misiu jestem – zawiadomił go podkomisarz. – Cholera, chyba znowu mnie poniosło. Ale wiecie, ja kocham konie. Ciekawe, dokąd mnie przeniosą tym razem, jeśli się okaże, że mu coś połamałem.

– Czekajcie, zobaczę. – Rafał pochylił się nad nieruchomym Mundziem. – Jestem lekarzem – dodał wyjaśniająco, na co podkomisarz pokiwał głową ze zrozumieniem, połączonym z odrobiną niepokoju. Podejrzewam, że nie był to niepokój o całość Misiaka.

– Raczej mu połamałeś – poinformował Rafał, podnosząc się znad Misiaka, który już zaczynał ruszać się i pojękiwać. – Nic groźnego w sumie, obie szczęki poszły. Wyjdzie z tego.

– Cholerny świat – mruknął podkomisarz. – Właściwie szkoda, że tylko szczęki, skoro mam zostać prostym

95

krawężnikiem. No i Gula mnie zabije, obiecałem, że będę się hamował.

Rafał spoglądał na niego z zastanowieniem.

– A powiedz mi – zaczął powoli – co by było, gdybym to ja mu złamał te szczęki, wtedy kiedy go łapałem na gorącym uczynku? No wiesz, w afekcie, z prędkości, żeby zapobiec złemu uczynkowi w stosunku do niewinnego zwierzęcia...

Misiak poruszył się gwałtownie i usiłował coś powiedzieć.

– Zamknij się, łachu nieprany – huknął podkomisarz. – No więc, jak by ci tu powiedzieć – zwrócił się do Rafała, a oczy obydwu zalśniły tym samym, podejrzanym blaskiem. – W zasadzie nic by nie było. Zapobiegłeś ewidentnemu przestępstwu, z jakiego paragrafu, to się jeszcze dopasuje... Tadek był świadkiem, że nie miałeś czasu na konwersacje. Tadek?

– Oczwiście, że byłem świadkiem. Patrzcie, to przecież kawał byka, gdyby go Rafał nie znokautował, toby mu zwiał. A może i nas by pobił.

– No to ustalone – podsumował Rafał. – Ty go może jednak skuj, Misiu, albo co.

– Tak, chyba jednak zdecydowanie powinienem. – Misiu użył wreszcie swoich służbowych kajdanek. Mundzio wstał, chwiejąc się na nogach, a widok jego rozbitej gęby sprawił mi żywą przyjemność. – A teraz powiedz, Mundziu, na czyje zlecenie pracujesz?

Mundzio zabełkotał coś niewyraźnie.

– Ach, prawda. Masz kłopoty z wymową. Tak czy inaczej zabieram cię chwilowo do nas, jakiś lekarz do nastawienia ci gęby chyba się znajdzie. Pana doktora też do nas poprosimy celem złożenia zeznań, doprawdy pechowo się złożyło z tą szczęką, ale proszę się nie martwić, najważniejsze, że udało się panu zapobiec okrucieństwu w stosunku do zwierzęcia. Oraz zniszczeniu cudzej własności, jeżeli przyjmiemy bardziej materialistyczny punkt widzenia. Pan też, prawda? Jako świadek. Może jutro, pojutrze? Kiedy panom pasuje?

– Może być jutro. Całkiem rano albo całkiem po południu, bo mamy jazdy z niepełnosprawnymi.

– To jeszcze się zdzwonimy w tej sprawie. A propos...

Podkomisarz wyjął z kieszeni komórkę, wybrał numer i zażądał radiowozu celem przewiezienia złoczyńcy do aresztu.

– Będą za kwadrans – zawiadomił nas.

– To chodźcie na herbatę – zaproponowała Lula, która dotąd prawie się nie odzywała z wrażenia.

– Może ja mu opatrzę tę szczękę, którą rozbiłem? – spytał Rafał niepewnie.

– Ach, szkoda fatygi, doktorze. Zanim go zawiozę do nas, wstąpimy z nim na pogotowie. Lepiej wypijmy herbatę, bo jeszcze mam w przełyku tego pieroga, którego jadłem, kiedy mnie zaskoczyłeś, Tadziu.

– To my w końcu jesteśmy na pan, czy nie? – Tadzio zdradzał zakłopotanie.

– Tylko w warunkach oficjalnych, dobrze?

– Ależ proszę uprzejmie...

Misiu przymocował Misiaka kajdankami do drzewka nieopodal, po czym panowie, świadcząc sobie wzajemne reweranse, odeszli w kierunku domu, na którego ganku pojawiły się już obydwie babcie.

A mnie coś zastopowało przy Latawcu, który gmerał mi teraz pyskiem we włosach w konsekwentnej acz nieuzasadnionej nadziei, że da się tam znaleźć coś do zjedzenia. Powoli docierało do mnie, jakiego losu uniknął, w jakich cierpieniach musiałby zginąć, gdyby chłopakom nie udało się złapać tego śmierdziela za łapę. Zrobiło mi się dziwnie, przytuliłam się do pachnącej sianem, lśniącej jak czyste złoto szyi i rozryczałam jak nigdy w życiu. Trzeba być ostatnim z ostatnich, żeby tak po prostu chcieć zabić takie miłe, ufne, pogodne stworzenie, które nigdy nikomu nie zrobiło krzywdy; takie piękne zwierzę, takiego kochanego złocistego Latawca...

Ryczałam tak dosyć długo, a on cierpliwie stał w miejscu i czekał, aż się od niego odlepię. Być może nie nastąpiłoby to w ciągu najbliższej doby, bo chyba wylewałam też przy okazji cały żal do świata i Leszka (pierwszy raz, odkąd się rozstaliśmy, poryczałam się tak porządnie), ale kiedy byłam w stanie największego zapuchnięcia, poczułam, że ktoś mnie obejmuje za ramiona i odwraca ku sobie.

Kolejne chwile spędziłam, mocząc dla odmiany przód kamizelki z tysiącem kieszeni, które mnie gniotły w twarz. Rafał, podobnie jak Latawiec, nic nie mówił, pozwalając mi wypłakać się do woli.

Przestałam w końcu lać łzy, ale jeszcze sobie trochę tak postałam. Dobrze mi z tym było. No i w końcu zaczęłam się zastanawiać, jak ja mu pokażę twarz, która teraz nadawała się tylko do tego, żeby na niej usiąść.

– Masz jakieś chusteczki?

Sięgnął do kieszeni, jednej z tych, do których nie byłam aktualnie przyklejona, i podał mi jedną chusteczkę higieniczną luzem.

– Mam tylko tę jedną. Poradzisz sobie?

Poradziłam sobie, wydmuchując w nią nos. Reszta twarzy pozostała mokra, zapuchnięta, prawdopodobnie czerwona i ohydna.

– Wolisz, żeby zostawić cię samą czy pobyć z tobą?

– Nie wiem. Jeśli chcesz ze mną pobyć, to na mnie nie patrz.

– Dobrze, nie będę patrzał. Chodź, usiądziemy sobie gdzieś na osobności, ale może w domu, bo mi zamarzniesz na kość. Albo w stajni. Gdziekolwiek, ale już nie na świeżym powietrzu...

Faktycznie, nie zwróciłam uwagi, że to nie lato i że wieje zimny wiatr z zachodu, a ja wyleciałam z tej ciepłej kuchni jak do pożaru, w samej lekkiej sukience.

Poszliśmy do siodlarni i usiedliśmy w najciemniejszym kącie na szerokiej ławie. Wolałabym, żeby usiadł bliżej, ale widocznie uznał, że dostatecznie mnie uspokoił i więcej nie musi. I tak przód klatki piersiowej miał całkiem zmoczony. Siedział tak i nic nie mówił, ja też siedziałam i nic nie mówiłam, a po paru minutach znowu mnie złapało i znowu zaczęłam ryczeć. Nawet chciałam przestać, bo przestraszyłam się, że mnie uzna za histeryczkę i dostanę w dziób, może mi nawet złamie szczękę, jak Misiakowi, bo ma on ten cios, nie, przecież to nie on, tylko Misiu, och, kurczę, wszystko jedno...

Nie dał mi w dziób, tylko przesiadł się bliżej i znowu mnie do siebie przytulił. Ostatni raz, jak pamiętam, przytulał mnie tak ojciec, kiedy miałam jakieś pięć lat i płakałam gorzko z powodu psa, którego przejechał samochód. Pies był zwykłym kundlem, nazywał się Groszek (tata mawiał: Groszek Niekoniecznie Pachnący) i wpadł pod ten samochód, kiedy biegł do mnie, uradowany, że mnie widzi, i cały merdający... Uznałam, że jestem winna jego śmierci – potem na szczęście okazało się, że żyje, dało się go odratować, tylko do końca życia kulał na tylną łapę. Ale ja już zdążyłam przeżyć i jego śmierć, i straszliwe poczucie winy, że to przeze mnie, bo do mnie tak pędził w podskokach...

Teraz też Latawiec omal nie zginął przeze mnie.

Chyba powiedziałam coś w tej sprawie, bo Rafał zaczął mi tłumaczyć, że to nie moja wina, że ludzie są gnoje i łobuzy – niespecjalnie słuchałam, dopóki nie dotarło do mnie, o czym on właściwie mówi. A od pewnego już czasu mówił o swojej rodzinie, o żonie, która była w ciąży, w piątym miesiącu, już wiadomo, że z córeczką, o tym, że ta żona miała wypadek, a on był wtedy w jakiejś podróży, ona trafiła do kliniki, gdzie ją pan profesor mylnie zdiagnozował, przez co nie udało jej się utrzymać przy życiu, to dziecko też zginęło, a wszyscy dokoła dobrze wiedzieli, że pan profesor się pomylił, ale kto by tam w klinice podważał zdanie profesora i ordynatora w jednej osobie...

Wyzwoliłam się z jego objęć.

– Czekaj – powiedziałam, jeszcze lekko skołowana. – Ty mówisz, że lekarze wiedzieli, że on nie ma racji? I nikt mu nie powiedział?

Patrzył na mnie nieprzeniknionym wzrokiem.

– Tak właśnie było. Ja w tym szpitalu byłem na stażu, więc dość szybko do mnie doszło, co, jak i dlaczego. Po prostu nikt się nie chciał wychylić... we własnym, dobrze pojętym interesie.

– Nie rozumiem tego! One... przez to umarły?

– Tak.

– Nie mieści mi się w głowie...

– Mnie też się nie mieściło.

– I to wtedy... zrezygnowałeś z medycyny?

– Tak. Doszedłem do wniosku, że wolę pracować ze zwierzętami niż z ludźmi. Jak dotąd nie żałowałem decyzji.

– Ale przecież nie wszyscy profesorowie są tacy!

– Prawdopodobnie są ordynatorzy przyjmujący słowa krytyki czy choćby wątpliwości, ale ten akurat do takich nie należał. Dawno było o tym wiadomo, więc już nikt nie zamierzał być kamikadze. A mnie się już nie chciało poszukiwać sprawiedliwych.

Nie wiedziałam, co mam teraz powiedzieć. Zaczęłam się też zastanawiać, dlaczego mi to mówi i dlaczego właśnie teraz.

– Czemu mi to mówisz? – usłyszałam własny głos.

Uśmiechnął się niewesoło.

– Chciałem, żebyś przestała płakać. Tak myślałem, że będziesz mnie słuchać, kiedy ci o tym wszystkim opowiem. Trzeba cię było wyrwać z tych szlochów, a nie chciałem uciekać się do rękoczynów...

A jednak!

– To znaczy do bicia? Złamałbyś mi szczękę? Jak Misiakowi?

Zaśmiał się znacznie weselej.

– Starałbym się nic ci nie łamać. Ale to jest niezła metoda na takie ataki żalu.

Nie potraktował mnie jak histeryczki! Zrozumiał, dlaczego tak beczałam... Swoją drogą milej by mi było, gdyby opowiedział mi swój życiorys w zaufaniu, jak przyjaciółce, a nie w charakterze lekarstwa na ataczek ryku!

Wystąpiłam z tą pretensją, zanim zdążyłam pomyśleć, a on zaczął się naprawdę śmiać.

– Kiedyś i tak bym ci to wszystko opowiedział, Emilko.

– Kiedy?

– Nie wiem. Ale opowiedziałbym.

– Jezus, Maria – przestraszyłam się nagle i zerwałam z ławy. – Zostawiliśmy konie na padoku!

– Nie sądzę, żeby ten cały Misiak miał dublera. Nie martw się, nic złego się nie stanie.

Nie rozumiałam wprawdzie, skąd on ma tę pewność, ale jakoś mi się jego spokój udzielił. Najchętniej siadłabym teraz z powrotem na ławie i kontynuowała zwierzenia, to znaczy słuchałabym jego opowieści z życia, ale nastrój do zwierzeń znikł gdzieś jak sen jaki złoty. Pozostała moja twarz, w stanie absolutnie do remontu kapitalnego, natychmiast!

Opuściliśmy więc siodlarnię, Rafał poszedł do towarzystwa, a ja chyłkiem przemknęłam się do łazienki. To, co tam zobaczyłam w lustrze, nie nadaje się do opisania.

Po upływie dobrego kwadransa, kiedy pomału zaczynałam przypominać wyglądem kobietę (i to nie najgorszą), przyszło mi do głowy jedno pytanie. Dlaczego mianowicie Rafał i Tadzio postanowili nas odwiedzić znienacka w powszedni dzień przed południem? Chyba nie w przewidywaniu konieczności wykonywania bohaterskich czynów w obronie życia i zdrowia naszych koni?

Przyspieszyłam prace remontowe i pomaszerowałam do salonu, gdzie, oczywiście, znalazłam wszystkich z wyjątkiem Misia i Misiaka (ale się zrobiła... jak jej tam – aliteracja? Muszę spytać Lulę, jak się to polonistyczne zjawisko nazywa. Chociaż Lula ostatnio jakoś krzywo na mnie patrzy, może lepiej sprawdzę w encyklopedii.

Albo w Internecie). Był natomiast Janek, który wrócił już z zakupami. Atmosfera panowała raczej spokojna, widocznie szok wywołany dramatycznym aresztowaniem na naszym padoku minął im, kiedy ja miałam kłopoty ze sobą.

– Ooo – powiedziała babcia Stasia – Emilka. Dobrze, że jesteś. Czy ty wiesz, dziecko, że znowu miałaś dobry pomysł?

– Ja zawsze mam dobre pomysły – odrzekłam skromnie. – A o którym teraz babcia myśli?

Babcia zachichotała szatańsko.

– Powiecie jej, chłopcy?

Tadzio odchrząknął, popatrzał na mnie spode łba.

– Jesteśmy ci winni przeprosiny, Emilko nasza kochana...

– No proszę, a to za co?

– Za to, jak cię potraktowaliśmy trzy dni temu, kiedy przyjechałaś do nas z życzliwą propozycją...

– Potraktowaliście mnie okropnie i oziębłe, a co? Wasza szefowa kazała wam zwijać manatki?

– Coś w tym rodzaju. Oświadczyła nam wczoraj, że zamierza zmienić całkowicie profil działalności; myśmy najpierw myśleli, że chce zrezygnować z hipoterapii, ale okazało się, że w ogóle rezygnuje z końskiego interesu, przerzuca się na handel, sprzedaje konie i cały dobytek, nawet już ma kupca. A z tym, co dostanie, wchodzi w spółkę z jednym swoim aktualnym narzeczonym. On handluje używanymi samochodami, a chce zostać autoryzowanym dealerem jakiejś porządnej firmy i założyć duży salon samochodowy. W Wałbrzychu.

– O kurczę, to zostajecie na lodzie?

– Tak jakby. Ale nie do końca. Ponieważ złożyłaś nam tę uprzejmą i życzliwą ze wszech miar propozycję, chcielibyśmy z niej skorzystać... do pewnego stopnia.

– Nie denerwuj mnie. A propozycję składałam w imieniu nas wszystkich. Rodziny. I co to znaczy do pewnego stopnia?

– To znaczy, że ja mam na oku pewien ośrodek jeździecki pod Wrocławiem, jestem dość zaprzyjaźniony z właścicielami, swoją drogą musisz ich poznać, świetni ludzie po prostu... co ci będę szklił, Emilko: chcę tam poprowadzić taką hipoterapię, jaką robiliśmy w Książu...

– On ci będzie szklił, Emilko – wtrącił Rafał z podejrzanym uśmieszkiem. – On już ci szkli. Ja ci powiem prawdę w sprawie Tadzia naszego. Otóż Tadzio nasz się przejął, że mała Zuzia pozostanie bez ćwiczeń, bo ta jej mama, wiesz, ten kwiatek...

– Ach! *Primula minima*!

– Właśnie. Primula. Primula nie będzie miała możliwości dziecka rehabilitować, a Tadzio się w Primulę jakby zaangażował...

– Och, Tadziu, naprawdę?

– Niewykluczone – mruknął niechętnie Tadzio. – Chociaż Rafał jest plotkarz.

Ucieszyłam się ogromnie, bo Primula wydała mi się bardzo sympatyczna i taka jakaś... jakby tu powiedzieć – wartościowa. No. Wartościowa. To jest to. Nieważne, że trochę starsza, te kilka lat to pryszcz. W sam raz dla Tadzia, który też jest wartościowy i kochany, i w ogóle... dobrze, że sobie mną już głowy nie zawraca!

W takim razie... w takim razie...

W takim razie Rafał chce do nas!!!

Chyba miałam w oczach coś na ten temat i chyba było to dość wyraźne, bo Tadzio pokiwał głową.

– Tak, droga moja – powiedział. – Słusznie się domyślasz. Pod twoją nieobecność zdążyliśmy już przedłożyć szanownej babci ofertę, oferta została życzliwie przyjęta przez szanowną babcię i obecne tu gremium. Rafał zasili stan osobowy Rotmistrzówki, jako aport wnosząc Hanysa, który jest jego osobistą własnością, poza tym obecna tu pani baronowa postanowiła zakupić od naszej szefowej bryczkę i znanego ci już folbluta Milorda. Folblut i bryczka zostaną na stałe zdeponowane w Rotmistrzówce, ażeby pani baronowa mogła skorzystać z nich zawsze, kiedy przyjdzie jej na to ochota. Dobrze powiedziałem, pani baronowo?

– Bardzo dobrze. *Sehr gut* – pochwaliła baronowa, podczas gdy ja pozostawałam na bezdechu z wrażenia.

– Ty jesteś bardzo mądry chlopiec, Tadżo, tylko ty zapomnial powedżecz, że to wszystko pod warunkiem, że ty nas będżesz odwedzacz. A czasem ty szę dla mnie ubierzesz w ten elegancki frak i pojedżemy na szpacer w teren, bo tu jest piękny teren. A ja wtedy będę udawacz, że znowu mam szesnaszcze lat... No, dwadżeszcza.

– Z największą przyjemnością, pani baronowo – zaśmiał się Tadzinek, całując jej zasuszone łapki. – A ja wtedy będę udawał, że jestem baronem!

– Doskonale, doskonale! Mój neboszczik małżonek nawet był trochę do czebe podobny, ja byłam większa od niego. Ale to nam nie szkodżyło, bardzo szę kochaliszmy całe życze. Może nawet nam szę jeszcze uda znajszcz te moje biżutki, co miałam od niego. Tadżo, ty szę zastanawiaj, gdże lesznyczy mógł je schowacz!

– Będę się zastanawiał, pani baronowo.

– No i zostaw wreszcze tę baronową, ja chcę dla was wszystkich bycz babcza. Oma znaczy.

– Dzięki, droga babciu Omciu. A więc, wracając do naszych baranów...

– *Revenons à nos moutons* – mruknęła domyślnie Omcia.

– Właśnie. My jeszcze dwa tygodnie popracujemy na dotychczasowych warunkach, bo jednak do naszej pani dotarło, że trzeba dotrzymać zobowiązań, ludzie popłacili nam za zajęcia z góry, a oddawanie im pieniędzy było-by aktem bolesnym... a potem zaczynamy nowe życie. Emilko, zaplanowaliśmy za ciebie, że Rafał cię wyszkoli, potem zrobisz stosowne papierki i będziesz prowadziła terapię z nim razem, bo masz do tego wyraźne predyspo-zycje. Chyba nie masz nic przeciw temu?

Nawet gdyby Rafał nie patrzył na mnie w tym mo-mencie wzrokiem, który wydał mi się pełen ciepła, zgo-dziłabym się z entuzjazmem. Pokiwałam więc tylko ener-gicznie głową, a Tadzinek kontynuował:

– Świetnie. Myśmy mieli nawet sporo klientów, te-raz się nimi podzielimy. Prymulka, Grabowscy, Izunia i jeszcze ze trzy sztuki przejdą do mnie, a wam zostanie kilka osób z Kamiennej Góry, z Jeleniej, jedna z Lubawki i jedna z Piechowic.

– Może Olga zdąży jeszcze dopisać to do oferty – za-uważyła Lula.

– Wątpię – zwątpiła babcia. – Ona chyba ma już go-towe te katalogi, ale trzeba ją dopaść, tak czy inaczej. No dobrze, kochani. Uważam, że sytuacja dojrzała do wznie-sienia toastu za nową, piękną przyszłość. Janeczku?...

Janeczek zrozumiał cienką aluzję, wydobył stosow-ny napitek i wznieśliśmy toast – wszyscy z wyjątkiem

Rafała, który po uporządkowaniu spraw opon w golfie miał jeszcze prowadzić samochód do Książa.

Bardzo się starałam, żeby nie było po mnie widać wszystkiego, co się we mnie kotłowało. Po Rafale nie było widać nic, ale miałam nadzieję, że jednak obrót spraw go ucieszył...

Lula

Rotmistrzówka jest miejscem absolutnie nieprzewidywalnym. Niczego nie da się zaplanować, bo wszystko się przewraca. O dziwo jednak to, co ostatecznie nam zostaje, jest całkiem do przyjęcia... Nie wiem, czy to wywracanie to jest wpływ Emilki – o co ją podejrzewam od pewnego czasu – czy może jakiś *genius loci*?

Po dramatycznych wydarzeniach związanych z próbą zabójstwa na Latawcu (zyskaliśmy przy tej okazji dwóch nowych przyjaciół w osobach podkomisarza Misia i jego przełożonego Guli, stopnia nie pamiętam, ale bardzo przyjemni obaj) stan osobowy poszerzył nam się o Rafała. Trochę byłam zła na Emilkę, że tak łatwo zrezygnowała z obecności tu Wiktora, ale kiedy ze mnie pierwsza irytacja opadła, doszłam do wniosku, że to bardzo rozsądne posunięcie. Rafał pasuje do nas jako znawca i miłośnik koni oraz jako – jako co? Porządny człowiek? Chyba tak. Po prostu. Od razu wtopił się w nasze życie, zamieszkał w klitce na stryszku, natychmiast przejął część obowiązków Jasia w stajni, uruchomiliśmy tę hipoterapię, bo wraz z Rafałem przyszli klienci, którzy przedtem jeździli do Książa. Spodziewamy się też następnych, bo Rafał natychmiast po decyzji swojej szefowej, likwidującej firmę w Książu, dał ogłoszenie w kilku miejscowych gazetach i dodatkowo w Internecie. Rozkleiliśmy również ogłoszenia (Kajtek i Jagódka pilotowani i wożeni przez Emilkę spisali się dzielnie w tej sprawie) we wszystkich ośrodkach zdrowia, przychodniach, szpitalach i urzędach. Poprosiłam Olgę, aby spróbowała dopisać tę hipoterapię w naszej ofercie; Olga trochę kręciła nosem, bo już katalogi miała gotowe do druku, ale jeszcze dopisała dwa zdania w katalogu na przyszły rok.

– Macie szczęście, że mi się druk opóźnił – powiedziała.

Przysłała nam też kolejnych gości, którzy zastąpili leciwych ułanów. Dwie rodziny składające się wyłącznie ze starszych osób, wyjeżdżające co roku ze swych domów po to, aby „w luksusie rżnąć w brydża", jak to z prostotą określił senior rodu. Luksus polega na tym, żeby im ktoś robił kanapki na bieżąco i żeby ich nie wołać na obiad, kiedy oni właśnie są w połowie fascynującej rozgrywki. Takie luksusy zapewniamy bez najmniejszej trudności, zwłaszcza że gościom nie zależy na wykwintnych obiadkach, kontentują się odgrzanymi mielonymi, gołąbkami i gulaszem. Dwie czwórki im się zebrały, incydentalnie dołączają do nich obie babcie, czasem ja z Jankiem (Emilka pracowicie szkoli się u Rafała w zakresie hipoterapii i nie ma czasu na rozrywki – tak twierdzi, ale nie wygląda, jakby się tym faktem martwiła) – i rozgrywamy całe turnieje.

Niestety, wygląda na to, że idzie martwy sezon. Kiedy brydżyści wyjadą – a wyjadą za tydzień – zostaniemy prawie bez gości. A niebawem wyfruną też studenci, bo już im zimno w górach i „endemity idą spać", jak powiedziała Emilka. Wrócą tu najwcześniejszą wiosną, ale na razie będziemy musieli kontentować się sporadycznie przyprowadzanymi przez Kostasa niemieckimi wycieczkami. Te wycieczki też się zresztą kończą. Oby jak najszybciej nastała zima!

Babcia Marianna na razie nie myśli o wyjeździe. Rupert pracuje z Malwiną na jakiejś dziwnej zasadzie – czy można mieć na uniwersytecie status pracownika naukowego – wolontariusza? Zapowiedział już, że zostaje na czas nieokreślony w Polsce. Zdaje się, że Malwina odmówiła mu swej ręki, a zwłaszcza wyjazdu do Tyrolu celem zamieszkania na stałe w rodzinnej posiadłości i rodzenia małych Ruperciątek. No i nie miał wyjścia – zrezygnowanie z Malwiny nie wchodziło w grę, więc i on przestał się wybierać do Vaterlandu. A skoro on nie jedzie, to i babcia nie jedzie... Zależności proste jak dzień dobry.

Nasza babcia Stasia jest z takiego obrotu spraw bardzo zadowolona. Chyba się obie staruszki do siebie przywiązały, uwielbiają przesiadywać w saloniku przy nalewkach; chichoczą wtedy, opowiadają sobie różne rzeczy z lat własnej młodości, a czasami – mam wrażenie, że czasami knują coś po kątach. Ciekawe co?

Kiedy nie gramy w brydża, szykujemy wystawę księdza Pawła. Wiktor z Ewą byli w kolejne dwa weekendy; Ewa czegoś niezadowolona – a kiedy ona była tak naprawdę zadowolona? Wiktor... i tu muszę przyznać – po raz kolejny! – rację Emilce, otóż Wiktor nie wygląda, jakby miał zamiar powracać do sprzątania stajni i podrzucania koniom siana. Nic wprawdzie nie mówił na ten temat, ale to się daje zauważyć. Obecność Rafała zaakceptował prawie z entuzjazmem i błyskawicznie przeszedł nad nią do porządku dziennego. W sprawy galerii wszedł z marszu i natychmiast zaprojektował wszystko – od sposobu rozmieszczenia fotogramów do urządzenia wernisażu włącznie. Nie malował tym razem, ale kilka razy zaciekle konferował przez komórkę, najwyraźniej ze swoją zleceniodawczynią (mawia o niej: zlecenio, chlebo, masło i ciastkodawczyni), omawiając jakieś ostateczne szczegóły kampanii reklamowej tych wszystkich zintegrowanych łazienkowych bajerów. Powiedział mi na stronie, z błyskiem w oku, że zgarnie za tę kampanię straszny pieniądz, może nawet przymierzy się do kupna domu.

– Przecież masz mieszkanie w Krakowie – zdziwiłam się.

– Mam, ale nie lubię – odrzekł ponuro. – Wielka stodoła w samym cholernym turystycznym centrum. Ewa uważa, że takie mieszkanie to bardzo wyraźny symbol naszego statusu społecznego, ale ja chrzanię symbole statusu społecznego i w ogólności wszystkie pozostałe symbole też chrzanię. Świątek – piątek, lato, zima łażą mi tabuny turystów przed oknami, wrzeszczą, co chwila jakieś porąbane happeningi, zero spokoju. A tu bym sobie gdzieś przysiadł i spokojnie robił swoje, galerię byśmy razem ciągnęli, kulturę na wsi polskiej zaprowadzali, a jakże. Emilka mówiła, że jest tu jakiś stary dom w niezłym stanie, do kupienia za niewielkie pieniądze. I bym sobie malował jako ten outsider, taki co to uciekł z wielkiego miasta... Wiesz, Lula, że mam coraz więcej telefonów na ten temat, pisma różne się mną interesują, takie ambitne dla kobitek i fachowe też, a ja się nie oganiam specjalnie, bo reklama mi się przyda. Rotmistrzówce też. Więc wszystkim mówię, że w Krakowie przebywam tylko chwilowo i zapraszam do nas, do Rotmistrzówki. Będziemy mieć ładną prasę na wernisaż Pawła.

Poczułam się lekko skołowana.

– Wiktor, czekaj... a co na to Ewa?

– Ewa jest bardzo zajęta swoją uczelnią, na której też nie tak wcale różowo, jakby się zdawało. Tamten jej były promotor, wiesz, ta świnia, miał sporo przyjaciół w łonie wydziału i oni teraz robią, co mogą, żeby Ewie uprzykrzyć życie. Na razie jest dzielna, kieruje katedrą jako p.o., ale – tu Wiktor zniżył głos w sposób konspiracyjny – ja nad nią pracuję. Nie pytaj jak, kiedyś ci opowiem. Emilka mi poradziła...

Tu zachichotał strasznie chytrze.

CO EMILKA MU PORADZIŁA???

Emilka

Uczę się na hipoterapeutkę. Moim nauczycielem jest oczywiście Rafał, który jakoś tak bezproblemowo wtopił się w Rotmistrzówkę, jakby od zawsze mieszkał z nami. Nawet Omcia, która chyba początkowo żałowała, że to nie Tadzio do nas przystał, zmieniła zdanie. Pewnie doszła do wniosku, że dobrze mieć własnego lekarza pod ręką, a już zupełnie zmiękła, kiedy Rafał zlikwidował jej ból w kręgosłupie szyjnym. Masażem.

Chwilami przychodzi mi taka myśl do głowy, żeby też mieć ból w kręgosłupie szyjnym albo migrenę, albo co, i niechby mi też pomagał za pomocą masażu. Na razie jeszcze się nie odważyłam, ale ochotę mam... muszę się tylko zdecydować, co mnie właściwie boli. Jest tylko jedno niebezpieczeństwo, mianowicie Rafał może rozpoznać symulację. Niestety, nigdzie nigdy nic mnie nie boli... tak naprawdę. Ale od czego inteligencja i wrodzona bystrość umysłu: podpatrzę objawy u babci Omci.

Lula by mnie skarciła za takie sformułowanie – babcia Omcia to przecież babcia-babcia. Tautologia. Czy jakoś tak. No no, niech ta Lula nie będzie taka zasadniczka.

Razem ze mną uczy się Latawiec. Od tamtego koszmarnego dnia mam do niego stosunek mamy-kwoki do swojego ulubionego kurczaczka. Trzęsę się po prostu nad nim jak głupia jaka. A jemu to chyba wisi, jest beztroski i milutki jak zawsze.

W charakterze autystycznych dzieci występują na takich szkoleniach Jagódka i Kajtek. Trzeba Latawca nauczyć wozić takie zwisające jak worek dzieciaczki. Nasze zwisają artystycznie i z dużym upodobaniem, a Latawiec wykazuje wielkie uzdolnienia. Rafał wyraża się o nim z dużym uznaniem.

Na razie pracuje z nami tylko Hanys, a zajęcia z klientami ustawiliśmy tak, żeby następowały jedne po drugich. Jakoś sobie radzimy. Rafał mówi, że za jakiś tydzień będę już mogła pracować z Latawcem, oczywiście pod jego czujnym okiem.

Mój osobisty gangster udaje, że go nie ma. Oczywiście, na czas zamachu na Latawca ma żelazne alibi, był gdzie indziej, z kimś innym, a Misiak zarzeka się, że sam wymyślił sobie taką formę zemsty na nas, a zwłaszcza na mnie, bo to przeze mnie babcia go wywaliła na pysk z Rotmistrzówki. Będzie miał sprawę i skażą go na bank. I co z tego, pewnie mu Leszek zawczasu zapłacił słono za straty moralne. Misiu i Gula są zmartwieni, chyba strasznie by chcieli posadzić mojego byłego jakoś definitywnie. Zdaje się, że zataczają wokół niego złowieszcze kręgi, ale są nadzwyczaj tajemniczy i nic nie chcą mówić na ten temat. Zastanawiałam się, czyby nie zadzwonić do mojego znajomego prokuratora, do Szczecina, ale w końcu nie zadzwoniłam, bo mi coś przeszkodziło, nawet nie pamiętam co. Chyba mnie Lula pogoniła do kur.

Gula dzwonił do mnie i usiłował wydrzeć ze mnie tajemnicę – kto mianowicie tak fachowo dał Misiakowi w zęby. Byłam niezłomna, trzymając się ustalonej wersji, ale zdaje się, że mi nie uwierzył. Jego problem, najważniejsze i tak są oficjalne zeznania Tadzia, naocznego świadka. Nie nalegał. Lubię tego Gulę, i Misia też.

Mam teraz problem z wypełnianiem obietnicy danej obydwu babciom. Spektakularne podrywanie Jasia na oczach Rafała nie wchodzi w grę. Wcale nie chcę, żeby sobie o mnie pomyślał (Rafał, oczywiście, ale Janek też), że jest mi wszystko jedno, na kogo lecę, byle nosił spodnie. Muszę tak kombinować, żeby w okolicy była Lula, a Rafał wręcz przeciwnie.

Chyba zaczynam ją denerwować. Janek na szczęście w ogóle na mnie nie zwraca uwagi, to znaczy lubi mnie, na pewno, ale wszystkie moje wdzięki ma w nosie. Jakoś więcej teraz przebywa w pobliżu Luli, robią razem różne rzeczy, jeżdżą po zakupy. I bardzo dobrze, bo staruszki zaczynają się niecierpliwić. Zwłaszcza Omcia, pozbawiona swojego Rupercika, który odjechał w siną dal za badaczką endemitycznych (czy może endemicznych?) robali.

– Emilia, moja kochana, jak dlugo oni będą szę jeszcze namyszlacz? Czy oni chcą bycz takie stare jak ja? Żeby już nyc nie mogli? Sama powiedz, to nie ma sensu. Ja nie mam czasu tak czekacz i czekacz. Ty cosz zrób!

– Robię co mogę, Omciu – mruknęłam. – Ale oni oboje są powściągliwi.

– Powszcz... Emilka, ty chyba zloszliwie mówisz do mnie takie trudne wyrazy! Czy ty już ne masz wzgląd na biedna starsza pani?

– Bardzo przepraszam, Omciu. Tak mi się wypsnęło.

– Emilka, jak ty szę ne postarasz, to ja wpadnę w depresję. Ruperta ne ma, biżuteria szę ne znalazła, ja ne mam żadnej rozrywki, chyba będę muszala zachorowacz, dostanę depresję, to przynajmniej będżecze nade mną skakacz, tak to szę mówi?

– Tak, Omciu kochana. Ale nie wpadaj w depresję, ja cię błagam. To tylko jesień tak działa, te krótkie dni. A brydżyki już ci nie pomagają?

– Już mi szę znudżyły brydżyki. Zresztą oni wyjeżdżają, czy wszyscy od brydża, i znowu zostaniemy sami. Emilka, Emilka, ja czy mówię. Czeba zrobicz cosz, żeby Janek wreszcze szę zdecydowal, to zrobimy szlub i wesele i będże szę cosz dżalo!

– Janek, Omciu, chyba jest zdecydowany, tylko Lula jeszcze nie wie, że to on jest mężczyzną jej życia. A ja już bardziej nie mogę go uwodzić, bo będzie podpadziocha.

– Podpa co?

– Będzie podejrzanie wyglądało. Małolaty mówią podpadziocha.

– Powedz jeszcze raz – zażądała Omcia. – To jest szmieszne.

Powiedziałam jej kilka razy, a ona starannie powtórzyła, też kilka razy. Wreszcie, nieco pocieszona, poszła do babci Stasi, namawiać ją na koniaczek. Słyszałam, jak, wychodząc z pokoju, mamrotała pod nosem: „podpadżocha, podpadżocha".

Lula

Przyszła zima. Właściwie był już najwyższy czas, i tak długo była ładna pogoda. Śniegu jeszcze nie ma, ale jest mróz i ogólnie nieprzyjemnie. Wszyscy goście wyjechali, nawet Kirysek, któremu, jak się zdaje, zagrożono wywaleniem z uniwersyteckiego etatu; chyba nie mógł się biedaczek dłużej wykręcać... Bardzo cierpiał, wyjeżdżając, ale jednocześnie był szczęśliwy, bowiem powiózł ze sobą walizkę bezcennych materiałów źródłowych do swojej pracy habilitacyjnej. Emilka zaproponowała mu, żeby – skoro ma tego aż tyle – strzelił od razu dwie prace, ale chyba nie złapał dowcipu. Co nie przeszkadzało mu spojrzeć na Emilkę okiem mężczyzny.

Coś podobnego. Kirysek. Okiem mężczyzny. Chociaż już tak na nią patrzył kilka razy. Okazuje się, że nawet Kirysek.

Wbrew naszym niepokojom, jakoś wychodzimy finansowo na swoje, bez potrzeby naruszania żelaznych kapitałów odłożonych na specjalnych lokatach. Najbardziej opłacalne okazały się wycieczki Kostasa, które napychaliśmy doskonałym jedzeniem – po naszym pierwszym, strasznym doświadczeniu już bez żadnego picu.

Nie mówi się picu. Bez oszustwa. To wszystko wpływ... nieważne.

Klienci Rafała i Emilki (Emilka już prowadzi samodzielnie zajęcia i szykuje się do zdania egzaminu, bo kurs w zasadzie odbyła pod okiem Rafała) też płacą nieźle. Nie zdzieramy z nich specjalnie, ale też nie możemy im całkiem odpuścić. Uzbierała się całkiem spora gromadka – przyjeżdżają z Jeleniej, z Kamiennej Góry, Kowar, a nawet z Wałbrzycha.

Teraz, kiedy nie mamy stałych gości – oprócz babci Marianny, oczywiście, ale ona zrobiła się już całkiem domowa, no i Ruperta z Malwiną w weekendy (trzymamy dla nich pokój stale i też za to płacą!) – mam więcej czasu na moje muzeum. Inwentaryzacja prawie na ukończeniu. No, może nie całkiem... ale już na pewno minęłam pół-metek. Albo i trzy-czwarte-metek.

Wystawa księdza Pawła gotowa, ale czekamy z wer-nisażem, aż ksiądz wyleczy się z wietrznej ospy, którą zaraził się od jakiegoś dzieciaka ze szkoły. Biedny jest bardzo, ciężko tę ospę przechodzi i wygląda tak, że nie-taktowna Emilka omal nie umarła ze śmiechu na widok jego kropkowanego oblicza – a co najgorsze, na nas ta jej głupawka przeszła i rechotaliśmy tak nad łożem nie-szczęśnika we trójkę, bo Janek był z nami i był zupełnie niepoważny, ja nie wiem, co się z nim dzieje – to nie ten sam Janek, którego znam od stuleci...

Och, czy ja mam piętnaście lat, żeby tak kombino-wać, pisać o wszystkim oprócz tego, co mnie najbardziej obeszło ostatnio...

Otóż ostatnio –

Ostatnio...

No dobrze. Wczoraj przespałam się z Jankiem, przy czym określenie „przespać się" nie ma, oczywiście, sensu za grosz.

Od czasu, kiedy mnie niespodziewanie pocałował, wychodząc z kuchni, zrobił to jeszcze kilka razy, a już po tym pierwszym, muszę się przyznać, czekałam na na-stępne i coraz bardziej się denerwowałam, kiedy Emil-ka nieomal rzucała się Jankowi na szyję z byle powodu – a to, że kawę jej nalał, a to, że zakupy takie świetne zrobił – też coś, zakupy – a to znowu, że tak cudnie te zdjęcia powywieszał, a to bez żadnego zgoła powodu, ale przecież tak wspaniale, że jednak jesteśmy razem, blablabla. I tak ciągle.

To się robiło coraz bardziej nie do zniesienia.

Zwłaszcza że za każdym razem, kiedy Janek zdecydował się – jak wyżej – jak by to powiedzieć: wrażenie było coraz większe. Nie potrafię tego opisać. Stanowiło to dla mnie nawet źródło swojego rodzaju zdumienia, bo przecież całe życie traktowałam Janka jak brata, a kto to widział całować się z rodzonym bratem...

Coś mi się wydaje, że Janek wcale nie myślał o mnie jak o siostrze. Gdybym była mniej zaślepiona beznadziejnie głupim (miesiąc temu nie przyszłoby mi do głowy takie określenie) uczuciem do Wiktora, zauważyłabym to dawno temu. Może nawet zanim Janek wpadł jak osioł w swoją piękną Romanę. Bo wczoraj...

WCZORAJ.

Ach, wczoraj...

Wczoraj mi powiedział, że ożenił się z nią dlatego, że Kajtek był w drodze, a Kajtek był w drodze dlatego, że pewna piękna (tak powiedział!!!) i nieczuła Ludwika nie zwracała na niego najmniejszej uwagi, przeznaczając tę uwagę dla swojego przystojnego aczkolwiek już żonatego kolegi, malarza abstrakcjonisty...

Tak było.

Jakie szczęście, że już nie jest!

To niezbyt ładnie, że w ogóle nie współczuję Jankowi jego wdowieństwa, ale mam wrażenie, że on sam sobie niespecjalnie współczuje. Gdyby nie Kajtek, pięknej Romany w ogóle mogłoby nie być. A Kajtek i tak ma chyba geny głównie po Janku. Ma takie same odruchy, podobnie mówi – a kiedy już przejdzie mutację, pewnie w ogóle nie da się ich przez telefon odróżnić.

Och, znowu zajmuję się różnymi mało ważnymi rzeczami. Najważniejsze, że Wiktor przestał dla mnie istnieć definitywnie...

Nie. Najważniejsze, że Janek zaczął być dla mnie kimś najważniejszym na świecie. Nie wiem, dlaczego dotarło to do mnie dopiero w łóżku...

Eeee, to też nieprawda. Wiem. On jest cudowny.

Niepozorny Janek.

Niepozorny, a juści.

Na razie nie zamierzamy się ujawniać, to znaczy ja nie zamierzam, Janka prosiłam o to samo – nie mam ochoty stać się obiektem ploteczek naszych drogich babć. Bo jestem pewna, że stalibyśmy się ulubionym tematem rozmów staruszek. Oraz ich chichotów nad szklaneczką nalewki.

To wszystko oznacza, że teraz Janek będzie się do mnie przemykał nocami w pełnej konspiracji, zupełnie jak Romeo, z tym że nie przed rodzicami będzie konspirował, ale przed własnym nieletnim synem. I całą resztą, ale najtrudniej będzie zwiać przed Kajtkiem. Trzeba go ustawić do pionu, żeby wcześnie chodził spać, a nie tkwił nad komputerem do Bóg wie której godziny.

Jeszcze jedno nas różni od Romea i Julii – byli od nas dwa razy młodsi. Julia nawet więcej, bo coś mi chodzi po głowie, że miała czternaście lat, a dwadzieścia osiem to ja miałam sześć lat temu. No, osiem.

No i bardzo dobrze – jak powiedziałaby Emilka i miałaby rację!

Miałam już skończyć, ale zapomniałam napisać, że go kocham.

Emilka

Nasz drogi księżulo pomału wychodzi z pryszczy, które miał wszędzie – tak przynajmniej twierdzi, a księdza nie wypada sprawdzać, zwłaszcza W TYM TEMACIE. Zatem na dniach urządzimy wreszcie ten cały wernisaż, na który pół świata już czeka – a tak z kolei twierdzi Wiktor, który rozpętał całą kampanię prasowo-radiowo-telewizyjną, a jeszcze chce do nas przywieźć jako honorowego gościa swoją zleceniodawczynię od wytwornych kibelków i jej zamożną koleżansię z zapędami na mecenasa sztuk wszelakich. Bardzo dobrze, może da się z niej wydusić jakieś pieniądze na galerię. Wiktorek jej w rewanżu namaluje portret, na którym rodzona matka będzie miała trudności z jej rozpoznaniem.

Nie, złośliwie tak mówię, a naprawdę Wiktor jeśli chce, to potrafi. Babcię Omcię odstrzelił jak malowanie, tylko ta cała surrealistyczna otoczka jest mocno niesamowita. Ale obraz w porządku. Omcia kupiła go za straszne pieniądze. W ojro. On nawet nie chciał aż tak z niej zdzierać, ale się zaparła, a jak się Omcia zaprze, to koniec. Mnie malował ze trzy razy, ale żadnego obrazka nie dokończył. Muszę go przydusić, bo wszystkie mi się podobają – na jednym jadę na koniu, ale nie na Latawcu, choć go prosiłam, tylko na bliżej nieznanym kasztanie (a ileż to roboty domalować mu białą nogę i białą strzałkę na czole?), a wokół nas kłębią się jakieś burzowe cumulusy. W różnych odcieniach sinego. Gdybym była goła, byłby istny Podkowiński, czy jak mu tam. Ale nie jestem goła, mam na sobie jakąś dziwną szatkę z piórek. Lula twierdzi, że wyglądam jak Papagena, cokolwiek to by miało znaczyć. Na drugim portrecie Wiktor wkomponował mnie w bukiet kwiatów stojących na stole, w wazonie. Wyglądam jak dziwna róża, nawet włosy mi się układają jak płatki dookoła głowy. I tak sobie kwitnę. Na trzecim portrecie siedzę w fotelu bujanym na werandzie, w kiecce sprzed stu lat i wszystko, włącznie z kiecką, jest jakby przysypane kurzem, tylko ja wyglądam jak świeżo kupiona w supermarkecie. Nawet metka mi z głowy zwisa. On potrafi bardzo dziwnie patrzeć, ten nasz malarz niespecjalnie pokojowy. Chyba to się nazywa talent, ale pewności nie mam, bo ja nieuczona, Lula wie.

Niech pęknę, jeżeli między Lulą i Jasiem coś nie zaszło. Oni, oczywiście, trzymają kamienne twarze, ale nie ze mną takie numery. Tajemniczy uśmiech z gęby Jasia nie schodzi, a od Luli światłość bucha. Mogą sobie udawać do woli.

Pytanie jednak – co zaszło i czy ja mam w związku z tym nadal udawać idiotkę i rzucać się Jasiowi na szyję. Skonsultowałam sprawę z babciami.

– I mówisz, moje dziecko, że coś drgnęło w tym układzie? – zapytała mnie babcia Stasia, nieco powątpiewająca, ale wyraźnie ucieszona. – Ja tam nic nie widzę.

– Ja też nie – dodała równie zachwycona Omcia. – Szy to jest możliwe, żebyszmy ne sposzczegli niczego? Specjalnie zwracamy uwagę!

– Możliwe, możliwe, proszę bab – odparłam stanowczo. – Tylko że oni się tajniaczą. No i nie wiem, do jakiego stopnia się dogadali.

– Do jakiego stopnia? – żądała uściślenia Omcia. – O jakim stopniu mówisz, Emilko?

– No właśnie tego nie wiem. Bo jest możliwe, że poszli do łóżka, ale niekoniecznie. Lula jest romantyczka,

120

a z takimi ścichapęczkami jak Jasio nigdy nic nie wiadomo.

– Aber to nie w lóżku rzecz, moja droga – wzruszyła ramionami Omcia. – I nam też nie o łóżko chodży, tylko o to, żeby Janek szę z Lulą ożenił. Ja jestem stara, ja chcę zobaczycz ich wesele. I chcę zatanczycz na ich weselu!

– Chyba menueta – zachichotała babcia Stasia z odrobinką złośliwości. – Dla nas, moja Marianno, to już tylko coś z tej półki....

– Z jakiej znowu półki? Czy wy muszycze do mnie mówicz idiomy?

– Z takiej półki, na której leżą menuety, gawoty i kontredanse. Albo kadryle, hihihihi. Emilko, czy kadryl to to samo co kontredans? Ach, ale skąd ty możesz wiedzieć. Może Lula by wiedziała. Nieważne, w każdym razie mnie to też dotyczy. Przy dzisiejszych tańcach dostałabym zawału. A ty wylewu. Albo odwrotnie. Emilka, a jak tam twoja ściśle tajna akcja?

– No właśnie, nie wiem, czy nie powinnam już dać temu spokoju, bo jeszcze Lula mnie znienawidzi.

– Z drugiej strony – zastanowiła się babcia Stasia – pewności nie mamy. Może jej się jeszcze odwróci?

– Własznie, własznie – dodała druga babcia. – Nie czeba ryzykowacz. Ty może już nie tak intensywnie, ale dżałaj. Lula muszi czucz twój oddech na plecach.

– A jak się odwinie przez te plecy, jak mi dołoży – powiedziałam melancholijnie, ale babcie były jednomyślne.

– Defetismy! – sarknęła Omcia. – Nic czy nie zrobi. Zresztą prawdżiwa przyjażń wymaga ofiar. To dla jej dobra!

Skapitulowałam. Takie dwie babcie mogą człowieka wykończyć, jak się zawezmą.

121

Poszłam do kuchni, gdzie, jak podejrzewałam, Janek pomagał Luli obierać ziemniaki. Zamierzałam pod byle pretekstem trochę go popodrywać, oczywiście Luli na oczach i wyłącznie w celach wyższych, ale nie udało mi się. Lula z Jasiem całowali się jak szaleni, częściowo tylko skryci za drzwiami spiżarni.

Chyba na obiad będzie makaron. Nie trzeba go obierać.

Lula

Codziennie odkrywam jakieś nowe oblicze Janka. Czasami nawet niejedno. Nic o nim nie wiedziałam tak naprawdę.

NIE ROZUMIEM, DLACZEGO WYDAWAŁ MI SIĘ NIJAKI.

NIE ROZUMIEM, DLACZEGO MNIE W OGÓLE NIE POCIĄGAŁ.

NIE ROZUMIEM, DLACZEGO TRAKTOWAŁAM GO JAK BRATA.

Obawiam się, że wielu rzeczy jeszcze nie rozumiem.

„Późna miłość szalejem kwitnie" – był kiedyś taki teatr telewizji, strasznie ponury, nie pamiętam według czego, bo byłam jeszcze całkiem mała, kiedy to widziałam, na pewno coś rosyjskiego. Tak naprawdę zapamiętałam chyba tylko ten tytuł.

Czy moja miłość do Janka jest na tyle późna, żeby miała zakwitnąć szalejem?

Tam się chyba jakaś starsza pani – starsza według dawnych kryteriów, czyli przed trzydziestką (Boże, to młodsza ode mnie!), kochała w jakimś hożym młodzieńcu. Chyba to wszystko do nas nie pasuje, bo obowiązują inne zasady. A Janek jest i tak o rok starszy ode mnie.

Przeczytałam, co napisałam. Wygląda to idiotycznie. Miłość ogłupia.

Nie będę tego skreślać ani wymazywać. Niech sobie takie głupie zostanie, a ja pójdę umyć włosy.

Janek mówi, że kocha moje włosy...

A ja kocham jego wszystko.

Emilka

Odbyłam kolejną konferencję z babciami i próbowałam odmówić dalszego wtrącania się pomiędzy Jasia i Lulę. Babcie stanowczo nakazały mi kontynuować akcję, dopóki nie usłyszymy z ust zainteresowanych oficjalnej deklaracji. Czy one przypadkiem nie chcą wystąpić w charakterze prehistorycznych druhen na ślubie? Moim zdaniem już nie mam tam co robić. Bardzo się oboje starają konspirować, ale chyba tylko Kajtek i Jagódka dadzą się nabrać na te plewy. Skutek praktyczny jest na razie taki, że obiady jemy prawie wyłącznie z zamrażalnika. Na szczęście mamy tam niezły zapasik, zgromadzony przez Lulę w czasie, kiedy szarpała nią nieszczęśliwa miłość do Wiktora, a jeszcze Ewa jej pomagała. W kuchni, nie w nieszczęśliwej miłości.

Chętnie bym sama zajęła się pomaganiem Luli, ale coś mi mówi, że ona nie byłaby z tego specjalnie zadowolona, a poza tym przecież jestem szalenie zajęta przy koniach!

Rafał uznał, że zarówno Latawiec, jak i ja jesteśmy już dostatecznie wyszkoleni i od kilku dni zajęcia z naszymi chorymi dziećmi prowadzimy równolegle. Myślałam, że zimą się takich jazd nie robi, ale Rafał twierdzi, że przerwa w ćwiczeniach to by było cofanie się do tyłu. Boże, co ja mówię, dałaby mi Lula za to cofanie się do tyłu. Rafał pewnie ma rację, bo on się naprawdę zna na tym wszystkim. Załatwiłam też sobie zdawanie egzaminów na stosowne kwity bez potrzeby uczestniczenia w szkoleniach, które są daleko i straciłabym na nie mnóstwo czasu. Rafał użył w tym celu swoich znajomości w kręgach hipoterapeutycznych i nawet przy tej okazji zaproponowali mu tam prowadzenie takich kursów, oczywiście od strony medycznej, ale odmówił.

Spytałam go dlaczego, a on mi odpowiedział po prostu, że mu się nie chce wyjeżdżać z Rotmistrzówki, bo musiałby się rozrywać pomiędzy pracę tu i szkolenia tam, a kto by się przez ten czas zajmował dziećmi?

– No, przecież ja jestem – uznałam za stosowne troszkę się obrazić.

– Dopóki nie masz kwitów, nie chciałbym cię zostawiać samej – mruknął, zakładając kantar Milordowi, bo właśnie wybieraliśmy się na całkowicie prywatną przejażdżkę. – A ty byś się nie bała zostać z całą odpowiedzialnością?

– Trochę bym się bała – przyznałam uczciwie. – Wolę, że nie jedziesz. To znaczy że nie jedziesz tam, a jedziesz tu. Rozumiesz.

– Rozumiem. – Uśmiechnął się do mnie, jak do autystycznego dziecka, to znaczy dosyć czule. – Aczkolwiek niejeden by nie zrozumiał. Może dla odmiany chcesz Milorda, a ja wezmę Latawca?

– Chętnie. Będę mogła patrzeć na ciebie z góry.

Ten cały Milord to zupełnie sympatyczne konisko, tyle że ma chyba metr osiemdziesiąt w kłębie. Rafał bardzo uprzejmie podsadził mnie na siodło, a mnie naraz się wydało, że to właśnie dlatego zaproponował mi zamianę koni. Żeby mnie móc podsadzić. Nawiasem mówiąc, właśnie dlatego zgodziłam się na zamianę... wiedziałam, że nie będzie patrzeć spokojnie, jak usiłuję podnieść nogę do niebotycznej wysokości, na której zwisało strzemię... oczywiście, wcale nie musiałam gramolić się tak niezdarnie... no i tak dalej.

Jak się dobrze zastanowić, to zupełnie zabawna jest taka gra pozorów. Czy nie coś w tym rodzaju uprawiały nasze prababki? Muszę pogadać z babciami na ten temat, oczywiście, jakoś inteligentnie, żeby mi nie zaczęły jeździć po głowie albo, nie daj Bóg, nie napuściły na Rafała jakichś przystojnych studentek, a to celem przyspieszenia biegu spraw. Wcale mi na tym nie zależy, niech sobie sprawy biegną jak im się żywnie podoba.

Nawet dobrze się składa, że studenci wygrzewają się teraz w cieple sal wykładowych. Bo jeszcze by się której studentce naprawdę spodobał taki przystojny instruktor. Chociaż jako osoby całkowicie zdrowe, nie miałyby u niego szans – taką mam nadzieję. Ale jakby się która wychytrzyła... jeszcze by zaczęła symulować neurologiczne schorzenia, kłopoty z kręgosłupem... lepiej, że wyjechały. Malwina zapowiedziała, że wrócą wczesną wiosną, jak tylko śniegi stopnieją. Podobno bardzo im się u nas podobało, oczywiście przyznawali się do tego otwarcie tylko Czesław i Miłosz, dziewczyny chłodno stwierdzały, że owszem, było miło, ale dla nich i tak najważniejsze były te robaczki wysoko w górach.

Właściwie ani razu nie byłam w tych górach, chociaż tak sobie obiecywałam wycieczki, wspinaczki, eksplorację jaskiń – podobno są tu jeszcze nieodkryte stare sztolnie, w których można znaleźć skarby. No i nie było czasu na nic z tych rzeczy.

Ciekawe, czy Rafał miałby ochotę na wspólne odkrywanie Karkonoszy?

Zapytałam go o to. Okazało się, że on też nigdy nie miał czasu, trochę chodził po górach w czasie studiów i jeszcze w liceum – ale głównie po Tatrach. No to pysznie – czeka nas wiele przyjemności, kiedy śniegi stopnieją. To znaczy, najpierw muszą w ogóle spaść, a wtedy – może jakieś nartki?

Tak sobie ładnie planowaliśmy rozrywki, aż drogą skojarzeń (narty w Alpach!) przypomniał mi się Leszek i beztroska atmosfera przejażdżki natychmiast poszła się bujać.

Rafał natychmiast to zauważył. Powiedziałam mu o swoich nieprzyjemnych skojarzeniach.

– Nie podoba mi się, że on się tak przytaił. Wolałabym, żeby walczył ze mną twarzą w twarz, skoro już mnie tu znalazł.

– A po co ma walczyć twarzą w twarz? Jemu nie są potrzebne otwarte konflikty, jemu są potrzebne twoje pieniądze. Chyba że ta cała heca ma służyć tylko zamaskowaniu czegoś o wiele poważniejszego.

– No tak, braliśmy to pod uwagę. No to w końcu co ja mam robić? Przecież forsy mu nie oddam.

– W żadnym wypadku. Najlepiej nic nie rób. To znaczy – rób swoje, niczym się nie przejmuj, masz sporo zajęć, o ile mi wiadomo...

Faktycznie, mam. W tym tajną misję połączenia dozgonnym ślubem Luli i Jasia. Przemknęło mi przez myśl, czyby Rafałowi o tym nie opowiedzieć – mielibyśmy niezły powód do wspólnego pochichotania – ale od razu zrezygnowałam. Może niech i on będzie trochę zazdrosny? Skoro to ma być taki niezawodny sposób...

126

Lula

Emilkę zabiję w końcu, będę musiała to zrobić, nie chcę, ale będę musiała!

Janek niby wygląda na odpornego, ale jeszcze nie widziałam faceta, który by pod wpływem wdzięcznych spojrzeń Emilki, tego cholernego trzepotania rzęskami i chwytania za rączki przy każdej okazji nie zgłupiał w końcu kompletnie.

I po co jej to? Po co? Tadzio, kochany chłopak, patrzył w nią jak w tęczę, ona sama go przecież znalazła w tym Książu – i co? I nic. Wydawało mi się, że Rafał jej się podoba, wcale się nie dziwię, wyjątkowo interesujący mężczyzna – i też jakby nic. Wożą te dzieci razem, on ją szkoli, spędzają z sobą pół dnia, jeśli nie więcej – i co? Nic!

Miałam taki odruch, żeby z nią rozsądnie porozmawiać, jak kobieta z kobietą, ale szybko mi przeszły takie pomysły. Sama powinna mieć jaką taką lojalność wobec przyjaciółki, która jej pomogła w trudnym momencie. Do diabła! Gdyby nie ja, w ogóle jej by tu nie było!

Inna rzecz, że gdyby nie ona i jej szalone pomysły, nas też by tu raczej nie było...

Nieważne. Odrobina przyzwoitości, panienko!

Za trzy dni mamy wernisaż fotografii księdza Pawła. Przyjeżdżają wszyscy święci, Wiktor z Ewą, jego mecenaski obydwie – klozetowa i koleżansia, ma być pełno prasy i telewizja z Wrocławia, to znaczy publiczna, poważna, a nie żadna osiedlowa kablówka. Niech sobie przyjeżdżają. Wszystko mamy gotowe – bardzo dobrze, że od jakiegoś czasu wróciła do obowiązków podkuchennej Żaklina, dawna pracownica babci Stasi. Odkąd

Emilka zajęła się hipoterapią, zostałam w kuchni zupełnie sama. Janek mi wprawdzie pomagał, ale jednak miejscem mężczyzny nie jest kuchnia. Może to staroświecki pogląd, ale za to mój.

Emilka

Krakałam, krakałam, aż wykrakałam. Lesław się odezwał. Tym razem przysłał mi SMS. W odcinkach. „Zapewne miło ci będzie się dowiedzieć, że nasz wspólny znajomy, pan Misiak młodszy, niebawem będzie już z powrotem w domu. To bardzo sympatyczny człowiek, uczynny i życzliwy. Niedobrze się stało, że twój przyjaciel zrobił mu krzywdę, na szczęście mamy znakomitych chirurgów szczękowych w tym kraju. Kolega Misiak coś tam wprawdzie mówił, że to policjant go pobił, ale skoro na rozprawie przyjęto, że to wyczyn pana hipoterapeuty, więc dobrze, niech tak będzie, ja również przyjmę tę wersję jako wersję obowiązującą. Z wszelkimi konsekwencjami, moja droga Emilko. A tak nawiasem mówiąc, wciąż czekam na moje pieniądze. Umówmy się, że do końca roku postarasz się spłacić mi ten drobny dług. Ściskam cię serdecznie – twój Leszek".

Przeczytałam to i serce we mnie stanęło.

O jakich konsekwencjach on mówi?!

Jeżeli zrobi coś Rafałowi...

Boże jedyny! Oddam mu te parszywe pieniądze, sprzedam samochód, niech tylko zostawi Rafała w spokoju!

SMS dotarł do mnie w momencie, kiedy po jeździe z chorymi dzieciaczkami umieszczałam siodła na swoich miejscach w siodlarni. Dzieci zostały już zapakowane przez rodziców do samochodów i odjechały. Rafał czyścił konie w stajni.

Rafał! Czy powinnam mu powiedzieć o cholernym SMS-ie, czy przeciwnie, trzymać język za zębami? Ostatecznie to nie jego wina, że mam aż tak bogatą przeszłość, po co miałby się teraz i on denerwować?

Postanowiłam nic mu nie mówić, ale moje postanowienie, jak się okazało, miało parę bardzo krótkich nóżek. Rafał wszedł albowiem do siodlarni i natychmiast spostrzegł, że się cała trzęsę. Spojrzał na mnie bystro, zobaczył komórkę w mojej dłoni, wyjął ją z tej dłoni i przeczytał to, co miałam przed nim skrzętnie zataić.

– Rafał, ja cię bardzo przepraszam – jęknęłam. – Ja mu oddam pieniądze, najszybciej jak tylko zdołam. Ten drań jest gotów na wszystkie świństwa świata, nie pozwolę, żeby ci coś zrobił, sprzedam samochód, niech go diabli wezmą...

– Samochód czy twojego byłego? – spytał rzeczowo.

– Byłego, oczywiście. Boże, co za męt koszmarny... Rafał, przepraszam...

– Nie masz za co, Emilko. Samochód, oczywiście, możesz sprzedać, ale zastanów się – kiedy zostaniesz bez samochodu i bez pieniędzy, będziesz się od tego lepiej czuła?

– Będę się czuła gorzej.

– No widzisz, i mnie się tak wydawało.

– Ale nie mogę żyć ze świadomością, że cię narażam na nie wiadomo co...

Usiadł na ławeczce pod wysoko umieszczonym oknem i pociągnął mnie za sobą. Klapnęłam na tę ławkę zupełnie bez siły. Prawdę mówiąc, miałam trochę nadziei, że mnie obejmie, przytuli, albo coś podobnego, niestety – niczego takiego nie zrobił.

– Nie wiem, czy naprawdę mnie na coś narażasz – mruknął. – Właściwie jestem prawie pewny, że nie. Myślę, że on bleffuje, nie wiem dlaczego, może tylko po to, żeby cię zdenerwować.

– Potrzebuje pieniędzy, przecież został bez niczego!

– Nie, nie, kochana. Nie bez niczego. Nawet jeśli został goły, to już goły nie jest...

– Skąd wiesz?!

– Myślę i wyciągam wnioski. Pamiętasz, jaki wyrok dostał Misiak?

Pewnie, że pamiętałam. Rozprawa była tydzień temu, nie mam pojęcia, jak to się udało tak szybko załatwić, podobno nasz wymiar sprawiedliwości jest najbardziej ślamazarny na całym świecie; Rafał i Tadzio robili za świadków, przy czym Rafał twardo obstawał przy tym, że to on uszkodził Misiakowi gębę, wina Misiaka została udowodniona bez najmniejszych trudności, sam się zresztą przyznał, twierdząc, że chciał się na nas odegrać za zwolnienie z pracy. Sam podobno wymyślił taki subtelny sposób zrobienia przykrości „tej całej Sergiej", to znaczy mnie, bo mnie uznał za sprawczynię wszystkich swoich nieszczęść. Dostał karę więzienia z zamianą na grzywnę w wysokości tak kosmicznej, że w życiu nie byłby w stanie jej spłacić...

Rafał popatrywał na mnie bystro.

– Skojarzyłaś, prawda? Jeżeli ten twój...

– Tylko nie mój, proszę!

– Przepraszam, masz rację, oczywiście. Misiak takiego szmalu nie miał, bo gdyby miał, toby nie pracował, tylko ciągnął piwo u Rybickiej w sklepiku. Jeżeli więc ten pan nam tu pisze, że Misiak wychodzi z pudła, to znaczy, że ktoś za niego zapłacił.

– Zleceniodawca...

– Właśnie. A skoro zleceniodawca miał takie pieniądze, to znaczy, że albo się odkuł, albo sięgnął do rezerw, które miał tak schowane, żeby się stróże prawa do nich nie dobrali. Dobrze mówię?

– Tak wygląda...

– Idźmy dalej. Skoro ma pieniądze i to, zauważ, w takich ilościach, że stać go było na wykupienie Misiaka, a to przecież dla niego ani brat, ani swat... skoro więc ma ich tyle, to cóż to dla niego wartość jednego mizernego chryslera?

– Tylko nie mizernego – stanęłam w obronie mojej limuzyny, bo jednak fajna była, nie da się ukryć.

– Nie mizernego – zgodził się. – Tak czy siak, to dla niego pikuś, kochana Emilko. Tu jest na rzeczy coś zupełnie innego.

– Ale co?

– Nie mam pojęcia – powiedział tonem prawie beztroskim. – I nie będę się tym przejmował – dodał stanowczo.

– Ty sobie też głowy nie zawracaj. Jak się coś stanie, będziemy się martwić.

– Ale ja się boję!

– O mnie?

– O ciebie! A jak się coś stanie, to już będzie za późno!

Dlaczego w tym momencie Rafał zaczął się śmiać, pozostanie dla mnie na zawsze tajemnicą. Te chłopy nie mają za grosz instynktu samozachowawczego. I w ogóle są dziwne.

Ogromnie i bez sensu zadowolony z siebie, albo z czegoś innego, nie mam pojęcia, wstał z tej niskiej ławeczki i wyciągnął do mnie rękę.

– Chodźmy lepiej na obiad, Lula dzisiaj robiła coś fajnego, nie wiem co, ale bardzo przyjemnie pachniało w kuchni ziółkami. I serkiem. No, chodź.

Zignorowałam rękę.

– Czy możesz mi łaskawie wyjaśnić, co cię tak szalenie rozśmieszyło? – Starałam się, aby mój ton był maksymalnie zgryźliwy.

– To był śmiech zadowolenia – wyjaśnił, wciąż jeszcze lekko chichocząc. – Jest mi dobrze ze świadomością, że ci zależy na moim życiu, Emilko. I nie mów mi, że jesteś przyjaciółką wszystkich żywych stworzeń, bo mi zepsujesz przyjemność.

Jeszcze go nie widziałam w takim frywolnym nastroju. Zawsze był dość zasadniczy!

Taki też mi się podobał. Kurczę, on jest chyba odważny. Tego nie brałam pod uwagę, ale też nie było okazji do stwierdzenia.

No dobrze, niech sobie będzie.

Wstałam z ławeczki i dałam się zaprowadzić na ten serek z ziółkami. To były naleśniki z grzybkami i szpinakiem plus serek i zioła, nie wiem jakie, ale chyba oregano, bazylia i troszkę tymianku. I świeża pietruszka. Rafał spożywał wytworne danie, nie patrząc do talerza, tylko gapiąc się na mnie. Nie chichotał już, bo w końcu trudno chichotać z ustami pełnymi naleśnika, za to w oczach miał iskierki, których przedtem u niego nie stwierdzałam.

Lula

Po raz pierwszy w życiu wyszłam z siebie i dałam się ponieść nerwom.

Publicznie, niestety.

132

Janek wprawdzie mnie pociesza, ale w tej chwili mam wrażenie – zdaje się, że Ania z Zielonego Wzgórza też takie miewała – że już nigdy nie wyjdę ze swojego pokoju i nie pokażę się ludziom.

Emilka

Ale numer! A mówiłam babciom, że nie należy przesadzać, to nie, były mądrzejsze, staruszki zajadłe! I mnie skołowały, a trzeba było słuchać podszeptów własnego rozsądku, skoro już szeptał!

Lula mnie chyba nienawidzi.

Zamknęła się w swoim pokoju i nosa nie wytyka. Janek do niej lata co piętnaście minut, a kiedy wylatuje, patrzy na mnie wzrokiem pełnym wyrzutu. Matko jedyna, dlaczego on na mnie tak patrzy? Chyba mu wszystko powiem.

Zaczęło się wszystko psuć od rana, kiedy mieliśmy jechać do Jeleniej Góry po pierwszych gości wernisażowych, a były nimi dwie Wiktorkowe zleceniodawczynie i dobroczyńczynie (rodzaj żeński od dobroczyńca? To jakieś głupie, powinna być ta dobroczyńca i ten dobroczyniec). Wiktora jeszcze nie było, nie zdążył dojechać z Krakowa, a te dwie damy przyjechały pociągiem z jakichś dalekich zakątków Polski, gdzie zapewne prowadziły skomplikowane i oby intratne interesy kibelkowo--spożywczo-wydawnicze (wydalnicze?). No i trzeba je było odebrać z dworca o poranku. Miał jechać Janek, ale coś mu nie pasowało, coś tam jeszcze chciał zrobić w domu przed ich przyjazdem, więc poprosił mnie, żebym go zastąpiła. Prośbę wygłosił tuż po śniadaniu, kiedy zarówno Lula, jak i obie babcie były pod ręką – postanowiłam

więc za jednym zamachem zadziałać na Lulczyną pod-
świadomość i wykazać się przed babciami. Niech wiedzą,
że się staram. Dzieci na szczęście już gdzieś wywiały,
Rafała też nie było, pojechał do Karpacza po wytworne
trunki na popołudnie. No więc kiedy Jasio wystąpił z tą
swoją prośbą, wstałam z krzesła, podeszłam do niego – on
jeszcze siedział – i tak prawie po siostrzanemu objęłam
go za ramiona i powiedziałam czule:

– Dla ciebie wszystko, Janeczku kochany. Mówisz
i masz.

I pocałowałam go w czubek głowy.

Poklepał mnie tylko po ręce, za to Lula – matko moja, jak ona na mnie spojrzała! I omal się nie udławiła
jajecznicą.

Zerknęłam jeszcze na babcie, z kamiennymi twarzami
grzebiące w jajkach, i prysnęłam gdzie pieprz rośnie. To
znaczy do samochodu.

Biznesłumenki rozpoznałam natychmiast po tym, że
były dwie – żadnego poza nimi damskiego dwuosobo-
wego kompletu nie było. Obie damy w sile wieku – tak
koło czterdziestki, bardzo ładnie zakonserwowanej za
pomocą kosmetyków, na które też było mnie stać, kiedy
wisiałam na Leszku. Zupełnie sympatyczne poza tym.
Bagażu miały z sobą tyle, jakby przyjeżdżały do nas na
dwa tygodnie, a nie na dwa dni. Pomogłam im to wszystko zataszczyć do auta, trochę się nawet bałam, że mi nie
wlezie do bagażnika, ale wlazło. Po drodze do Marysina
gawędziłyśmy sobie swobodnie na temat Wiktora – jaki
to on zdolny, a jaki uroczy, a jaki sympatyczny, a jakie
ma wspaniałe, niekonwencjonalne pomysły. Ajajajaj. Wygląda na to, że obie się w nim podkochują, nie bacząc, że
młodszy i żonaty oraz dzieciaty. Zwłaszcza ta koleżansia

134

od nowego magazynu dla kobiet. Magazyn niebawem się ukaże i będzie miał tytuł „Trendy". Spytałam koleżansię, czy to trendy w liczbie mnogiej po polsku, czy w liczbie pojedynczej po angielsku, czy może w ogóle to oznacza bycie w kursie dzieła, ale ona tylko się zaśmiała perliście i powiedziała, że każda czytelniczka ma sobie to zinterpretować tak, jak jej się podoba. Najważniejsze, żeby się sprzedało.

W zasadzie racja.

Zaledwie dojechałyśmy do Rotmistrzówki, zaledwie obie panie zdążyły się rozgościć – nadjechała ekipa telewizyjna, a zaraz za nią Wiktory z jakimś facetem obwieszonym torbami – jak się okazało, fotoreporterem magazynu „Trendy". Wszyscy ci faceci od robienia obrazków natychmiast przystąpili do systematycznego niszczenia wzorowego porządku, jaki poprzedniego dnia udało nam się w Rotmistrzówce zaprowadzić. Porozstawiali po wszystkich kątach jakieś lampy na statywach, walizki z gratami; kolorowe folie i kawałki fliseliny majtały się wszędzie pod nogami – Lula miała mord w oczach, ale taki jeden główny od telewizorów obiecał jej, że wszystko posprzątają, zanim przyjadą goście na wernisaż. A na razie oni będą robić reportaż o zdolnym malarzu i jego przyjaciołach.

– Ale to będzie wernisaż księdza, a nie Wiktora – zauważyłam mimochodem.

– Nie szkodzi – powiedziała pogodnie pani redaktor od reportażu. – Ksiądz też zaistnieje, oczywiście, ale nas najbardziej interesuje twórczość pana Łaskiego. Nie musimy filmować obrazów na ścianie, sfilmujemy je sobie na sztalugach. W pracowni mistrza. Wywiad z panem też nagramy w pracowni.

– Ale ja w zasadzie nie mam tu pracowni – bąknął Wiktor. – Ja tu głównie malowałem w plenerze...

– To nie problem – machnęła lekceważąco ręką pani redaktor. – Wyjdziemy w plener. Pokażemy, jak pan maluje. W plenerze.

– Zapomnij – wtrącił gość, dyrygujący dotąd ustawianiem świateł, chyba operator od tej kamery. – Mróz jest, nie zauważyłaś? Farby mu zamarzną na palecie. Że nie wspomnę o paluszkach. Panie, w zimie też pan w plenerze maluje? Kamikadze pan jest? Klub morsów?

– A nie – speszył się Wiktor. – Ja właściwie tu nie malowałem, kiedy było zimno. To znaczy, kiedy tu malowałem, było cieplej...

– Niech pan się nie przejmuje – zakomenderowała redaktorka. – Rozłożymy te sztalugi gdziekolwiek bądź, Seba pana sfilmuje w ciasnych planach. Seba?

– Ja tu będę miał wyłącznie ciasne plany – zgłosił pretensję Seba. – Jak jeszcze przyjadą goście, to po plecach im będę chodził.

– Seba. Nie takie programy się kładło – zgromiła go pani redaktorka. – Nie robimy „Ogniem i mieczem", tylko reportaż o jednym facecie. Nie musisz mieć miejsca dla armii napoleońskiej!

– Armia napoleońska to „Popioły" – mruknął operator, ale zrezygnował z przekonywania swojej pani i zajął się wyszukiwaniem miejsca, w którym Wiktor mógłby udawać, że maluje.

Doszłam do wniosku, że nie interesują mnie szczegóły telewizyjnego rzemiosła i udałam się do kuchni, żeby pomóc Luli w produkcji setek tysięcy – albo i milionów – maciupkich tartinek z różnymi fajnymi rzeczami dla gości wernisażowych.

Lula cały czas spoglądała na mnie spode łba i nie reagowała pozytywnie na moje próby nawiązania beztroskiej rozmowy. Zrezygnowałam więc i skoncentrowałam się na ćwiartowaniu pomidorków koktajlowych oraz przepoławianiu oliwek. Zdążyłam tego natrzaskać wielką górę, kiedy do kuchni wpadli rozgorączkowani Kajtek z Jagódką.

– Ciociu Emilko! Ciocia jest proszona! Ta pani ciocię prosi!

– Mnie? Przecież to jest materiał o Wiktorze!

– Ciocia przyjdzie! Bo pan Rafał powiedział, że się nie nadaje na gwiazdę telewizyjną, ale ciocia musi go przekonać, bo trzeba pokazać im hipoterapię.

– Ale przecież dzisiaj nie mamy żadnych zajęć.

– Nie szkodzi, to trzeba zaimprowizować, oni tak mówią, to znaczy my z Jagodą możemy udawać te chore dzieci.

– Wykluczone – zaprotestowałam. – Ja tam jestem przesądna, nie będziemy niczego takiego udawać. Rafał się na to zgodził?

– No właśnie nie, dlatego trzeba, żeby go ciocia przekonała!

Umyłam ręce i udałam się do salonu, gdzie goście pokrzepiali się właśnie jednym ze szlachetnych trunków nabytych świeżo przez Rafała.

Redaktorka wczepiła się we mnie prawie że pazurami.

– Pani Milko! W pani moja jedyna nadzieja!

– Zaraz. I nie Milka, tylko Emilka...

– Ciocia nie jest czekoladą – wtrąciła domyślnie Jagódka.

– Ale o co chodzi?

– Chodzi o to, że nie możemy pana Wiktora wyprepa-
rować z tej całej rzeczywistości, która go otacza, a zatem
musimy pokazać dom, to znaczy Rotmistrzówkę, państwa
wszystkich...

– Babcie już pani pokazała?

– Babcie? A nie, babcie pokażemy tylko na wernisażu. Nie będę z nimi robiła wywiadów, nie potrzebuję
do rozmów nikogo poza panem Wiktorem. Natomiast
potrzebne mi są obrazki z życia Rotmistrzówki. W tym
hipoterapia.

– Ale my dzisiaj nie mamy zajęć z chorymi dziećmi.

– Nie szkodzi. Mamy tu dwójkę zdrowych, mogą zastąpić chore. Odwrotnie by się to nie dało zrobić – zachichotała dosyć debilnie.

Spojrzałam na Rafała. Kontemplował czubki swoich
butów i nic nie mówił, ale wyraz twarzy miał pełen obrzydzenia. Zastanowiłam się przez chwilkę. Jeżeli to ma być
reportaż o Wiktorze w jego środowisku naturalnym i jeżeli tym środowiskiem ma być Rotmistrzówka, to chyba
jednak nieładnie byłoby tak całkiem się na to wypiąć.

Dzieciaki wlepiły we mnie wzrok pełen nadziei. Chyba strasznie chciały zagrać w tym filmie.

– Rafał – zaczęłam nieśmiało – ja mam pomysł...

– Naprawdę chcesz, żeby nasze dzieci robiły cyrk?
I my z nimi?

– Nie, nie, nigdy w życiu! Ja zresztą uważam, że
takie udawanie przynosi pecha. Ale możemy po prostu
pokazać, jak uczymy zdrowe dzieci jeździć konno. Bo
przecież uczymy. Najlepiej zresztą, żeby Wiktor z nimi
pojeździł...

– Pan Wiktor nie – zaprotestowała redaktorka. – Pan
Wiktor będzie sfilmowany na koniu, ale sam. W galopie.

– Ach, w galopie – powtórzył Rafał z pewną nutką sarkazmu, której jednak pani redaktorka nie zauważyła.

– W galopie – przyświadczyła. – Ja go odrealnię na montażu. A państwo mają być taką realistyczną otoczką dla artysty.

Artysta Wiktor był czerwony i nic nie mówił, tylko gapił się za okno. Biznesłumenki przysłuchiwały się naszym dyskusjom z uwagą, co jakiś czas przytakując pani z telewizji. Fotoreporter z pisma „Trendy" biegał dookoła nas i trzaskał zdjęcia z szybkością karabinu maszynowego. Ciekawe, czy on też będzie Wiktora odrealniał.

I pewnie byśmy tak do końca świata siedzieli i powarkiwali na siebie nawzajem, gdyby nie Janek, który, jak zwykle, zaprezentował spokój, opanowanie i przytomność umysłu.

– Pani redaktor – powiedział tonem stanowczym, acz uprzejmym. – Emilka ma rację. Nasze dzieci nie będą do kamery grały dzieci nieszczęśliwych i ciężko upośledzonych, takiej możliwości proszę w ogóle nie brać pod uwagę. Rozumiem niechęć Rafała, nie każdy ma ochotę na występy przed kamerą. Jeśli pani chce, pokażemy pani, jak wygląda normalna jazda z dziećmi, Emilka i ja. Bo rozumiem, Emilko, że ty nie masz oporów?

W oczach Rafała zobaczyłam ulgę, a buzie Kajtka i Jagódki, mocno przed chwilą wydłużone, znowu poweselały. Oboje spoglądali teraz z nadzieją to na mnie, to na Janka.

– Nie mam oporów – powiedziałam i nie dodałam, że przecież mój osobisty gangster już mnie znalazł, obejrzawszy uprzednio w telewizji. – To jak?

Redaktorka wyraźnie zamierzała się kłócić, ale operator Seba ją ubiegł.

– Bardzo dobrze – oświadczył. – Niech sobie będzie zwykła jazda, na cholerę ci, Kaśka, jakieś chore dzieciaki? Tylko musimy to zrobić szybko, bo mi się ściemnia. Mam jeszcze godzinę światła dziennego i ani chwili dłużej.

– To trzeba było zacząć od plenerów – warknęła Kaśka i ruszyła się z fotela. – Chodźmy w takim razie. Ale szkoda, proszę pana, szkoda – to ostatnie było w stronę Rafała, który udawał, że go nie ma w pokoju.

Poszliśmy do stajni. Pani redaktorka nie chciała filmować żadnych czynności wstępnych, od razu wyprowadzanie ze stajni, do siodłania wzięliśmy się więc we czwórkę – ściągnięta od kanapek Lula, Rafał, Janek i ja – żeby jak najszybciej można było przystąpić do zdjęć. Osiodłaliśmy cztery konie, Lula i Rafał oddalili się w kierunku niedokończonych przekąsek, a my zabraliśmy się do tych scen aktorskich. Operator ustawił kamerę przed drzwiami stajni, uzgodniliśmy, że napierw pójdę ja z Bibułą, potem dzieci z Lolą i Latawcem, a na końcu Janek z Milordem.

Poczekaliśmy jeszcze chwilkę w stajni, ustawieni w karny rządek, wreszcie pani redaktorka wrzasnęła „proszę!!!" i ruszyłam na czele naszego małego zastępu, prowadząc Bibułę przy pysku.

Na widok kamery kobyła zastrzygła nieufnie uszami, ale nie zrobiła jeszcze niczego głupiego. Za to filmowcy zrobili coś głupiego. Operator zrezygnowanym ruchem zdjął kamerę z ramienia i machnął ręką do swojego pomagiera.

– Za ciemno mi tutaj! Mówiłem, żeby się spieszyć. Dopal mi, szybko!

Zanim zdążyłam się zorientować, na co się zanosi, pomagier podniósł rękę, w której trzymał jakiś przedmiot, przedmiot okazał się cholerną lampą, facet ją zapalił i wściekłe białe światło rozbłysło tuż przed nosem zaskoczonej Bibułki.

Nikt by tego nie wytrzymał, nie tylko nerwowa z natury Bibułka! Oszalała ze strachu, w ułamku sekundy wyrwała mi wodze z ręki, stanęła dęba i w panice zaczęła się cofać do stajni, nie zwracając najmniejszej uwagi na podążające za nią dzieci. Prawdopodobnie rozdeptałaby je zupełnie niechcący, gdyby nie dalekowschodni refleks Jasia, który (Jaś, nie refleks) puścił luzem Milorda, podbiegł te pięć kroków i żelazną ręką złapał wodze Bibuły, dyndające swobodnie. Jeszcze się trochę szarpała, ale udało mu się ją zatrzymać, a po małej chwili nawet uspokoić.

– Ja pierniczę – powiedział operator, prawie tak samo wystraszony jak biedna Bibuła. – Bardzo przepraszam, nie pomyślałem... Naprawdę, bardzo przepraszam...

– Matko Boska. – W momentach nerwowych stawałam się czasem pobożna. – Jasiu, to cud, żeś ty ją utrzymał! Panowie, nie można koni straszyć, to są nerwowe zwierzęta! Tu się mogło Bóg wie co wydarzyć! Dzieciaki, a wy trzymacie swoje konie?

Trzymały i nawet się specjalnie nie zdążyły zlęknąć. Lola i Latawiec trochę strzygły uszami, a poza tym nic. Byłam z nich dumna, że takie zrównoważone, ale po prawdzie, całe to światło poszło na Bibułę.

Operator jeszcze dwa razy przeprosił, że żyje, a potem wrócił do formy i zażądał natychmiastowego dubla, bo światło, jak twierdził, siadało mu w zastraszającym tempie.

– I co, zamierza pan znowu tak nam poświecić? – spytałam. – Bo tu może być prawdziwa kaszana, jak Bibułka wyjdzie z siebie!

– Nie, nie, ja jeszcze raz przepraszam, ale wie pani, ja wyciągam wnioski. Zrobię to na podbiciu, trudno, niech będzie gorsza jakość...

Nie zrozumiałam, na czym on zamierza to zrobić, jakoś mętnie skojarzyło mi się z tańcem w balecie klasycznym, chociaż po zastanowieniu przypomniałam sobie, że tam się tańczy nie na podbiciu, tylko na pointach, ale rzeczywiście nie było czasu na rozmowy, dzień robił się coraz bardziej schyłkowy, chociaż, na szczęście dla operatora i jego podbicia, chmury poszły sobie gdzieś, niebo się rozjaśniło i nawet, chociaż bardzo anemicznie, zaświeciło takie schyłkowe, zimowe słońce.

Nakręciliśmy mało ambitną pod względem aktorskim scenkę wyprowadzania koni ze stajni, potem wsiedliśmy na te konie i pokręciliśmy się trochę po obejściu, podczas kiedy operator biegał koło nas jak szalony, żeby sfilmować to słońce spoza końskich grzbietów. Potem jeszcze zawołali Wiktora, Jasio oddał mu Milorda i Wiktor urządził sobie małą, pokazową galopadkę wzdłuż padoku. Chciał pogalopować wszerz, ale operator zaprotestował, bo miał zamiar filmować go z samochodu jadącego drogą koło ogrodzenia. Pani redaktorka podczas kręcenia tych wszystkich scen zrobiła się jakaś cicha i bezwonna, najwyraźniej ufając swojemu operatorowi Sebie.

W końcu Seba dał nam spocznij, odstawiliśmy zwierzątka na miejsca (uszy Bibułki wciąż jeszcze były dość nerwowe) i poszliśmy przebrać się w stroje wizytowe, jako że niebawem powinni się zjeżdżać goście wernisażowi.

Kiedy weszłam – już w wersji wieczorowej – do salonu, przebywało tam spore towarzystwo, w tym obydwie biznesłumenki, obydwie babcie, Lula, Ewa, Wiktor, Janek, Rafał, nawet Malwina i Rupert zjechali na uroczystość i cieszyli Omcię swoją obecnością.

Na widok Jasia wezbrało we mnie ponownie tamto wzruszenie sprzed godziny i ten szalony podziw dla niego, i poczułam, że natychmiast muszę dać temu wyraz i uczcić Jasia w przytomności całego zgromadzenia – już, teraz, dopóki są tu prawie sami swoi. Na dodatek babcie wyglądały, jakby jeszcze o niczym nie wiedziały, więc trzeba je było poinformować!

Spontanicznie podbiegłam do Janeczka – jak Boga kocham, bez żadnych ubocznych celów tym razem – objęłam go za ramiona i skierowałam twarzą w stronę babć, wołając jednocześnie:

– Czy babcie już wiedzą, że Janek nam życie uratował dzisiaj w stajni?

Uwaga wszystkich skierowała się z miejsca w naszą stronę, więc skrótowo, ale bardzo obrazowo opowiedziałam, co się stało, leciutko tylko koloryzując z tym ratowaniem życia, bo może jednak Bibułce nie udałoby się nas wszystkich rozdeptać – moja opowieść wywarła zamierzony skutek, rozległy się okrzyki uznania, a ja – nadal spontanicznie jak nie wiem co – dałam ten wyraz swojemu podziwowi i rzuciłam się Jasiowi na szyję.

Janeczek odruchowo oddał mi uścisk, śmiejąc się przy tym i zapewniając, że przesadzam okropnie i że nic takiego, obecni robili sympatyczny gwarek i nagle w tym gwarku dał się słyszeć donośny i lodowato zimny głos Luli:

– Emilka, czy ty musisz się wieszać na szyi wszystkim facetom? Może byś przynajmniej Janka zostawiła w spokoju?

Efekt był piorunujący. Zamarłam, wciąż zwisając z Jasiowej szyi, Jasio też zamarł, ale szybko odzyskał kontenans i strząsnął mnie z siebie. Minę miał dosyć głupią, aczkolwiek dam sobie głowę uciąć i wszystko inne, że nie miał żadnych myśli pobocznych, przyjmując moje adoracje.

Lula jak niespodziewanie dała ognia, tak szybko sklęsła, zapadła się w sobie, wykrztusiła jakieś „przepraszam państwa" i wybiegła z salonu. Janek też wymamrotał „przepraszam państwa" i pobiegł za nią. Już chciałam pójść w ich ślady, ale Ewa przytrzymała mnie za rękę.

– Nie wygłupiaj się – syknęła. – Masz zostać i pomóc mi obsługiwać to wszystko. Sama, bez Luli, nie dam rady! Swoją drogą, co ją siekło? Ty, Emilka, ona jest zazdrosna o Jasia? Naprawdę?

– A bo ja wiem – odszepnęłam kłamliwie, jednym okiem patrząc na nią szczerze, a drugim zauważając radosne miny babć, które – zapewne w przekonaniu, że nikt na nie w tej chwili nie patrzy – chyłkiem uścisnęły sobie zasuszone prawice.

– Ale numer – mruknęła Ewa, do której pewnie nigdy przedtem nie docierała prawda o Jasiu, taka mianowicie, że jest to wspaniały mężczyzna, tylko że się z tą wspaniałością nie obnosi. Możliwe, że nie docierała do niej również prawda o tym, że Lula jest kobietą, a nie pożytecznym domowym organizmem przeznaczonym do sprzątania i gotowania.

Nie wiem, co by się dalej działo, bo już prawie startowały do boju obie biznesłumenki, a te pewnie by nie popuściły, zanim by się wszystkiego nie dowiedziały – na szczęście przybył właśnie bohater dnia, czyli ksiądz Paweł we własnej osobie. A za nim ekipa telewizyjna i cztery kolejne osoby, które okazały się przedstawicielami prasy (w tym magazynu „Trendy") – trzeba więc było zająć się podawaniem drinków, kanapeczek, ciasteczek... potem goście już po prostu pchali się drzwiami i oknami, pół Marysina przyszło, z przyjaciół Ania sołtyska, Krzyś leśniczy, oboje z rodzinami, Olga przyjechała i przywiozła świeżutkie foldery, przyżeglowały nawet jak dwie fregaty pod pełnymi żaglami siostry Miriam i Józefa, bardzo godne i dumne z Pawła, którego traktują jak rodzone dziecko; zrobiło się malutkie pandemonko, a kiedy w końcu udało nam się opanować sytuację, skończył się również upojny wieczór poświęcony sztuce i trzeba było wszystkich żegnać, podawać płaszcze, kurtki i parasole (zaczęło lać), odprowadzać do drzwi, wręczać foldery i wizytówki. Jako ostatni opuścił nasz dom ksiądz, bardzo szczęśliwy, w asyście dwóch ukontentowanych i dumnych zakonnic.

Przez cały czas starałam się w ogóle nie patrzeć w stronę Rafała, który dwoił się i troił, jak my wszyscy dzisiaj zresztą.

Wreszcie zostaliśmy sami, to znaczy w rodzinnym gronie plus zleceniodawczynie Wiktora, które miały zanocować u nas (znowu trzeba się było ścieśnić). Uznaliśmy jednogłośnie, że mimo pewnych niespodziewanych zawirowań (Lula i Janek nie pokazali się więcej), wernisaż udał się nadzwyczajnie.

– Bardzo tu u państwa przyjemnie – ziewnęła dyskretnie dama od środków łazienkowych. – Uważam, że zdobyłaś zupełnie sympatyczny materiał do pierwszego numeru „Trendów", moja droga. Bo chyba chcesz to puścić w pierwszym?

– Oczywiście – odparła biznesłumen spożywczo-wydawnicza, wytwornie pogryzając słonego paluszka.

– To będzie dobre wejście, bo w zasadzie Wiktor jest naszym odkryciem, jeszcze się nie opatrzył, a moja Elwira zrobi z tego ładny reportaż, no i dużo zdjęć... Jak to dobrze, że Wiktor jest taki fotogeniczny!

Zaśmiały się obydwie, łakomie spoglądając w stronę Wiktora, który istotnie, z tą swoją nieco chmurną urodą wyglądał na artystę i człowieka miotanego różnymi wizjami twórczymi. Zauważyłam, że kiedy fotograf się do niego przymierzał, z jego pięknie wykrojonych ust natychmiast znikał uśmiech, a oczy zaczynały spoglądać w jakąś nieokreśloną dal. To samo miał, kiedy telewizja robiła z nim wywiad. Spytałam go w przelocie, dlaczego to robi, a on mi w tym przelocie zdążył szepnąć, że żaden uznany artysta zębów nie suszy, o wiele lepiej się sprzedaje mina sugerująca, iż jej właściciel czuje na sobie odpowiedzialność za losy świata. A przynajmniej jego sporej części.

Faktem jest. Nawet modelki ostatnio się nie uśmiechają, preferując wyraz twarzy oficerów jednostki specjalnej GROM.

– Myślicie państwo, że to całe zamieszanie w prasie, radiu i telewizji coś Wiktorowi da? – zapytała babcia Stasia tonem pełnym powątpiewania.

– I Wiktorowi, i Rotmistrzówce – odpowiedziała jej zleceniodawczyni nr 1, ta od łazienek, czterdziestoletnia wystrzępiona blondyna imieniem Megi (znaczy Magda albo Małgorzata). – Pi-ar jest bardzo ważne, droga pani.

– Pi, co? – skompromitowała się nieznajomością rzeczy babcia.

Megi uśmiechnęła się pobłażliwie.

– *Public relations*. Trzeba mieć prasę. I telewizję. Kogo nie ma w mediach, ten nie istnieje. Wiktor zyska popularność, wasza agroturystyka na tym skorzysta, wszystkim będzie lepiej. Bo to przecież nie koniec...

– W życiu moim żadna gazeta o mnie nie napisała – prychnęła babcia – ale jakoś nie czuję, żebym nie istniała. Przeciwnie, istnieję i mam się dobrze, ku zmartwieniu paru ludzi w okolicy!

– Nie jesteś nowoczesna, Stanyslawa – zaśmiała się Omcia. – *Tempora mutantur*, a ty co?

– Ja też się mutuję, moja Marianno – obruszyła się babcia Stasia. – Przy tych wszystkich młodych ludziach jestem już kompletnie zmutowana. Zwłaszcza pod wpływem Kajtka i Jagódki człowiek zmienia się, sam nie wie kiedy. Ale grania w te strzelające gry na komputerze im odmówiłam, chociaż Kajtek próbował mnie wciągnąć. Może i macie rację z tą publiczną relacją...

– Na pewno – oświadczyła zleceniodawczyni nr 2, czyli Beti (zapewne przerobiona Beata albo zdrobniona po angielsku Elżbieta). – Przekonacie się państwo. Ja bym zresztą chętnie pociągnęła temat Rotmistrzówki...

– Pociągnęła? – W głosie Omci dało się słyszeć powątpiewanie.

– Kontynuowała – wyjaśniła uprzejmie Beti. – Na razie napiszemy o Wiktorze jako o malarzu, który ucieka przed światem... a potem o całej reszcie. Dwa albo nawet trzy kolejne numery. Najbliższy po Wiktorze o tym księdzu i waszej przyjaźni. Ludzie lubią, jak się tak krąży dookoła tematu.

Spojrzeliśmy po sobie – my, to znaczy chyba „cała reszta". Wiktor był czerwony jak rak świeżo ugotowany, prawdopodobnie tak się zresztą czuł. Malarz uciekający przed światem! Czego to człowiek nie musi znieść dla pieniędzy.

Na szczęście obie nasze honorowe gościówki poczuły się znużone atrakcjami dnia i wyraziły wolę udania się na spoczynek. Beti zagroziła jeszcze przedtem, że dobierze się medialnie i do naszej hipoterapii, co wywołało ledwie dostrzegalne skrzywienie ust Rafała.

Babcie natychmiast wykorzystały rejwaszek, który się wytworzył w związku z kładzeniem Megi i Beti spać, i zaciągnęły mnie do kuchni. Chętnie dałam się zaciągnąć, bo i ja miałam z upiornymi staruszkami do pogadania.

– Słuchajcie, drogie babcie – zaczęłam, zanim którakolwiek z nich zdążyła pisnąć. – Chyba zauważyłyście, do czego doprowadziło to wasze zmuszanie i to, że ja, głupia, temu zmuszaniu ulegałam!

– Bardzo dobrze, Emilko. – Babcia Stasia patrzyła na mnie jakby z cieniem skruchy, ale jednocześnie była całkiem zadowolona. – Bardzo dobrze. Lula wyszła z siebie, przez co mamy jawny dowód, że zależy jej na Janku i że jest o niego zazdrosna. O to nam przecież chodziło, żeby była zazdrosna.

– Babciu! Już od dawna mówię wam, że Lula jest zazdrosna o Jasia i patrzy na mnie wilkiem z tego powodu! Chciałam przestać, a wy co? Przez was prawdopodobnie straciłam przyjaciółkę, znam Lulę, ona mnie teraz nienawidzi. I co ja teraz mam zrobić?

– Nyc, Emilka. Ty nie rób nyc. Ty możesz tylko pogorszycz całą sprawę. Ale tego ne można tak zostawicz. Ja szę podejmuję negocjowacz.

– Z kim, na Boga?

– Z Lulą, oszywiszsze. Ja z nią będę rozmawiacz i jej wszystko wytlumaczę. Powiem, że to my żeszmy czy kazały...

– Omciu, błagam!

– Nedobrze?

– Niech już babcie lepiej nie kombinują. Zobaczymy, jak sytuacja się rozwinie. O matko, po co ja was słuchałam! Trzeba mi było dawno przestać! No trudno, dzisiaj już nic nie zdziałam. Idę spać. Wy też idźcie, na pewno jesteście zmęczone. Tylko błagam, nic już nie wymyślajcie!

Babcie pomamrotały coś, że niby sieję niepotrzebną panikę, ale ostatecznie poszły sobie. Ze zmartwienia zaczęłam robić porządek w kuchni, mając nadzieję, że nie zjawi się w niej Rafał i nie zacznie mnie pytać o akcję Luli... Rafał się nie pokazał, pewnie poszedł do stajni, posprawdzać wszystko przed nocą – taki mu się zwyczaj ostatnio wytworzył, bardzo pożyteczny moim zdaniem. Przyszła za to Ewa i koniecznie chciała dowiedzieć się, co zaszło między Lulą i Jasiem. Odpowiedziałam zgodnie z prawdą, że nie wiem, ale jej to nie zadowoliło. Odmówiłam snucia przypuszczeń, zapytałam ją natomiast o jej akcje na uczelni. Skrzywiła się. Po czym wylała z siebie potok narzekań na ogólną nieżyczliwość cholernych popleczników tego jej dawnego profesora – łajdaczyny. A stanowią oni, jak się zdaje, połowę ciała profesorskiego, czy jakie ono tam jest, habilitowane. Nie ma więc biedna Ewunia łatwego życia, ale zaparła się i zamierza być dzielna.

– Po co, kochana Ewciu? – zapytałam, upychając naczynia w zmywarce. – Po co ci to? Co to za praca w takiej nieprzyjemnej atmosferze?

Nie udzieliła mi satysfakcjonującej odpowiedzi. Zdaje się, że biedna Ewa po prostu musi mieć rację i po trupach, ale będzie to udowadniać. W tym po własnym trupie.

Boże, Boże, dlaczego ludzie są tacy nierozsądni???

Dobrze, nie będę się wymądrzać. Rozsądna się trafiła.

Kładąc się spać, nie myślałam już o biednej Ewie ani o nieszczęsnej Luli. Myślałam o Rafale, o jego oczach, rękach, włosach, nosie, głosie, o jego całej reszcie i o tym, że chyba chętnie bym się w nim zakochała.

Bo na razie nie jestem jeszcze zakochana.

Ale chyba rację miał Wiktor w sprawie posępnych i tajemniczych min. Czy nie dlatego mnie ciągnie do Rafała, że taki w gruncie rzeczy tajemniczy z niego facet? Bo cóż ja o nim wiem? Niewiele. Opowiedział mi wprawdzie tę okropną historię swojej żony i córeczki, ale nawet nie wiem, gdzie on je miał, tę żonę i tę córeczkę. Bo chyba nie w Janowie Podlaskim, tam nie ma Akademii Medycznej z klinikami. A sam Rafał jakiś taki małomówny (oczywiście z wyjątkiem tematu autystycznych i porażonych mózgowo dzieciaczków, które to dzieciaczki wozimy na naszych koniach – o tym to on może godzinami), uśmiecha się wprawdzie miło i uprzejmie, ale niewiele z tych uśmiechów wynika. Raz tylko widziałam prawdziwy błysk w jego oczach – kiedy unieszkodliwił Misiaka Dżuniora i usiadł mu na klacie.

Co to może znaczyć?

Kiedyś się tego dowiem. Na razie padam z nóg.

Lula

Janek uważa, że niepotrzebnie zrobiłam scenę. Przyszedł mi to wytłumaczyć, porzuciwszy nietaktownie całe wernisażowe towarzystwo. No dobrze, ja sama wiem, że scena była bez sensu i że ja też nie powinnam porzucać towarzystwa, a zwłaszcza dziewczyn, które potem musiały posprzątać – a nie miały już do dyspozycji Żakliny, która pomagała tylko w przygotowaniach.

– Ludwisiu moja kochana – tłumaczył mi Janek (mówi tak do mnie wyłącznie, kiedy jesteśmy sami...) – to, że sobie poszłaś, to naprawdę nie ma znaczenia. Ważne jest, że się uzewnętrzniłaś...

– To znaczy, że co? Że wszyscy się dowiedzieli, że jestem o ciebie zazdrosna?

Nie wiem, czym go tak rozśmieszyłam, ale kolejny kwadrans spędziłam na oddawaniu mu pocałunków i wysłuchiwaniu jego chichotów. To ostatnie mnie w końcu trochę zezłościło.

– Przestań się śmiać jak głupi do sera!

– Ja się nie śmieję do sera, tylko do ciebie. Poza tym rozśmiesza mnie sytuacja...

Wyrwałam się z jego objęć.

– A co w tym widzisz śmiesznego, na litość boską?!

Rozwalił się na fotelu z miną szalenie zadowoloną. Ja tych chłopów nigdy nie zrozumiem. Rzuciłam w niego poduszką. Złapał ją zgrabnie i dopiero teraz omal nie umarł ze śmiechu. Nigdy w życiu nie widziałam, żeby się Janek TAK śmiał! Prawda, że niewiele o nim wiedziałam do tej pory, bo też i nie chciałam się wcale dowiadywać. Sporo lat przez to straciłam. No cóż, zważywszy na istnienie Kajtka, nie będę sobie tego miała za złe. I nie będę żałować. Niech tam. Ale teraz nie pozwolę, żeby się chłop ze mnie naigrawał!

Usiadłam naprzeciwko niego na krześle, zabrałam mu tę poduszkę i spojrzałam mu głęboko w oczy. Jeszcze nieco załzawione od tego śmiechu.

– Odpowiadaj zaraz, dlaczego się tak cieszysz?

– Mam powody – zaśmiał się jakby ostatkiem sił. – Sama popatrz. Kochałem się w tobie miłością nieszczęśliwą i beznadziejną lata całe. W ogóle nie zauważałaś mojego istnienia. Nawiasem mówiąc, musisz mi powiedzieć, co takiego widziałaś w Wiktorze i co w nim teraz przestałaś widzieć...

– Serce kobiety jest nieodgadnione – powiedziałam wyniośle, bo nie było mnie w tej chwili stać na żadną inteligentniejszą odpowiedź. – Mów dalej!

– Dobrze – zgodził się potulnie. – Będę mówił dalej. No więc kochałem cię beznadziejnie, potem cię w ogóle straciłem z oczu i straciłem nadzieję, potem cię spotkałem i znowu twoje nieodgadnione serce skłaniało się ku naszemu przyjacielowi artyście. No więc po raz kolejny straciłem nadzieję... sam się sobie dziwię, że jeszcze ją miałem. To znaczy, odzyskałem, bez sensu. Rozumiesz, co mówię. I nagle – trach, mam cię.

– I co?

– I nic. Szok. Rzucasz we mnie poduszkami i publicznie chcesz skakać do gardła biednej, poczciwej Emilce, bo mi okazała cieplejsze uczucie... całkowicie siostrzane zresztą.

– Nie wierzę w takie siostrzane uczucia!

– Znowu zaczynasz?

– Nie musiała się na tobie wieszać!

– Ona jest spontaniczna. A ja naprawdę byłem dzielny...

Rzuciłam w niego poduszką. Odrzucił mi ją, chichocząc.

Matko Boska jedynąca, jak mawiają niektórzy tutejsi. Janek rzuca poduszkami. Świat wychodzi z formy!

Emilka

Ja naprawdę zwariuję. Czy w tej Rotmistrzówce wszyscy coś knują? Od najstarszych starowinek do najmłodszych dzieci?

Koło południa ostatecznie pozbyliśmy się śladów po nawale gości, babcie skryły się w zaciszach swoich pokoi i odpoczywały po przejściach, Lula i Jasio gdzieś znikli, Rafał odwiózł Beti i Megi na dworzec do Jeleniej Góry, Rupert i Malwina odjechali do swych studentów, wyjechali też Wiktorowie – Ewa, aby toczyć dalsze boje na swojej uczelni, Wiktor, aby projektować za ciężkie pieniądze kampanię promocyjną magazynu „Trendy" – a ja usiadłam sobie cichutko przy kuchenym stole, żeby w spokoju pouczyć się do egzaminu na hipoterapeutkę.

W spokoju.

Ledwie przerzuciłam kilka kartek i wciągnęłam się w problematykę, drzwi kuchni uchyliły się jakby konspiracyjnie i weszli przez nie na paluszkach – któż jak nie Kajtuś i Jagódka?

– Idźcie sobie, dzieci – powiedziałam do nich łagodnie, bo ostatecznie lubię oboje i nie będę w nich od razu rzucać widelcami. – Ciocia Emilka jest zajęta jak nie wiem co. No, już was nie ma. Spadóweczka.

– Ciociu, my cię przepraszamy, ale nie spadóweczka. Ciociu!

– Kajtuś, nie dyskutuj. Poszły precz dzieci.

– Ciociu, ale my mamy strasznie ważną sprawę...

– Kochani, ja mam egzamin za tydzień. Przyjdźcie za tydzień. Albo po obiedzie. Ja muszę wykorzystać ten spokój w domu. Wynocha.

Mogłam sobie dużo mówić. Kajtek łagodnie, ale stanowczo wyjął mi skrypty z ręki, a Jagusia bezczelnie wlazła mi na kolana i objęła mnie łapkami za szyję.

– Który to wielki poeta powiedział, że dzieci są zakałą ludzkości? – spytałam retorycznie i beznadziejnie.

– My się cioci musimy poradzić – zaszeptała mi do ucha Jagódka, podczas kiedy Kajtek, stojąc tuż przede mną, wlepiał we mnie swoje wielkie, nie-Jasiowe (pewnie po słynnej Romanie, chociaż Janek też ma dość wyraziste spojrzenie) oczyska. Cóż, widać było, że nie popuszczą. Zrezygnowałam z daremnego oporu, odłożyłam skrypt i strząsnęłam Jagódkę z siebie.

– Dobrze – powiedziałam. – Macie dziesięć minut. Zrobię sobie herbaty, a wam dam soczku wiśniowego, chcecie?

Oczywiście chcieli. Nalałam im hojnie i zasiedliśmy do narady.

– No więc, ciociu – zaczął Kajtek – przede wszystkim musimy cię prosić o dyskrecję.

– Jak w banku – obiecałam poważnie, zastanawiając się, czy oni mają na myśli to, co ja myślę, że mają.

Mieli.

– Czy ciocia uważa, że mój tata i ciocia Lula są w sobie zakochani?

Pewnie, że uważam, ale czy to jest temat do omawiania z takimi małolatami?

– A ty jak uważasz? – zapytałam dyplomatycznie.

– Ja uważam, że tak. Bo oni, ciociu, sypiają ze sobą.

Zachłysnęłam się herbatą.

Kajtuś zawahał się przez moment, a potem walnął mnie w plecy, aż huknęło.

– Z czego to wnosisz, synku? – wykrztusiłam przez łzy.

– Tato chodzi w nocy do cioci Luli. Tym dorosłym to się, ciociu, wydaje, że my jesteśmy ślepi i głusi. A poza tym Jagoda widziała, jak się całowali w stajni. Ja też widziałem, kilka razy. No więc, ciociu, moim zdaniem, wszystko wskazuje na to, że są bardzo zakochani. I chyba ciocia Lula jest o ciocię zazdrosna... trochę.

Bystre dziecko.

– Czy wy we dwoje z Jagódką omawiacie wszystkie nasze prywatne sprawy?

– Pewnie, że tak. Z kim mam omawiać, jak nie z Jagodą. Jesteśmy tu jak w rodzinie, a przecież żaden dorosły nie będzie ze mną chciał w ogóle gadać na takie tematy.

– Proszę, proszę. A przecież przyszedłeś do mnie, a ja jestem dorosła.

– Komś musieliśmy zaufać – powiedział poważnie Kajetan, a ja poczułam się dumna.

– No dobrze – powiedziałam. – Załóżmy, że są zakochani, ja też mam pewne przesłanki, by tak sądzić. I co z tego wynika?

– Zastanawialiśmy się z Jagodą, czy oni będą się chcieli ożenić. No bo jeśli są zakochani, to pewnie by chcieli. Z drugiej strony tato może myśleć, że ja mogę tego nie chcieć, ciocia rozumie, ze względu na mamę.

– Ciocia rozumie. A jakie jest twoje zdanie w tej sprawie?

Kajtek zamyślił się na chwilę nad swoją szklanką. Jagódka patrzyła w niego jak w tęczę. Wreszcie siorbnął ostatni łyk i odstawił szklankę.

– Ja bym chyba nie miał nic przeciwko temu. Ja lubię ciocię Lulę. Mamy... już nie ma. To nie jest żadna sprawa rozwodowa, więc jakby się ożenili, toby niczego nie zmieniało, no, rozumie ciocia?

– Rozumiem. W odniesieniu do twojej mamy.

– No właśnie.

– Bardzo rozsądne podejście – pochwaliłam. – A jakież wnioski wyciągniemy z naszej wiedzy? I w czym mam wam doradzić?

– Bo ja się zastanawiałem, że jeżeli tato chce się ożenić z ciocią, ale nie chce z mojego powodu, ciocia rozumie, to czy ja nie powinienem mu po prostu powiedzieć, jakie jest moje zdanie? Żeby wiedział. Tylko czy on będzie zadowolony z tego, że ja wiem?

Nikt niewtajemniczony nie zrozumiałby tej wypowiedzi, ale ja byłam przecież wtajemniczona, jak najbardziej. Ale za Boga nie wiedziałam, co powinnam Kajtkowi doradzić!

– Kurczę, Kajtuś, nie mam pojęcia – wyznałam. – Zastanówmy się razem. Gdybyś był na jego miejscu, to co byś wolał?

– Nie wiem. Nigdy nie byłem dorosły.

Fakt. Ja wprawdzie byłam dorosła, ale za to nigdy w życiu nie byłam mężczyzną, a oni, jak wiadomo, mają inne spojrzenie na świat, ponieważ pochodzą od innej małpy.

Chwila. Zastanówmy się, jaki jest Janek.

Przede wszystkim prostolinijny. Nie chachmęt, w najmniejszym stopniu. Wymykanie się do ukochanej i zatajanie tego faktu przed małoletnim synem nie jest chachmęceniem. To jest dyskrecja podstawowa, inna rzecz, że nieskuteczna.

– Kajtuś – powiedziałam z namysłem. – Ja myślę, że możesz zaryzykować i poprosić ojca o chwilę męskiej rozmowy. Jagódkę bym z tej rozmowy zdecydowanie wyłączyła. Ale ty powiedz tacie, tylko błagam, delikatnie, że się orientujesz w jego sercowym problemie i że nie masz nic przeciwko temu.

– Dlaczego ciocia chce mnie wyłączyć? – zgłosiła reklamację Jagódka. – Ja bym chciała, żeby oni się ożenili i ja bym była druhną na ślubie. Bym niosła cioci welon. A cały ślub by musiał być w naszym ogrodzie.

Zdaje się, że dziecko oglądało ostatnio jakieś amerykańskie filmy z życia wyższych sfer biznesowych. Chociaż, kurczę blade, to nie jest najgorszy pomysł. Ciekawe, czy ksiądz Paweł by na to poszedł. A jeśli nie on, to przynajmniej miejscowy urzędnik stanu cywilnego. Tylko trzeba poczekać do wiosny. Wiktor by zaprojektował cały dizajn weselny, a wszystkie trendowate piśmidła zamieściły fotoreportaże.

No, na to ani Janek, ani Lula na pewno by się nie zgodzili.

– Nie chcę cię wyłączać, Jagódko, tylko uważam, że pierwszą rozmowę panowie powinni odbyć w męskim gronie.

Jagódce chyba spodobało się określenie „męskie grono" w stosunku do Kajtka, bo zaprzestała wyrażania pretensji. Ale widziałam, że jakby co, to tego welonu nie przepuści.

Stanęło na tym, że Kajtek porozmawia poważnie z ojcem, a potem przyjdzie do mnie i dokładnie mi opowie, jak było. W celach konsultacyjnych, oczywiście. No i trudno by mi było wytrzymać bez tej wiedzy, skoro już i tak zostałam dopuszczona do sekretu.

Lula

Nie wiem, kiedy ten czas upłynął, ale za dwa tygodnie mamy Boże Narodzenie. Babcia Marianna odbierała ostatnio jakieś telefony z Austrii. Zdaje się, że rodzina ciągnie ją z powrotem do Tyrolu.

– Nygdże ne pojadę. Ne ma takiej możliwoszczy – oświadczyła nam wczoraj przy kolacji. – Tam szę zbierze cała nasza familia i ja szę będę czuła jak stary Matuzalem, jak muzealny eksponat rodżynny. Wszyscy będą na mne paczecz i paczecz, jakim cudem ja jeszcze żyję. I będę muszała znowu zrobicz szterdżeszczy oszem paczuszek pod choinkę. Tak szę tu mówi, choinka, prawda? A najgorsze będże, jak wszyscy cztery synowie mojego szosz...cz...czenca zrobią kwartet smyczkowy i będą męczycz Brahmsa albo innego jakiegosz klasyka. Ja do Brahmsa nyc ne mam, ale on na to ne zasłużył. A mój czoczenec szpecjalnie mał czworo dżeczy, żeby był kwartet smyczkowy. Rupert też ne chce jechacz, bo Malwina ne chce. Może przyjadą tu na dwa dni. Ale oni chcą zobaczycz Weinacht na Podhalu. Bukowyna Taczanska. A ja chcę bycz z wami... jeżeli wy chcecze.

Zapewniliśmy ją zgodnym chórem, że chcemy, jak najbardziej. Babcia Stasia, gdy tylko pomyśli sobie o Bożym Narodzeniu, to zaczyna popłakiwać, jak twierdzi – ze szczęścia. Rok temu miała koszmarną Gwiazdkę, pierwszą bez swojego Rotmistrza, samotną, smutną i z bardzo marnymi perspektywami na przyszłość. Sosnówka Górna i dom świetlanej starości. Teraz będzie zupełnie inaczej, bo cała Rotmistrzówka będzie pełna, nikt z nas nie zdecydował się wyjechać do rodziny, Emilka się przez chwilę zastanawiała, ale ostatecznie uznała, że woli zostać tutaj, z nami wszystkimi. Rafał się jeszcze nie zdeklarował, ale mam nadzieję, że zostanie, żeby Emilka miała kim się zajmować.

Janek tłumaczył mi, że niepotrzebnie jestem o nią zazdrosna, ale jakoś po tamtym moim wybuchu straciłam do niej serce.

Do wczoraj wydawało mi się, że nikt w domu nie wie o naszych spotkaniach, ale Janek wyprowadził mnie z błędu. Miał poważną rozmowę z Kajtkiem i dowiedział się, że synuś dawno się wszystkiego domyślił, mało tego – doskonale wie, dokąd to tatuś wymyka się ze swego pokoju po nocach. Najlepsze, że Kajtek poprosił Janka o tę rozmowę po to, żeby nam dać swoje błogosławieństwo!

Byłam nieco zszokowana, kiedy Janek oznajmił mi te nowiny, a już zupełnie nie rozumiałam, dlaczego on się śmieje. Janek w ogóle ostatnio śmieje się dość często, przedtem nie widywałam go w tak permanentnie dobrym humorze.

– Dlaczego cię to śmieszy? – zapytałam go po prostu, bowiem miałam do wyboru albo zapytać go po prostu, albo wybuchnąć, a wydało mi się, że chwilowo dosyć wybuchów zaprezentowałam w różnych gronach.

– Bo to jest dość zabawne, nie uważasz? – odpowiedział mi pytaniem i pociągnął mnie na fotel, na którym siedział. Lekko się zachwiałam i usiadłam mu na kolanach. O ile mnie pamięć nie myli, po raz pierwszy w życiu siedziałam na kolanach mężczyzny, który nie był moim ojcem. Czy w tym wieku nie jest za późno, żeby zaczynać takie igraszki jak siadanie mężczyznom na kolanach? Chociaż nie było to wcale nieprzyjemne, raczej dość podniecające. Ale nie zamierzałam się w tej chwili podniecać, zamierzałam tylko rozstrzygnąć nasz nowy dylemat.

Nie jest łatwo rozstrzygać jakiekolwiek dylematy, siedząc na kolanach ukochanego mężczyzny, który w dodatku zaczyna zdradzać tak zwane nieprzyzwoite zamiary.

– Weź no tę łapę, Jasiu – powiedziałam łagodnie. – Musimy się naradzić.

Udał głupiego i nie wziął łapy.

– Możemy się naradzać w tych warunkach – oznajmił uprzejmie. – Mnie to bardzo odpowiada.

– A ja się czuję nieco rozproszona. Nie wiem, czy będę mogła myśleć rozsądnie, kiedy mnie tu duździsz.

– Co robię?

– Duździsz, no, gmerasz. Łaskoczesz mnie.

– Mogę na chwilę przestać – zgodził się łaskawie i rzeczywiście zaprzestał duździania. – Bo mam ci do przedstawienia pewną propozycję. Od razu ci powiem, żeśmy to rozwiązanie wypracowali wspólnie z synem moim Kajetanem...

Nieprawdopodobne. Naradzali się z Kajtkiem na mój temat.

– Coś nie tak?

– Skądże. Mów, Jasiu, mów, słucham uważnie.

– Zacznijmy od tego, że Kajtek pytał, czy mamy zamiar się pobrać...

– I co mu powiedziałeś?

– Że zapytam ciebie. Wyjdziesz za mnie?

No, ja naprawdę nie wiem, czy to jest w porządku, żeby mężczyzna oświadczał się ukochanej kobiecie, trzymając ją na własnych kolanach, w okropnym, rozdeptanym fotelu, który uniemożliwiał przyjęcie jakiejkolwiek przyzwoitej pozycji, odpowiadającej powadze chwili. To nie to, żebyśmy nie mogli spojrzeć sobie w oczy, przeciwnie, mieliśmy oczy nawet dość blisko siebie, ale ogólnie biorąc, nie tak to wszystko powinno wyglądać, nie tak!

– Nie chcesz?

Ten człowiek mnie załamuje!

– Nie, no, chcę, oczywiście, że chcę...

Nie przypuszczałam, że te jego oczy mogą się aż tak rozjaśnić.

Dłuższą chwilę spędziliśmy w bardzo ścisłym kontakcie, absolutnie niewerbalnym, acz wiele mówiącym.

– Najchętniej ożeniłbym się z tobą jutro – powiedział, kiedy tylko przestał mnie całować. – Najdalej pojutrze. Ale tak sobie myślę, że powinienem odczekać ten rok żałoby po Romanie, brakuje jeszcze trzech miesięcy, może byśmy zaplanowali sobie taki ładny, wiosenny ślub?

– Byle nie w maju – zastrzegłam. – Podobno majowe małżeństwa są nieszczęśliwe.

– Też o tym słyszałem. Chyba coś w tym jest, bo z Romą pobieraliśmy się w maju...

– I na długo wam starczyło tego szczęścia?

– Ono od początku było problematyczne, mówiłem ci, Kajtek był w drodze, ale starałem się uczciwie zapomnieć o tobie, moja droga... jakby to w ogóle było możliwe. Robiłem, co mogłem. Roma natomiast była dosyć chłodna, dziecko ją trochę nudziło, a trochę denerwowało, potem, jak się okazało, znalazła sobie przyjemniejsze rozrywki, a ja wdałem się w romans z komputerem...

– Też średnio szczęśliwy, skoro ci zmarnował oczy...

– No właśnie. Ale już mi się poprawiło, ten okulista miał rację. Więc, wracając do nas – albo kwiecień, albo czerwiec?

– Czerwiec – zdecydowałam, układając się wygodniej w jego ramionach. – Tu wiosna jest przecież później niż na nizinach, w czerwcu będą kwitły te wszystkie majowe kwiaty, bzy, złotokapów tu jest zatrzęsienie, widziałam...

– O proszę, jak ty się na tym znasz! Emilka cię wyedukowała?

– Nie denerwuj mnie. Sama z siebie też trochę wiem o przyrodzie, wychodziłam czasami z muzeum na światło dzienne!

– Już cię nie denerwuję. Będę potulnym mężem, chcesz?

– O Boże, nie. Z Romą byłeś potulny?

– Raczej wycofany. Nie ma się czym chwalić, ona narzuciła pewne reguły, a mnie z nimi było dosyć wygodnie. Więc się nie wychylałem.

Zastanowiłam się przez chwilę. Janek był zawsze bardzo spokojny, łagodny, opanowany, ale chyba nic z potulności w tym jego spokoju nie było. Dystans. Tak, to było to. Dystans. Coś, na co nigdy nie było mnie stać, chociaż, oczywiście, starałam się nigdy nie pokazywać po sobie emocji, które mnie często ponosiły. Z wyjątkiem ostatnich dni, kiedy to jednak emocje zwyciężyły i pozwoliły mi się kilkakrotnie skompromitować.

Za to Janek stracił swój dystans. Przynajmniej w odniesieniu do mnie.

– Co cię tak bawi, Ludwiczko?

Powiedziałam mu o swoich głębokich przemyśleniach na temat naszych charakterów, a on też się uśmiechnął.

– Ale popatrz, moja kochana, ile z tego twojego braku dystansu wynikło dobrych rzeczy... Gdybyś zachowywała tę kamienną twarz, może nigdy nie zdecydowałbym się do ciebie zbliżyć...

– Nie mów takich rzeczy!

– Tak to wygląda, kochanie. Bo ja się ciebie trochę bałem...

– Przestań!

– Naprawdę. Dopiero kiedy zobaczyłem, jak się szarpiesz, zebrałem się na odwagę.

– W kuchni, notabene.

– W kuchni. Kuchnia to bardzo dobre miejsce, podobno serce domu. Tak mówiła moja mama.

– Moja też. Zanim wyjechała do Australii.

– A właśnie, do Australii. No to na pewno musimy odłożyć ślub, bo chyba zaprosimy twoją rodzinę?

– A twojej nie?

– Moją też, ale moja z Wrocławia ma bliżej. Nawiasem mówiąc, Jagódka zamierza zostać twoją małą druhenką i nieść za tobą welon.

Niedoczekanie. Przypomniała mi się Wiktora wizja – koronkowego welonu na moich upiętych wysoko warkoczach. Żadne takie. Przecież postanowiłam, że pójdę do ślubu w granatowej garsonce!

Nieee... w garsonce jednak chyba nie, szkoda by było tych wszystkich możliwości odzieżowych, jakie daje pierwszy w życiu ślub. Ale żadne welony.

– Ja bym cię nie widział w welonie – odezwał się Janek, jakby czytając w moich myślach. – Rozpuszczone włosy i wielki kapelusz z ogródkiem, co?

– Z ogródkiem i woalką, koniecznie w groszki – zgodziłam się. – Roma jak była ubrana?

– Miała niebieski kostiumik, a na głowie takie małe coś, nie wiem, jak się to nazywa, taki naleśniczek z kawałkiem firanki.

– Toczek. Z welonikiem.

– Możliwe. Słuchaj, kochana, coś mnie tu zastanawia. O Romie mówisz zupełnie bez emocji, o nią w ogóle nie jesteś zazdrosna?

– Jakoś nie. Sama się dziwię. Zapewne dlatego, że, przepraszam cię, Jasiu, znikła z mojego pola widzenia, zanim zdążyłam się w tobie zakochać. A ponieważ dzięki niej masz takiego fantastycznego Kajtka, no to, sam rozumiesz.

– Rozumiem – powiedział poważnie. – Cieszę się, że tak do tego podchodzisz. Natomiast bardzo cię proszę, nie bądź zazdrosna o Emilkę. Ja ją bardzo lubię, naprawdę, to jest świetna dziewczyna, sama przecież wiesz, ale nic poza tym.

– Postaram się i nie wałkujmy już tego tematu – odrzekłam wymijająco, ale pomyślałam sobie swoje. On nic poza tym, ale nie wiadomo, ile ona poza tym! Lepiej uważać. – Jasiu, czyś ty coś mówił o Jagódce, czy mi się wydawało? Coś o welonie i małej druhence?

– Mówiłem. I jeśli chcesz wiedzieć, czy dzieciaki omawiają między sobą nasze prywatne sprawy, to owszem, omawiają. Chyba tego nie unikniemy. Ja bym nad tym przeszedł do porządku dziennego, zwłaszcza że przecież Kajtek w końcu zwrócił się z tym do mnie; na męską rozmowę, jak to określił. Natomiast, skoro już zdecydowaliśmy, że się pobieramy, aczkolwiek odkładamy ślub do wiosny, to chyba warto by przestać się tajniaczyć, co? Strasznie bym chciał nie musieć wymykać się od ciebie przed świtem jak wybrakowany Romeo...

– Dlaczego wybrakowany? – zdziwiłam się szczerze.

– Absolutnie niewybrakowany!

– Dziękuję ci, słodyczy moja. Ale on był młodszy ode mnie, ten cały Monteki.

– Nie mów do mnie na ten temat! Julia miała czternaście lat!

– Ach, to prokurator by mnie ścigał. Zresztą takie młode panienki to przeżytek. Wracając do rzeczy, chciałbym się móc budzić koło ciebie o dowolnej porze, czasami nawet późno, o ile się poprzedniego dnia umówię z Rafałem co do obrządku porannego. Wiesz, te twoje włosy na poduszce... Teraz, jak uciekam przed świtem, nie mam żadnej przyjemności. Nic nie widzę. Musiałbym wkładać okulary, a to już by była zupełna groza – z punktu widzenia romantycznego kochanka.

– I co proponujesz?

– Poczekałbym jeszcze do Bożego Narodzenia, dwa tygodnie wytrzymam, a to jest dobry czas na dobre nowiny, i oznajmilibyśmy uroczyście wszystkim o naszej decyzji, a potem byśmy mogli zamieszkać jakoś bardziej razem. Przynajmniej w nocy. Bo docelowo to chyba musimy pomyśleć o czymś więcej niż dwa pokoje tutaj; przecież tak naprawdę to są pokoje gościnne, w dodatku w naszym mieszka teraz babcia Marianna, a ona chyba się wcale nie ma ochoty stąd wyprowadzać...

– I dobrze, śmiesznie jest z babcią Marianną.

– Oczywiście. Ale skoro mamy stworzyć rodzinę... myślałaś kiedy o dziecku?

Matko Boska, pewnie, że myślałam! Miliony razy! Ostatnio już nawet zaczęłam mieć wrażenie, że jestem za stara na pierwsze dziecko... zresztą, uczciwie mówiąc, myślałam raczej w kontekście Wiktora niż Janka, oślica piramidalna!

Janek starał się zrozumieć moje milczenie, wpatrując się we mnie intensywnie.

– Myślałaś, ale nie o moim – skrzywił się leciutko.
– Rozumiem. A teraz?

– A teraz, jeśli jeszcze nie jest dla mnie za późno...

– Ale nie będziemy się spieszyć, dobrze? Niech to się samo ułoży.

– Bardzo dobrze – powiedziałam, przytulając się do niego. – Zgadzam się na wszystko, na zawiadamianie rodziny podczas Gwiazdki, na przeprowadzki, na co tylko chcesz. To ja zamierzam być potulną żoną. Całe życie chciałam być potulną żoną. Podejrzewam, że wiele tak zwanych wyzwolonych kobiet tego chce. Tylko do tego potrzeba mieć kogoś z osobowością silniejszą od naszej własnej. Nie mogłabym być potulną żoną dla mięczaka. Jak to dobrze, że wreszcie mi się trafiłeś, Jasiu. A na razie, aż do świąt, dajemy sobie wolne od myślenia na tematy zasadnicze. To znaczy mieszkanie i tak dalej.

– Zgoda. Do świąt będę się od ciebie wymykał. Tylko Kajtka chyba wypada wtajemniczyć. Widzisz, my jesteśmy dosyć związani.

– Sam go będziesz zawiadamiał, czy wezwiemy go przed nasze wspólne oblicze?

– Jak to miło, kiedy mówisz o naszym wspólnym obliczu. Może najpierw ja z nim pogadam wstępnie, a potem go wezwiemy?

– Jak chcesz, mój przyszły mężu...

– Ciekaw jestem, jak długo wytrzymasz w takiej potulności, zanim nie znudzi ci się ona śmiertelnie – zaśmiał się i powróciliśmy do niewerbalnych sposobów komunikacji interpersonalnej. Jak to się teraz mądrze mówi w pisemkach dla ubogich duchem konsumentów homogenizowanej papki medialnej.

Emilka

Zdałam ten egzamin, eksternistycznie zresztą, i dostałam kwity. Jestem hipoterapeutką z uprawnieniami. Sympatyczni faceci w komisji bardzo mnie chwalili. Nie mam złudzeń – wszystko jest zasługą Rafała, który mnie przygotował jakoś bezboleśnie do tego egzaminu i w ogóle do tej pracy, a ja się tego tak bałam na początku!

Żeby tylko on teraz nie uznał, że może mnie zostawić samą z całym tym hipoterapeutycznym majdanem i nie wyjechał do Janowa Podlaskiego albo gdzie indziej!

Na razie się na to nie zanosi, na szczęście całe. W końcu jestem dość świeża zawodowo i będę się pewniej czuła pod okiem doświadczonego fachowca. No. Właśnie tak.

Nie rozumiem swoich własnych uczuć w stosunku do Rafała. Niby nie jestem w nim zakochana, ale kiedy go nie ma w okolicy, czuję się dziwnie i raczej nieprzyjemnie. Grechuta kiedyś śpiewał coś na ten temat, chyba to było ze Słowackiego – albo z Mickiewicza, nie pamiętam, muszę spytać Lulę. O ile, oczywiście, przestanie na mnie kiedyś patrzeć wilkiem.

Jest nadzieja, że przestanie. Kajtek mnie w ścisłej tajemnicy zawiadomił, że w święta dowiemy się wszyscy, jakie to wiekopomne decyzje podjęli wspólnie Lula z Jankiem. Więcej mi nie chciał zdradzić, niewdzięczny szczeniak, a przecież to ja mu poradziłam męską rozmowę z ojcem! Ale on teraz mówi, że nie może zdradzać cudzych tajemnic. Niby racja. Zresztą nic nie szkodzi, i tak się domyślam, skoro podjęli jakieś decyzje, które nadają się do przekazywania rodzinie w sposób uroczysty, to w grę wchodzi małżeństwo i nic innego. Jagódka będzie miała swój welon do niesienia. Ale na ich miejscu poczekałabym do wiosny, niech bzy zakwitną, tulipany botaniczne, narcyzy i inne pachące kwiatuszki stosowne do ślubnej wiązanki. Bo, oczywiście, ja sama jej zrobię tę wiązankę i będzie to bukiet, który przejdzie do historii ślubów marysińskich!

Trochę się teraz denerwuję, bo Lesław nie daje znaku życia, napsuł mi krwi tym głupim SMS-em o Rafale i zamilkł. Rafała to nie rusza, tak przynajmniej twierdzi.

Na święta zaprosiliśmy Tadzia, ale okazało się, że zaprosiła go również Primula, więc Wigilię i pierwszy dzień spędzi u niej, natomiast zaproponował, że w drugie święto przyjedzie i urządzi nam – a zwłaszcza Omci, spragnionej liberyjnego rajtra – przejażdżkę bryczką. Może nawet kulig, jeśli będzie odpowiednia ilość śniegu. Na razie się na to nie zanosi, śnieg jest wyłącznie w górach, a tu leżą jakieś takie dziwne placki, które spadły kiedyś przez pomyłkę.

Wiktory, oczywiście, przyjadą. Chciałabym się dowiedzieć, co Wiktor zrobił w wiadomej sprawie! Na razie nie można się z nim dogadać, ilekroć do niego dzwoniłam, był zabiegany jak wariat. Nie dziwię się – musi zadowolić dwie wymagające klientki. Mam nadzieję, że wydusi z nich mnóstwo forsy, co by mu pozwoliło kupić i wyremontować chałupę starej Kiełbasińskiej! Wtedy Lula z Jankiem mogliby zająć ten strych, co to sobie Wiktory przysposobiły i na którym teraz Jagódka boi się sama spać!

Nie chcę, żeby Rafał jechał do Janowa na święta! Ani nigdzie indziej.

Moi rodzice dzwonili z nadzieją, że ich odwiedzę, ale im wytłumaczyłam, że chciałabym zobaczyć Boże Narodzenie tutaj, bo ta nasza Rotmistrzówka tak niespodziewanie stała się naszym prawdziwym domem, a my jakby prawdziwą rodziną – a przecież jesteśmy tu od pół roku dopiero! Zresztą obydwie babcie stanowczo zabroniły mi się ruszać gdziekolwiek, twierdząc, że beze mnie to nie będą prawdziwe święta.

Och, jak fajnie jest usłyszeć coś takiego!!!

Lula

Stał się cud i spadł śnieg. Trzy dni przed świętami. Uczciwie mówiąc, wolałabym, żeby się ten cud wydarzył już w same święta, bo drogi częściowo zasypało i chociaż służby komunalne dzielnie je odsypały, to jednak komunikacja się skomplikowała.

Boże Narodzenie spędzimy absolutnie rodzinnie, bez żadnych gości z zewnątrz. Nie liczę Ruperta i Malwiny, bo oni już też są nasi, a tym bardziej Tadzio, który też się do nas wybiera. O babci Mariannie w ogóle nie wspomnę, bo nie wypada w tym kontekście. Ona jest tutejsza dawniej niż którekolwiek z nas, chociaż miała w tym sporą przerwę. Ale dzielnie nadrabia zaległości, chociaż jej akcent wciąż jest dosyć pocieszny. Za to z gramatyką coraz rzadziej się mija.

Zastanawiałam się, czy Rafał gdzieś nie pojedzie, ale raczej nie. Ciekawe, czy on w ogóle nie ma żadnej rodziny?

Mam trochę tremy na myśl o naszym postanowieniu, to znaczy o tym zawiadamianiu wszystkich co do moich i Jankowych planów matrymonialnych. Nigdy nie byłam w centrum zainteresowania i nie lubię być w centrum zainteresowania, a tym razem, jak sądzę, nie obejdzie się bez tego.

Staram się o tym nie myśleć i koncentruję się na przygotowaniach do świąt, bo, oczywiście, wszystko spadło mi na głowę. Emilka niby stara się mi pomagać, ale prawdę mówiąc, wolę, kiedy pomaga mi Janek. Ona z kolei chyba woli pomagać Rafałowi w stajni, więc jeśli nie wchodzi w grę wyrzucanie gnoju spod koni, wymieniają się z Jasiem. Ewa proponowała, że przywiezie z Krakowa znakomite ciasta, ale podziękowałam. Znakomite ciasta z Krakowa mogą być na każdą inną okazję, ale teraz wszystko musi być zrobione w domu. Ciasto na piernik ugniotłam miesiąc temu, a od tygodnia leży upieczony w spiżarni i czeka, aż dojrzeje. Kajtek z Jagódką kręcą się wokół niego, ale zapowiedziałam, że uduszę, jeśli ruszą. Małe pierniczki piekliśmy wczoraj, więc po upieczeniu pozwoliłam im spróbować. Wyprodukowaliśmy sporo dość kulfoniastych aniołków na choinkę, dziś od rana dzieciaki dekorują je zawzięcie za pomocą farbowanego marcepanu, a Janek kręci mak.

Boże, jakie przyjemne są takie przygotowania! W ogóle atmosfera zrobiła się świąteczna, zapachy unoszą się wszędzie jak najbardziej stosowne, bo i ciasta pieczone, i choinka na ganku sieje aromaty – Krzysio Przybysz dostarczył nam ją życzliwie, zapowiadając się z wizytą w drugie święto. W drugie święto będziemy tu mieć pół świata... I to też wydaje mi się cudowne.

Niezależnie od cudowności, na jutro zamówiłam Żaklinę do pomocy przy ostatecznych porządkach i przygotowaniach kuchennych.

Jaka ja byłam mądra, że prezenty kupiłam w zeszłym tygodniu! Gdybym zostawiła to sobie na teraz, oszalałabym i nie zdążyła z niczym.

Janek woła, że mak chyba ma dosyć.

Emilka

Babcie wzięły mnie na dywanik dzień przed Wigilią.

– Emilka, ty coś wiesz – zaczęła babcia Stasia tonem dosyć groźnym, a Omcia stukała w takt jej wypowiedzi swoją laseczką w podłogę. – Ty coś wiesz i nie chcesz nam powiedzieć. My cię przywołujemy do porządku. Czy ty chcesz dwie starsze panie przyprawić o szokowe nadciśnienie? Mnie lekarz zabronił się denerwować.

– Mnie też zabronył, a ja czuję, że mnie skoczyło czysznienie dżyszaj rano bardzo poważnie. – Stuk w podłogę. – Ty szę, dżecko, przyznaj. Co wiesz.

– A co ja mam wiedzieć, proszę bab – próbowałam się wykręcić, ale babcie tylko prychnęły dwugłosowo. – Babcie zrozumieją, to nie jest moja tajemnica – usiłowałam zastosować patent Kajtka.

Staruszkom oczka błysnęły, jak na komendę.

– Ach, więc jest tajemnica! Tak myślałyśmy, bo Lula ostatnio chodzi jak nieprzytomna, a Janek stale się śmieje! Mów natychmiast, dogadali się?

– Babciu!

– Nie wykręcaj się sianem, moje dziecko!

– Bo szę będżemy domyszlacz nie wiadomo czego! A potem zrobimy z szebie dwie głupie! Tak szę u was mówi?

– Tak – jęknęłam. – Ale dlaczego babcie miałyby z siebie zrobić dwie głupie?

– Z nieświadomości – wyjaśniła mi babcia Stasia. I po namyśle dodała z chytrą miną: – Jeśli nam nie powiesz, to przysięgam ci, że w ramach składania życzeń świątecznych będziemy Luli i Jasiowi życzyły długiego i szczęśliwego pożycia.

– I powiemy, że to wszystko dżęki tobie, bo ty szę na Janka rzucałasz i rzucałasz, aż Lula zrobiła szę zazdrosna.

A to niedobre babcie! Zeźliłam się.

– To ja powiem, żeście opłaciły studentki!

Starsze panie wymieniły spojrzenia.

– A kto by ci uwierzył w taką głupotę – rzuciła od niechcenia babcia Stasia. – My się wyprzemy i będzie wyglądało, że odrzucasz piłeczkę.

Zrozumiałam, że lepiej będzie wtajemniczyć staruszki w to, co sama wiem, bo naprawdę mogą wymyślić coś, od czego włosy nam dęba staną na głowach.

– Słuchajcie, moje drogie – przeszłam na ton konspiracyjny, co sprawiło, iż obie babcie, najwyraźniej zachwycone, pochyliły ku mnie sędziwe głowy. – Macie rację. Oni się dogadali. Ale nie wiem dokładnie, do jakiego stopnia. Wiem tylko, że mają zamiar złożyć jakieś wspólne oświadczenie podczas Wigilii.

– Będą szę żenicz – mruknęła Omcia. – Nyc innego, tylko to.

– Ja też tak myślę. Ale, na litość boską, nie psujcie im niespodzianki! Niech im się wydaje, że nikt nic nie wie!

– Za co ty nas masz, Emilko? – Babcia Stasia wyglądała jak ucieleśnienie obrażonej niewinności. – Oczywiście, że będziemy trzymały język za zębami. To idiom, moja Marianno, potem ci wytłumaczę...

– Nie muszysz, ja szwietnie wiem, co to znaczy – odgryzła się Omcia. – Emilka, to wszystko, co szę dowiedziałasz?

– Wszystko – westchnęłam.

Uwierzyły. Albo uznały, że wiedzą dosyć.

– To teraz idź, pomóż Luli albo co, a my się z Marianną naradzimy. I napijemy koniaczku. Czy nalewki, Marianno?

– Nalewki to na szwięta. Dżyszaj dżeń powszechny, to szę napijemy zwykłego napoleona.

– Powszedni, Omciu.

– Poprzedni. Poprzedni? Aha, przed Wigilią, poprzedni, wilia Wilii. Jak to ty mówiłasz, Stanyslawa? W Wigiliją dżeczy biją?

– W Wigiliją dzieci biją, w kąt posadzą, jeść nie dadzą.

– Powszedni, Omciu, nie poprzedni. Powszedni, zwykły.

– Co zwykłe, napoleon? No mówię przecież.

– Dzień powszedni, babciu. No dobrze, już idę...

Dobrze, że mnie wypuściły, leciwe harpie, bo musiałam jechać do Jeleniej Góry po prezenty. Nie wiem, dlaczego nie pomyślałam wcześniej, dam głowę, że taka na przykład Lula od miesiąca chowa pełną szafkę doskonale przemyślanych prezentów dla wszystkich. Tylko dla Jagódki i Kajtka mamy już prezenty zbiorowe, składkowe i uzgodnione z rodzicami – pełne stroje jeździeckie w stylu angielskim, bo uznaliśmy, że będą wyglądać słodko w tużurkach i melonikach. Zwłaszcza Jagusia. Oczywiście, umówiliśmy się w sklepie we Wrocławiu na ewentualne wymiany, bo trudno jest kupować ubrania i buty na niewidzianego. Ale pod choinką będą miały wszystko, łącznie z palcatami i żabotami pod szyję. Omcia zamierza podarować Jagusi jakąś starą broszkę do żabocika.

W Jeleniej Górze, co można było przewidzieć, kociokwik pełen, sklepy zapchane takimi samymi gapami, jak ja, ale coś tam udało mi się ponabywać, zwłaszcza że pewne koncepcje już miałam. Dla Luli kupiłam perfumy – jakiś czas temu przetestowałam na Jasiu, jakie zapachy robią na nim wrażenie, i wybrałam Kashayę Kenzo, specjalnie pod jego nos. Lula może nie być początkowo zadowolona, bo ona raczej pachnie mydełkiem lawendowym, ale niech się kobieta uczy, jak przyciągać zmysły ukochanego mężczyzny. Jankowi podaruję jedną taką uczoną książkę... Na pewno im się przyda w życiu przyszłym. Babci Stasi kupiłam trzy świeżutkie kryminały, Kena McClure, Grishama i jeden jakiejś nowej Ruskiej, Omci trzy stare Chmielewskie, niech staruszka szlifuje współczesną polszczyznę i ma przy tym trochę radości życia. Wiktorów chciałam obdarować podręcznikiem chowu niemowlaka, ale zawahałam się w ostatniej chwili – to by mogło być jednak zbyt ryzykowne. Byłam już w poważnym kłopocie, ale natknęłam się na Rynku na jakiegoś faceta, który na małym stoliku wyłożył różne starocia, zapewne w przekonaniu, że święta pomogą mu je upchnąć w narodzie. Bez przekonania podeszłam do niego i wśród różnych koszmarnych figurek zobaczyłam śliczny stary obrazek przedstawiający tenże Rynek z górami prześwitującymi w wylocie ulicy. Na moje oko to był ten kawałek gór, pod którymi znajduje się Marysin – spytałam faceta, a on potwierdził.

– To prawdziwy oleodruk, wisiał w domu, do którego moja rodzina się sprowadziła tuż po wojnie – wyjaśnił.

Nie wiedziałam, czy to dobrze, że oleodruk, czy nie. Zapytałabym Lulę, gdyby była pod ręką, ale jej nie było pod ręką. Facet zorientował się w moich wątpliwościach i chytrze zmrużył oczka – i tak już malutkie, w kolorze niebieskim z dużą domieszką czerwonego.

– Te oleodruki, pani, to kiedyś były w pogardzie. Że to nie obraz. Ale teraz to się liczy, że stary. On ma ze siedemdziesiąt lat albo więcej, tu na drugiej stronie jest dedykacja, ktoś komuś dał na prezent, pani zobaczy.

Podetknął mi odwrotną stronę oleodruku pod nos, faktycznie, była tam dedykacja, jakiś Hans się oświadczał jakiejś frojlajn Gretchen po niemiecku i data: 1926 rok.

– O, nawet więcej niż siedemdziesiąt. Prawie osiemdziesiąt. To już zabytek. Ja bym go nie sprzedawał, ale pani rozumie, sytuacja przymusowa. Za stówę oddam, nie będę się targował.

Znowu nie wiedziałam, czy stówa to dużo, czy nie, ale pomyślałam, że towar jest tyle wart, ile można za niego wziąć albo ile ma się ochotę za niego zapłacić. Obrazek mi się podobał. Wyciągnęłam stówę. Facet uśmiechnął się i z dużą godnością (jak na starego pijaczka) przyjął ode mnie banknot. Chuchnął na niego i życzył mi szczęścia, przepraszając jednocześnie, że nie ma w co opakować zabytku.

– Nie szkodzi – powiedziałam równie uprzejmie. – Kupię do niego ładny papier i opakuję go sama. Wesołych Świąt!

– Wesołych Świąt. Zobaczy pani, ten obrazek przynosi szczęście. Nie wiem, komu pani chce go dać, ale temu komuś przyniesie na pewno. Tam, gdzie on wisi, jest zgoda w rodzinie i ład, i porządek. Tak było u nas w domu. No, wszystkiego najlepszego.

Odeszłam, unikając być może ponurej opowieści o tym, dlaczego w domu przestało być fajnie. Prawdopodobnie dlatego, że pan tego domu wpadł w szpony nałogu i zaczął chlać bez opamiętania. To mnie już nie interesowało, Wiktory nie mają inklinacji do nadmiernego picia, obrazek będzie mógł bez przeszód pełnić swoją powinność.

Pozostawał mi prezent dla Rafała. Nie miałam żadnej koncepcji co do niego, dotarło bowiem do mnie, że prawdę mówiąc, wcale faceta nie znam, nie wiem, co on lubi, czego nie, co mu może sprawić przyjemność, a czego powinnam unikać – po prostu biała kartka. Jak to się stało? Znamy się już kilka miesięcy, pracujemy razem, ciągnie mnie do niego ewidentnie... Swoją drogą, ciekawe, czy on ma podobny dylemat. A może się dogadał z Lulą i ona mu coś podpowiedziała?

Wykonując usilną pracę myślową, zawędrowałam z powrotem do księgarni, w której już raz byłam, i zaczęłam bezmyślnie łazić wzdłuż półek. Oko moje padło na kalendarze i doznałam oświecenia. Kalendarz. Kupię mu ładny, w skórkę oprawiony kalendarz, żeby miał w czym zapisywać terminy zajęć naszych klientów od terapii i w ogóle co chce, niech zapisuje, a ja mu będę życzyć, żeby wszystko, co do kalendarza wpisze, okazało się korzystne i szczęśliwe.

Po namyśle dołożyłam do kalendarza ładne, nieprzesadnie drogie pióro Pelikana. Niech ma czym wpisywać te szczęśliwe wydarzenia. Po kolejnym namyśle nabyłam drugi, podobny kalendarz dla Tadzinka, co to szkodzi, że nie będzie go na naszej Wigilii, jak przyjedzie, to mu dam. W końcu to stary przyjaciel.

Namyśliłam się jeszcze na odwiedziny w sklepie z ozdóbkami na choinkę, pomyślałam sobie bowiem, że może nikt nie pomyślał o odnowieniu zapasów, a babcia pewnie nie ma ich zbyt wiele, tych ozdóbek.

Aż mnie zmęczyło to myślenie.

Kiedy udało mi się wrócić do domu, panowało tam potężne pandemonium, ponieważ przyjechały Wiktory, a w salonie stanęła Krzysiowa choinka, którą dzieci pod światłym kierunkiem Mistrza zaczęły ubierać, narzekając, oczywiście, na niedobór ozdóbek. Wypakowałam swój bagażnik, odganiając szczeniaki od niedozwolonych paczek, dałam im kartony z bombkami i aniołkami, a kiedy one zabrały się do dopasowywania do nich zawieszek z czerwonego sznureczka (też kupiłam przewidująco), odciągnęłam Wiktora na bok.

– Mów, Wiciu, szybko, jak tam twoje sprawy, bo za chwilę znowu po ciebie ktoś przyleci i będziesz się musiał udzielać!

Wiktor natychmiast zrozumiał, o co mi chodzi, i nie próbował się wykręcać.

– Staram się, moja droga, staram. Na razie nie widzę jeszcze rezultatów, ale robię, co mogę. Nawet mi to nieźle wychodzi, Ewa ma teraz stresy na uczelni, brakuje jej Jagódki, więc daje się pocieszać spontanicznie i niespodziewanie. Mój Boże, mam nadzieję, że w końcu się uda, bo te dwie moje baby mnie wykończą.

– Masz na myśli Megi i Pegi?

– Megi i Beti. Słuchaj, nie masz pojęcia, co się stało. Już miałem gotową prawie całą koncepcję promocji tego magazynu, wiesz, „Trendów", kiedy one się zorientowały, że coś takiego już na rynku hula. Dokładnie pod tytułem „Trendy". Nie mam pojęcia, jak im to zdołało umknąć, przecież chyba robiły jakieś rozeznanie, kiedy chciały wepchnąć na rynek kolejny magazyn o tym samym. Nawiasem mówiąc, ja mam ewentualnych czytelników przekonać, że to coś zupełnie nowego i innego, rozumiesz? Boże, co ja też muszę robić, żeby zarobić!

– O matko. No i co teraz?

– Nic teraz, właściwie nawet dobrze dla mnie, bo one obie postanowiły skonsolidować siły i środki, zawarły spółkę, zapłaciły mi, to znaczy jeszcze nie w tej chwili, ale lada moment zapłacą za tę koncepcję do „Trendów", w końcu robotę zleconą wykonałem... a teraz mam się ekspresowo zabierać do konstruowania nowej koncepcji promocji czegoś, co chcą nazwać „Tylko Ty".

– Jakiś magazynek dla egoistów?

– Coś w tym rodzaju. Jesteś tego warta, zasługujesz na to, blablabla. Proszę bardzo, ja już mam doświadczenie w produkcji idiotycznych haseł i całych idiotycznych historyjek, nawet obrazkowych, mogę je produkować pod warunkiem, że dostanę za to sowite honorarium. Akcesoria wychodkowe idą jak woda, spożywka jest w zasadzie niezawodna, bo mała Beti koncentruje się na ekskluzywach, a nie na supermarketach, i kosi straszne pieniądze za każdą pieprzoną ostrygę, którą sprowadza z Irlandii, wyobrażasz sobie? Z Irlandii! Z jakiegoś hrabstwa, Donegal, a może innego, Donegal to chyba na północy, czy ostrygi mogą żyć na północy? W sumie mają panienki środki na nową zabawkę. Przy ich zdolnościach do robienia interesów dam głowę, że złoto popłynie szeroką rzeką. I nie mam nic przeciwko temu, żeby jeden mały strumyczek odłączył się od tej rzeki i popłynął do mojej kieszeni.

– I co potem, będziesz już bogaty?

– Na tyle przynajmniej, żeby określić jasno warunki, na jakich zamierzam dla nich pracować, znaczy dla Megi i Beti. To znaczy, nie będą już we mnie orać nieprzytomnie w dzień i w nocy, tylko im po pańsku wyznaczę, powiedzmy, trzy miesiące w roku, kiedy będę do ich dyspozycji. Góra cztery, po dwa na buźkę. I niech się mną dzielą. A ja będę zażywał sławy ekscentrycznego projektanta, dizajnera, czy jak tam się teraz nazywa to, co uprawiam zawodowo. One robią tyle hałasu wokół siebie, że mam szansę naprawdę tak żyć. A ty życz mi tego, kochana Emilko.

– Życzę ci tego, kochany Wiktorku.

– Dziękuję ci, przyjaciółko. A powiedz, tak nawiasem, co u Luli?

Ostatnie zdanie wymówił przyciszonym głosem i nieco odwrócił wzrok, jakby zawstydzony.

Czy ja mam znowu zdradzać nie swoją tajemnicę? To już chyba wszyscy będą wiedzieli, co jest na rzeczy? Nie, jeszcze Ewa zostanie. I Rafał. On się nie pcha do wyrywania mi sekretów.

– Powiem ci, Wiktor, ale błagam, nie zdradź się, że wiesz. Wygląda na to, że ogłoszą wielką nowinę wspólnie z Jankiem w sam wieczór wigilijny.

– A.

Zatkało go, mimo że chciał wiedzieć. No trudno, tak toczy się ten świat.

– Wiktor, jeżeli masz dla niej cieplejsze uczucia, to powinieneś się cieszyć, że jej się układa!

– Cieszę się. Naprawdę. Cholera. Patrz, jak to wszystko wyszło dziwnie.

– Dobrze wyszło, najlepiej, jak było można! I dla niej, i dla Jasia, i dla Kajtka, i dla was ostatecznie też, po co komu takie okropne komplikacje, jakie się tu już zaczęły wytwarzać! A ty nie kombinuj niczego, tylko skoncentruj się na tym, co wiesz, a ja rozumiem!

– Masz rację, oczywiście.

– Bądź mężczyzną!

– Będę. Cholera. No dobrze. Dziękuję ci, kochana Emilko. Dobra z ciebie dziewczyna.

– Pewnie, że dobra. Idź już do dzieci, zanim przyjdzie po ciebie twoja żona i zastanie nas w tetatecie, i zacznie coś podejrzewać. Idź. I broń cię Bóg, żebyś coś Ewie chlapnął na temat Luli i Janka. I pamiętaj, pełne zdziwko jutro w czasie komunikatu.

Cmoknął mnie zdawkowo w czubek głowy i odszedł, zamyślony jak romantyczny poeta, bardzo przystojny, z czarną grzywą i nasępionymi brwiami. Powinien oddalić się w stronę Judahu skały, czy jak tam się to nazywało.

A ja poszłam do stajni, gdzie Rafał samotnie czyścił konie, które właśnie przypędził z padoków. I pomogłam mu, a on był zadowolony. Widziałam to w jego twarzy. Ale nic nie powiedział, bo był w jednym ze swoich małomównych nastrojów.

Lula

Nie wiem, czy gdzieś na świecie tak pięknie się obchodzi Boże Narodzenie, jak u nas. W ostatnich latach pętałam się po różnych Wigiliach u różnych pociotków i przyjaciółek, z rodzicami Emilki w Węgorzynie włącznie, ale to nie było to, absolutnie! Do Wigilii powinna zasiadać liczna, zgrana, kochająca się rodzina i tak to właśnie u nas wyglądało, strasznie nas dużo było: obie babcie, trójka Wiktorów, Emilka, Rafał, Janek z Kajtkiem i ja – dziesięć osób. Babcia Stasia popłakiwała co chwila ze wzruszenia i szczęścia, a babcia Marianna poiła ją czymś podejrzanym z piersiówki, zapewne dla uspokojenia palpitacji.

A ja nie mogłam tak całkowicie oddać się kontemplacji szczęśliwego dnia. Bo cały czas miałam przed sobą perspektywę tego naszego wspólnego z Jankiem oświadczenia, co mnie denerwowało, ponieważ z natury naprawdę jestem skromna i nie lubię, kiedy uwaga ogółu skupia się na mnie. A tym razem to było nieuniknione. Oczywiście, wiedziałam, że to będzie uwaga życzliwa, nawet w przypadku Emilki, jak sądzę... Wiktor też powinien z ulgą przyjąć koniec komplikacji w naszych stosunkach. Komplikacji, którym ja i tylko ja byłam winna.

Ach, jednym słowem, sama nie wiem, jak nam ta wieczerza przeleciała – potrawy, na szczęście, wszystkie się udały jak trzeba, trochę oszukałam zupę, bo dla ułatwienia zamiast barszczu z uszkami zrobiłam grzybową z makaronem, ale grzyby to były same prawdziwki, które udało mi się znaleźć jesienią w lesie, bardzo niedaleko od Rotmistrzówki (wypatrzyłam je kiedyś z grzbietu Bibułki, to zabawne, jak doskonale zbiera się grzyby z konia!), a makaron pracowicie ugniotłam sama. Śledzi i rybek różnych w warzywach narobiłam już wcześniej, i tak musiały się kilka dni przegryźć, więc przystawki miałam w odpowiednich ilościach. Karpie kupił i ukatrupił Janek wcześnie rano w Wigilię, umówił się co do tego z właścicielem hodowli, więc były najświeższe z możliwych – smażyłam je na maśle i zapiekłam w piekarniku. No i ta cała reszta. Kapusta, groch, fasola, smażone panierowane prawdziwki, kompot z suszu...

Pomimo że wizja oświadczenia cały czas mnie straszyła, miałam jednak wielką przyjemność z urządzania tej wieczerzy. Czyżbym kryła w sobie utajoną gospodynię domową? To nie do wiary, jak człowiek sam siebie nie zna. Pod wpływem Jasia nabrałam ochoty do bycia potulną żoną, a mając okazję do zrobienia wigilii na dziesięć osób, stanęłam na wysokości zadania śpiewająco po

prostu. Oto jak w nowych okolicznościach człowiek od-
krywa sam siebie i swoje zdolności, o które nigdy by się
nie podejrzewał.

Tak na stałe chyba nie chciałabym być kurą domową
ani papciatą żoneczką, ale od czasu do czasu... Zwłaszcza że sukces był ewidentny. Obie babcie łykały hepatil
przed każdym kolejnym daniem, po czym nakładały sobie
szczodrze i nie mogły się nachwalić. Nawet dzieci jadły
bez protestów, a jak wiadomo, dzieci nie mają nigdy cierpliwości do wieczerzy, bo czekają na prezenty.

Prezenty postanowiliśmy rozdać przed ciastami. Ewa
przywiozła z Krakowa potwornej wielkości wór z kolorowej i błyszczącej tkaniny; wrzuciliśmy do niego
wszystkie nasze pakunki, a potem Kajtek z Jagódką, jako najmłodsi, wyciągali po jednym, podawali babciom,
a one uroczyście odczytywały imiona i wręczały prezenty
właścicielom. Były tego straszliwe ilości, ponieważ chyba każdy kupił coś każdemu.

BARDZO CHCIAŁABYM WIEDZIEĆ, KTO PO-
DAROWAŁ JASIOWI PODRĘCZNIK MASAŻU ERO-
TYCZNEGO!!!

Podejrzewam Emilkę, chociaż dedykacja była kłamliwie podpisana przez Świętego Mikołaja. Fałszywy święty
życzył Jasiowi przyjemnej nauki, a zwłaszcza praktyki.

Bezczelność.

Z drugiej strony... robi mi się dziwnie na myśl, w jaki
sposób Janeczek to wykorzysta...

Ten sam Święty Mikołaj, tym samym zmienionym
charakterem pisma, życzył mi sukcesów w oczarowaniu
ukochanego mężczyzny za pomocą jakiejś okropnej, du-
szącej perfumy, która prawdopodobnie kosztowała krocie.
Zamierzałam schować ją przed Jankiem jak najgłębiej,

niestety, sam mi ją wyjął z ręki, psiknął na mnie, powąchał i oczy mu się zaokrągliły. Może zrewiduję swoje pierwotne podejście do pachnidła.

Dostałam jeszcze mnóstwo różnych drobiazgów, a ich charakter każe mi przypuszczać zawiązanie spisku, który ma na celu przerobienie mnie na kokotę. Jakieś zwiewne szale, obłędnie woniejące mydełka i balsamy do ciała, paleta cieni do oczu i wszystkiego firmy Dior, a wreszcie – jak Boga kocham! – różowa koszulka nocna wielkości chustki do nosa, za to cała w pianie koronek i do niej różowy peniuar. O ten wytworny zestaw podejrzewam babcię, tylko nie wiem którą. Może obie zbiorowo, bo strasznie się wpatrywały we mnie, kiedy rozwijałam te dwie jednakowo zapakowane (w złocisty papier, a jakże!) paczuszki. Udawały przy tym, że skądże, nic je to nie obchodzi, jak ja zareaguję na zawartość.

Ja jak ja, ale Jasiowi znowu oko błysnęło.

A może to od niego? Nie, od niego były te szale, przyznał mi się.

Od Wiktora dostałam swój portret. Bardzo piękny i – jak to z Wiktorem bywa zazwyczaj – bardzo dziwny. Swoim ulubionym zwyczajem pomieszał czasy. Tym razem namalował mnie na tle jakiegoś okropnego industrialnego pejzażu jako stylową amazonkę prościutko z dziewiętnastego wieku. Stoję sobie w tym wytwornym stroju na jakiejś koszmarnej ulicy, po której jeżdżą dźwigi i koparki, a z okna jednego z otaczających ulicę wieżowców wygląda głowa konia. Zapewne mojego, bo ogłowie ma w kolorach mojej spódnicy. I koń, i ja wyróżniamy się na tle szaroburego otoczenia wyrazistymi, nasyconymi kolorami i śmiałymi konturami – poza nami wszystko jest lekko rozmazane i ogólnie obrzydliwe.

Niezależnie od stanu moich uczuć, nie mogę Wiktorowi odmówić talentu, a może nawet geniuszu!

Portret wzbudził ogólny zachwyt i słusznie.

Największą radość, oczywiście, miały nasze dzieci, kiedy przymierzyły swoje stroje jeździeckie i okazało się, że w zasadzie wszystko pasuje, włącznie z butami, co nas najbardziej zaskoczyło. To znaczy, obie pary mają niejakie luzy, ale dzieci stanowczo odmówiły wymiany, twierdząc, nie bez racji, że nogi im rosną. Wszystko im rośnie i te stroje będą pewnie na rok, ale niech będą i na rok. Mamy nadzieję, że w zimie proces rośnięcia obojga trochę się wstrzyma, bo przez lato oboje ładnie śmignęli w górę. Na wszelki wypadek nie tylko buty kupiliśmy z zapasami.

Moje prezenty na ogół znalazły uznanie, najbardziej chyba cieszyła się babcia Marianna z pięknego wisiora ze szlifowanym kryształem różowym, który dla niej nabyłam w Szklarskiej Porębie. Emilka też dostała biżutkę, kupiłam jej pierścionek z wielkim pasiastym agatem, rozmiar trafiłam, bo obie mamy podobne palce. Ona lubi takie wyzywające pierścienie, to niech ma. Nawet ładnie na niej to wygląda.

Dla Janka miałam piękny kalendarz w skórkowej oprawie, żeby mu było przyjemnie robić zapiski i pióro Watermana, żeby miał czym zapisywać. Podobne kalendarze, ale już bez pióra, kupiłam Wiktorowi i Rafałowi.

To na pewno był rodzaj psychozy, ale cały czas, zarówno podczas wieczerzy, jak i rozdawania i rozpakowywania prezentów miałam wrażenie, że wszyscy patrzą na nas ukradkiem i tak jakby chcieli przyspieszyć wszystko; jakby chcieli, żebyśmy z Jankiem jak najszybciej ogłosili, co mamy ogłosić.

Oczywiste złudzenie. A jednak.

Bo jakoś tak nagle, w chwili największego szaleństwa prezentowego, zapadła niespodziewana cisza, wszyscy spojrzeli na nas, na siebie nawzajem, potem wrócili jeszcze na chwilę do kwiczenia nad prezentami i znowu zapadła ta dziwna cisza.

Przerwała ją Emilka, pytając głośno i demonstracyjnie, czy należy już podawać ciasta.

Głucha cisza.

I te oczy z rozbieżnym zezem: jedno w prezentach, drugie w nas!

Mam przywidzenia.

Na szczęście Janek nie zawracał sobie głowy żadnymi przywidzeniami, tylko po prostu przemówił ludzkim głosem, jak to on, spokojnie i łagodnie.

– Emilko, proszę cię, wstrzymaj się z ciastami na chwileczkę...

Czyżbym usłyszała zbiorowe westchnienie ulgi???

– Zanim się zaczniemy znowu nieprzyzwoicie objadać, chcemy was zawiadomić, to znaczy Lula i ja, że zamierzamy się pobrać wiosną. Uznaliśmy, że to będzie dobry moment, aby wam o tym powiedzieć. Czy możemy liczyć na wasz zbiorowe błogosławieństwo?

Boże, dzięki Ci za przytomnego męża. To znaczy przyszłego, ale męża. Ja bym oszalała, zanimby mi się udało wygłosić taki komunikat. A on nic.

Najbardziej impulsywnie zareagowała Ewa.

– Boże jedyny! Kto by się spodziewał? Ale jesteście ścichapęczki! Kiedyście się zdążyli dogadać, przecież nas tu nie ma trzeci miesiąc, a przedtem nic nie zauważyłam!

– Prawdziwa miłość, Ewuniu – odpowiedział godnie mój przyszły, obejmując mnie za ramiona – nie wymaga specjalnej reklamy. Tak nam jakoś wyszło. Sami też nie wiemy, kiedy. Ale ogólnie jesteśmy zadowoleni z naszego porozumienia.

– Nie, dla mnie to też bomba! – zawołała Ewa i rzuciła mi się na szyję, mam wrażenie, że jak najbardziej szczerze i serdecznie. Za nią poszła cała reszta i wszyscy tak nas ściskali zbiorowo, okazując nam mnóstwo przyjaznych uczuć. Trochę mnie to oszołomiło. Ale to było przyjemne oszołomienie.

Pierwsze z ogólnego ścisku wyrwały się babcie.

– Jaszu, a powiedz mi, chlopcze – Marianna swoją suchą, ale zdecydowaną rączką wyszarpnęła Jasia z tłumu – czy ty dałeś swojej wybranej perszczonek na zaręczyny?

– Jeszcze nie, proszę babci – odpowiedział Janek i sięgnął do kieszeni, ale babcia go ubiegła.

– Ja tu mam coś dla czebie. To nasze rodżynne. Daj Luli. Jak wy macze bycz tutaj po nas, to niech ten perszczonek zostanie tu z wami. W Maryszinie.

Przestraszyłam się, że dostanę ten pierścionek, który babcia Stasia przechowała, a który nie przyniósł Mariannie szczęścia, ale nie. Marianna zdjęła z własnego palca absolutne cudo, filigran wenecki z malutkimi rubinkami, który od dawna budził mój dziki podziw, i to podziw wielostronny: historyka sztuki rozpoznającego osiemnasty wiek i zwyczajnej kobiety wrażliwej na piękno.

– Co szę paczysz, Jaszu? – Mariana okazała niezadowolenie, bo Janek zawahał się i spoglądał teraz na nią podejrzliwie. – Ja tak spontanycznie! Ty myszlisz, że ja cosz wiedżałam, ale ja nyc nie wiedżalam. Czy starsza pani nie może bycz spontanyczna?

– Dziękuję, babciu. – Janek oprzytomniał i ucałował dłonie Marianny. – Naprawdę, bardzo dziękuję. Ale w takim razie mój pierścionek będzie bardzo skromny...

– Nyc nie szkodży – orzekła stanowczo Marianna.
– Liczą szę uczucza. Pokaż, co tam masz.

I Janek, kompletnie skołowany, zamiast dać mi ten pierścionek od siebie, a już go przecież wyciągnął z kieszeni – podsunął Mariannie aksamitne pudełeczko pod nos i otworzył je, żeby sobie mogła pooglądać.

– Bardzo ładne – skwitowała wreszcie. – Nie pogryże szę z tym ode mnie, bo to zupełnie inna epoka. Dobrze mówię idiomy, prawda? One szę nie gryzą, te perszczonki.

Podziwiali te biżutki, zapomniawszy zupełnie o mnie!

Reszta towarzystwa stała z głupimi minami i gapiła się to na nich, to na mnie. Pierwsza oprzytomniała babcia Stasia.

– Jasiu, opanuj się – huknęła. – Daj jej wreszcie, co masz dać, bo ja też coś dla was mam!

– Też spontanicznie? – bąknął Janek, zabierając Mariannie pudełeczko.

– O czym ty myślisz, chłopcze? Ja już dawno miałam nadzieję, że Lula sobie kogoś sensownego znajdzie i zostanie w Rotmistrzówce jako pani gospodyni, Kazimierz ją właśnie najbardziej kochał, jak córkę! Ludwisiu, to masz ode mnie i od Kazimierza, świeć Panie nad jego duszą, to jest pierścionek, który Kazimierz dał mi na zaręczyny i powiedział, że kiedyś dam go swojej córce albo narzeczonej syna... Wy oboje jesteście jak nasze dzieci, no to komu ja go mam dać, jak nie tobie? Chodź tu, dziecko, sama ci go dam, bo Janek się zajmuje nie wiadomo czym...

Wygłosiwszy to przemówienie, babcia przygarnęła mnie do piersi, w której wyczułam jeszcze resztkę szlochu, wyściskała solennie, wycałowała i wręczyła mi rzeczone świecidełko.

Kurczę blade, jeszcze jeden osiemnasty wiek.

– To też była pamiątka rodzinna, co, babciu? – zapytałam troszkę przez łzy.

– Oczywiście. Po prababce Kazimierza. Podoba ci się?

– Bardzo. Nigdy go nie widziałam u babci...

– Bo jak mi się palce zeschły, to mi zlatywał. Dzisiaj coś mnie tknęło, żeby go wziąć... sama nie wiem, dlaczego...

– Spontanicznie – mruknął Janek, śmiejąc się.

– Lula, jak Boga kocham! – wrzasnęła w tym momencie Emilka. – Będziesz trójpierścionkową narzeczoną, pierwszą na świecie! Czy to nie rozpusta przypadkiem?

Faktycznie, trzy pierścionki zaręczynowe. Czyste szaleństwo. W dodatku jednego, tego najważniejszego, jeszcze nie dostałam.

Ale już Janek podchodził do mnie z tym swoim pudełeczkiem. Zajrzałam ciekawie.

Nie był to, oczywiście, żaden osiemnasty wiek. Prosta, szeroka obrączka z białego złota, z wtopionym w środek niedużym szafirem. Absolutna prostota i absolutne cudo.

– Niebieski jak twoje oczy – szepnął mi Janek do ucha, widząc, jak zaniemówiłam z zachwytu. Mało oryginalny tekst, ale coś w nim jest.

Wszyscy obecni znowu runęli na nas, tym razem z zamiarem obejrzenia prezentu. Aplauz był ogólny.

– Lula, będziesz teraz nosiła trzy pierścionki naraz? – zapytała Ewa, która zawsze charakteryzowała się zmysłem praktycznym.

Zanim zdążyłam namyślić się nad odpowiednio dyplomatyczną odpowiedzią, zareagowała Marianna.

– Czy nie – powiedziała stanowczo. – Tylko ten od Jasza zawsze, a te dwa od starych babek tylko okazjonalnie.

188

Okazjonalnie – powtórzyła, zadowolona z opanowania tak trudnego słówka. – Pczy okazji – wyjaśniła na wszelki wypadek.

W atmosferze ogólnego szczęścia i słodyczy przystąpiliśmy do kolejnego etapu wigilii, czyli do spożywania ciast, makowców i pierników, które doskonale dojrzały i były w sam raz. A potem śpiewaliśmy kolędy, co nam wychodziło różnie, bo różny jest stopień naszej muzykalności. A jeszcze potem poszliśmy do kościoła na pasterkę i spotkaliśmy tam mnóstwo znajomych i przyjaciół...

A po pasterce poszliśmy wszyscy spać, przy czym wiadomo było, że Janek nie będzie musiał uciekać z mojego pokoju przed świtaniem...

Oszołomienie jeszcze mi nie minęło, prawdę mówiąc. I nie wiem, po co mu ten cały podręcznik.

Emilka

No, teraz to ja wzięłam babcie na dywanik.

Wigilia była wspaniała, wzruszająca, jak w najprawdziwszej rodzinie, zżytej ze sobą od czterdziestu co najmniej pokoleń. Choinka, wieczerza, te wszystkie potrawy, które Lula przygotowywała własnymi rękami, nie pozwalając sobie w niczym pomóc, i które jej wyszły niesamowicie, no po prostu cud, miód i orzeszki.

Śmiesznie zaczęło się robić przy prezentach, bo po pierwsze, okazało się, że wszyscy faceci dostali kalendarze w skórkowych oprawkach (Rafał dwa) bardzo podobne do siebie, a Janek i Rafał dodatkowo pióra, tylko Rafał pelikana ode mnie, a Jasio watermana, pewnie od Luli. Poza tym prezenty dla Luli były niemal co do jednego w tym samym, powiedziałabym, buduarowo-aluzyjnym charakterze. Jeden Wiktor się wyłamał i podarował jej portret, na który ledwie rzuciła okiem, ale trzeba przyznać, że był to rzut pełen uznania. A propos obrazków, wyszło na to, że jestem prawie znawcą, bo Wiktor uznał, że oleodruk dostał od Luli, która się poznała na jego wartości historycznej. Lula nie protestowała, bo w ogóle nie odnotowała, że jej się przypisuje ten drobiazg – była zajęta kontemplacją książeczki, którą kupiłam dla Janka, a jak już raz tam zajrzała, to przestała prawie kontaktować. No i dobrze, nieważne kto podarował, ważne, że obrazek ma przynosić Łaskim szczęście, jak przynosił tatusiowi i mamusi starego pijaczka z Rynku.

Ja dostałam trochę przyjemnych kosmetyków, trochę biżutków z kamieniami, prawdopodobnie ze Szklarskiej Poręby, widziałam tam takie, gdy obwoziłam Omcię po okolicach. Poza tym śliczne wieczne pióro – poczułam nagle brak ślicznego kalendarza do kompletu! Wiktor zdecydował się wreszcie oddać mi jeden z moich portretów, których mi dotąd skąpił. Pewnie trudno mu się było z nim rozstać, ale nie miał czasu kombinować innych prezentów. Wybrał ten, na którym mi zwisa metka z głowy. No i fajnie, najbardziej mi się podobał ten właśnie.

Dobrze, wszystko nieważne, prezenty nieważne, najważniejsze, że omal się nie wydało, że wszyscy wszystko wiedzą, atmosfera była naładowana tą wiedzą po prostu! I było to po wszystkich widać! Tylko Ewa i Rafał mieli prawdziwą niespodziankę, kiedy Jasio zdecydował się wreszcie wygłosić, co miał wygłosić. Natomiast cholerne babcie, obie, jak jeden mąż, czy raczej jak jeden dziadek, wystąpiły z pierścionkami zaręczynowymi dla Luli! Przygotowały je sobie starannie i udawały pełny spontan! Chyba tylko nieprzytomna z wrażenia Lula uwierzyła im w ten bajer. Janek śmiał się na całego, a dwie straszne staruszki rżnęły głupa koncertowo – co najlepsze, popłakując przy tym ze wzruszenia. No, po prostu cyrk na kółkach.

Przed pasterką udały się do siebie, trochę odpocząć, i wtedy złapałam je, zanim zdążyły rozejść się do swoich pokoi.

Poszły w zaparte. I odegrały przede mną scenę pełnej niewinności, skrzywdzonej podejrzeniami, ciężko obrażonej, zasmuconej i Bóg wie, co jeszcze. Dałam za wygraną, bo z takim upiornym tandemem chyba nie ma sposobu wygrać.

A kiedy zrezygnowana odchodziłam w alkierze, żeby też się chwilkę zrelaksować, usłyszałam za sobą szatański chichocik. Odwróciłam się i zobaczyłam, jak babcie ściskają sobie łapki. Chyba to im weszło w nałóg.

– Ne podsłuchuj, Emilka – powiedziała pouczającym tonem Omcia. – Ty wcale nie muszysz wiedżecz, czym szę TERAZ będżemy zajmowacz...

– Kim, Marianno, kim. Nie czym, tylko kim. No, chodźmy już, bo zaśniemy na pasterce.

I odmaszerowały, a mnie zrobiło się zimno. Bo są dwie możliwości – albo Wiktory, albo... ja.

O mój Boże.

Lula

Janek miał rację z tym porankiem.

Emilka

Zapomniałam napisać przez te wszystkie nerwy z babciami, że obecność Rafała na naszej Wigilii była czymś cudownym i takim jakimś – oczywistym. Jak on to robi, że wcale się w oczy nie rzuca, ale ma się tę świadomość, że jest, i to jest dobrze!

Nie wiem, czy to gramatycznie napisałam, ale mi to wisi.

Poza tym jestem genialna. Muszę się poważnie zastanowić albo spytać Gulę i Misia, czy nie nadaję się przypadkiem na jakiegoś oficera dochodzeniowego.

Strasznie po mnie chodziło zagadnienie, czy Wiktor się na próżno wysilał, czy może coś mu się udało zdziałać, tylko sam o tym nie wie. Wymyśliłam podstęp i w pierwszy dzień świąt poleciałam do Ewy, jak tylko się zorientowałam, że Łaskie już na nogach.

– Ewka, ratuj – zaszeptałam konspiracyjnie i przewróciłam kilka razy oczami porozumiewawczo w tonacji *między nami kobietami.*

– Co się stało? – Ewa paradowała w seksownym szlafroczku (ciekawe, jak też się prezentuje Lula w peniuarze od pomysłowych babć???) zadowolona i odprężona; z daleka od swojej stresującej uczelni.

– Zabrakło mi allwaysów, masz może jakiś zapas, przecież nigdzie dziś nie kupię! Przepraszam, że ci głowę zawracam, ale przecież Luli nie będę dzisiaj absorbować, rozumiesz, ona pewnie jeszcze całkiem nieprzytomna po wczorajszym...

– Pewnie, że rozumiem. Nie martw się, mam zapas, zaraz cię poratuję.

– Na pewno nie będą ci potrzebne dziś, jutro?

– Mówię ci, nie martw się. Mam tego pełno. Miałam tutaj i jeszcze przywiozłam ze sobą, nie wiem dlaczego, ale mi się spóźnia już trzeci tydzień, wożę ze sobą, bo w każdej chwili może się pojawić, ale jakoś się nie

pojawia; to wszystko przez te stresy. Teraz ferie, od-
pocznę trochę, to mi się unormuje. Wiktor, wyłaź z łazienki!

– Nie, aż tak ekspresowo nie muszę, byle dzisiaj; nie
goń go, przyjdę potem, ale już będę spokojna. No to na
razie. Idę robić śniadanie.

– No to hej – odrzekła beztroska i niczego niepodej-
rzewająca Ewa.

Hahaha! Unormuje się! Albo się nie unormuje!

To znaczy, wszystko w normie jest i tak. Ciąża nie jest
stanem patologicznym!

Czyżby szczęśliwy oleodruk zaczynał wreszcie pokazywać, co potrafi...?

Swoją drogą, Wiktor straszny gamoń, ja na jego miejscu liczyłabym żonie dni i godziny w takiej sytuacji!

Szalenie zadowolona poszłam do kuchni i tam napadła
mnie refleksja.

Czy ja przypadkiem nie jestem niesprawiedliwa kap-
kę, krzycząc na babcie...?

Och, zaraz niesprawiedliwa.

Teraz jest pytanie następujące: czy powinnam podpowiedzieć to i owo Wiktorowi? Niechby już zaczął poważnie myśleć o chałupie starej Kiełbasińskiej, to Lula
z Jankiem mogliby zacząć poważnie myśleć o stryszku
po Łaskich...

Lula

Janek twierdzi, że wszyscy doskonale wiedzieli o naszych planach. Nie wiem, skąd on to wie, i mało mnie to
obchodzi. On zresztą też uważa, że to głupstwo. Liczy
się, że zostaliśmy przez babcię Stasię niejako mianowani

głównymi gospodarzami Rotmistrzówki. Niby nic się nie zmienia, ale jakoś oboje poczuliśmy brzemię odpowiedzialności i wyszło chyba na to, że nie możemy już myśleć o wyprowadzaniu się stąd i zaczynaniu nowego życia gdzie indziej. Żadne z nas zresztą nie ma na to ochoty. Może później pomyślimy o wygospodarowaniu dla świeżej rodziny Pudełków jakiejś zwartej części Rotmistrzówki, żebyśmy mogli naprawdę poczuć się u siebie i mieć szansę na odrobinę prywatności. Na razie wszystko może zostać, jak jest, mój pokój awansuje na wspólną sypialnię – Kajtek się ucieszy, będzie mógł bezkarnie grać na komputerze do późnej nocy...

Coś po mnie mętnie chodzi jakaś koncepcja wykupienia i remontu domu pani Kiełbasińskiej, chyba kiedyś Emilka sugerowała, że Wiktor mógłby to zrobić jako wzięty artysta skrzyżowany z wziętym biznesmenem, wtedy zwolniłby się stryszek, adaptowany przez niego na mieszkanie...

Dam sobie jeszcze trochę czasu na oprzytomnienie i oswojenie się z nową rzeczywistością. Status mi się zmienia, było nie było. Zmienianie statusu bywa fatygujące!

Jak to dobrze, że Emilka z Ewą przejęły obowiązki gospodarskie. Mnie już kompletnie opuściła energia do podawania kolejnych porcji jedzenia kolejnym watahom gości i domowników.

Emilka

Dostałam kalendarz do kompletu! Od Tadzinka, oczywiście. Słodki, w ciemnowiśniowym aksamicie. Ten, który kupiłam dla niego, też bardzo mu się podobał.

Swoją drogą, co za epidemia kalendarzy i piór! Do mojego pióra przyznał się Rafał. Wygląda na to, że wszyscy obiegaliśmy Jelenią Górę po własnych śladach. Czy to o czymś świadczy?

Pewnie nie.

Tadzio z Rafałem urządzili nam ten obiecany kulig – śnieg uprzejmie nie stopniał, mało tego, w nocy z pierwszego na drugie święto trochę nam jeszcze dopadało i zrobiło się bajkowo. Chłopaki zmienili koła w bryce na płozy, poskakali na niej troszkę – zapewne dla sprawdzenia, czy się nie rozleci – po czym zaprzęgli do niej cztery konie: Tadzio specjalnie przywiózł pożyczoną po drodze w Książu uprząż dla czwórki!

– To na pani cześć, babciu Marianno – powiedział dwornie, a Omcia omal się nie rozpłynęła z zachwytu, mimo że Tadzio nie wdział liberii, bo na takie ekscesy było za zimno.

Babcia Stasia była przytomniejsza.

– Tadzinku – zaczęła tonem zrzędliwym – a jak one nigdy nie chodziły w czwórce, to ty myślisz, że teraz pójdą? I nie wywalą nas wszystkich do rowu?

– Damy radę, babciu – uspokoił ją Tadzio. – Myśmy się obaj z Rafałem ćwiczyli w powożeniu czwórką, Milord bywał zaprzęgany, Hanys też, z tyłu damy Lolę i Latawca, one są spokojne, poradzą sobie. Nic złego się nie stanie. No to co? Trąbimy wsiadanego?

Zapakowaliśmy do bryczki obie babcie – jedną nieco sceptyczną, ale dzielną, i drugą, wyrywającą się do przodu jak rasowa klacz arabska. Obie okutane w liczne futra i pledy. Na tylnych siedzeniach zmieściły się poza nimi Ewa, Ania sołtyska i Joasia Przybyszowa. Było jeszcze miejsce da Malwiny, ale ona zapragnęła niedźwiedziego mięsa, czyli małych saneczek. Oboje z Rupertem zajęli pierwsze sanki za bryczką. Następne były Wiktora i Jagódki, potem jechał Krzyś ze starszym dzieckiem (młodsze zostało w domu z grypą i własną babcią), dalej dwaj synowie Ani, w piątych Janek i Kajtek, a w ostatnich ksiądz Paweł solo. Ja wpakowałam się, oczywiście, na kozioł, pomiędzy Tadzia i Rafała, a Lula – skoro już nie mogła przytulać się do ukochanego i odgrywać Oleńki u boku Kmicica (Kmicic musiał jednak asekurować synka...) – dosiadła indywidualnie Bibułki i ofiarowała się robić za naszą straż przednią, co okazało się bardzo praktyczne, ponieważ – szczątkowo, bo szczątkowo, ale coś tam na drogach się pętało. Cokolwiek to było, odsuwało się na bok i podziwiało nasz kulig.

No bo byliśmy wspaniali po prostu! Pomijając, że trochę pociesznie wyglądał mały Hanys przyprzężony do wielkiego Milorda. Ja w ogóle nie wiem, jak oni się zgadzali, może to zasługa powożących. Jeździliśmy po okolicy chyba z godzinę. Tadzio i Rafał, rzeczywiście, świetnie sobie z powożeniem poradzili, konie szły jak marzenie – zawsze mówiłam, że to miłe i inteligentne zwierzątka! A ostatnio wynudziły się w stajni. Babcie szalały ze szczęścia, Omcia od razu, a Stasia gdzieś po kwadransie, kiedy już nabrała zaufania do zaprzęgu.

Dopiero kiedy już kończyliśmy jazdę, ksiądz Paweł wywalił się ze swoimi saneczkami do rowu na granicy naszych padoków. Oczywiście, pociągnął za sobą wszystkich pozostałych i zrobił się mały tumulcik, ale chłopaki sprawnie zatrzymali bryczkę i sytuacja została opanowana, strat w ludziach nie było, w sprzęcie też, jeśli nie liczyć obluzowanego oparcia w sankach Krzysia Przybysza. Dzieciaki piały z zachwytu.

A przy kolacji okazało się, że Paweł wywalił swoje sanki specjalnie. Żeby były jakieś silne wrażenia...

No, no. Ksiądz. I kto by pomyślał.

Lula

Nowy Rok.

Kiedy spojrzę za siebie, na ten poprzedni – wierzyć mi się nie chce. Obróciło mi się całe życie, chociaż początkowo nie byłam całkiem pewna słuszności tego naszego kroku ze sprowadzeniem się do Marysina, potem też miałam różne perturbacje, duszne i umysłowe, a teraz jak w bajce – zrobiło się całkiem dobrze.

To za mało powiedziane.

Zastanawiam się teraz spokojnie nad życiem – jest spokój, bo Janek wziął dzieci na jazdę w teren, a reszta domowników gdzieś się zapodziała, pewnie odpoczywają po wczorajszych hulankach – bośmy hulali, nie da się ukryć, a było nas jeszcze więcej niż na słynnym już kuligu w drugie święto (nawet Malwina nie pociągnęła Ruperta z powrotem na Podhale, chyba jej się zaczęło u nas podobać – to zupełnie miła i normalna dziewczyna, kiedy straci z oczu swoje wyrafinowane endemity).

Dlaczego właściwie jest tak dobrze? I co powinnam teraz zrobić, żeby tego nie stracić?

Umysł próbuje coś wykombinować, ale instynkt podpowiada – nic nie rób, Ludwiko, póki co Kiszczyńska. Nie kombinuj. Bo jeszcze przekombinujesz, jak powiada Emilka.

Może ona rzeczywiście nie zaginała żadnego parolu na Janka? Wygląda, jakby była zupełnie zadowolona z obecnego obrotu rzeczy. Wczoraj, przy życzeniach noworocznych, przyznała mi się i do tych dziwnych perfum (Janek jest nimi oczarowany!), i do erotycznego podręcznika.

– Lula, ja wiem, że ostatnio bywałam czasami trudna do zniesienia, ale pamiętaj, ja wam naprawdę życzę jak najlepiej i – jak Boga najszczerzej kocham – nie lecę na twojego Jasia, zapamiętaj to sobie! A co najważniejsze, on na mnie nie leci i nigdy nie leciał!

Janek twierdzi, że ona mówi prawdę...

No to dobrze, nie będę kombinować. Będę konsumować to, co mi los uprzejmie zesłał, nie zastanawiając się, gdzie tkwi pułapka. Teoretycznie bowiem jest możliwe, że NIE MA ŻADNEJ PUŁAPKI.

A to dopiero.

Emilka

Ale był sylwester! Nie jest wykluczone, że pierwszy i jedyny raz nam się taki udał, bo od przyszłego, czyli właściwie od tego roku, nowego, będziemy już urządzać sylwestry dla gości, którzy tłumnie nas nawiedzą. Bo nawiedzą, jak amen w pacierzu. Po ostatnich ekscesach wernisażowo-medialnych (prasa, radio, telewizja, te rzeczy) odebrałam całkiem sporo telefonów z pytaniami o warunki i inne takie. Ludzie pytali nawet o tego sylwestra i przejawiali rozczarowanie, kiedy im mówiłam, że jeszcze nie.

No więc był to sylwester rodzinno-przyjacielski, z tańcami, hulanką i swawolą. Najpiękniej, oczywiście, swawoliły nasze obydwie niezdarte babcie, obecne niemal od początku do końca, pięknie ubrane w wytworne toalety – przy czym Omcia pożyczyła Stasi jakąś obłędną kiecę z ciemnowiśniowej tafty, czy jak się tam to błyszczące badziewie nazywa, i do tego jedwabny szal, ręcznie malowany! Sama odstrzeliła się w popielate koronki i wyglądała jak księżna pani całą gębą. Ja się tylko zastanawiam – czy ona, przyjeżdżając do nas, od razu przewidywała, że zostanie tu na resztę życia i będzie z nami spędzać sylwestrowe bale, czy może uważała, że Rotmistrzówka to coś w rodzaju Sheratona, gdzie panowie przebierają się we fraki do kolacji, a w smokingi do herbaty? Albo – żeśmy zreanimowali jej dawny baronowski pałac?

Och, to naprawdę nieważne, co się snuło po głowie drogiej Omci. Pięknie wyglądały nasze staruszki, my też robiłyśmy, co w naszej mocy, chociaż gdzie nam było do nich, nasi panowie osiągnęli szczyty wytworności (Wiktor miał smoking!), walnęliśmy nawet poloneza przez wszystkie pokoje na dole... Mazur nam troszkę gorzej wyszedł, ale babcia Stasia obiecała, że do przyszłego roku nas nauczy. Dyskoteka pogodziła wszystkich, ale to jednak nie to samo – skakać w kupie, nawet najbardziej zaprzyjaźnionej, a tańczyć upojne tango w objęciach interesującego mężczyzny...

Interesujących mężczyzn do tanga było, owszem, kilku. Najbardziej mnie ciągnęło do Rafała; chyba mogłam się tego spodziewać po tych moich ostatnich refleksjach typu „czy to jest przyjaźń, czy to już kochanie" (wciąż nie wiem, czy to Słowacki, czy Mickiewicz, ale już Lula na mnie tak krzywo nie patrzy, będę mogła ją zapytać). Uczciwie jednak mówiąc, najlepszym – obiektywnie – tancerzem okazał się strzyżony na lotniskowiec Misiu, elegancki i wypachniony, strzelający oczami zabójczo i (to sprawa tej jego bykowatej postury) dosłownie unoszący partnerkę nad ziemią.

No i niech sobie unosi, ja tam wolę z Rafałem.

Oczywiście, postarałam się tak wymanewrować, żeby o północy być jak najbliżej niego. Łatwo mi to poszło, pewnie dlatego, że on ewidentnie dążył do tego samego. Kiedy składaliśmy sobie życzenia, pocałował mnie delikatnie w policzek, a mnie dosłownie zmroziło: przypomniał mi się Lesław z tymi wszystkimi parszywymi niedopowiedzianymi groźbami, z cholernymi SMS-ami, z tym nękaniem mnie w najbardziej niespodziewanych momentach...

I dotarło do mnie bardzo wyraźnie: jaka tam przyjaźń! Nie zniosłabym, gdyby mu się miało coś stać przeze mnie!

Nie wiem jeszcze, co wymyślę, ale coś muszę wymyślić. Muszę się z Leszkiem zobaczyć oko w oko, muszę z nim porozmawiać, może się uda jak z człowiekiem, a jeśli nie, to zobaczę, coś w każdym razie muszę ZROBIĆ!!!

Rafał zauważył, że coś mi się stało przy tych życzeniach, wykazał inteligencję, nie pytał, dlaczego zesztywniałam, domyślił się chyba, bo tylko powiedział, żebym się nie martwiła, że wszystko musi być dobrze i będzie dobrze. On mi to mówi.

– A tobie kto to mówi? – zapytałam nieco beznadziejnie.

– Intuicja – zaśmiał się. – Mam doskonale rozwiniętą intuicję i ona mi mówi mnóstwo rzeczy. Gdybym był kobitką, byłbym wróżką. Zapewne dobrą, z uwagi na mój dobry charakter.

Wizja Rafała w charakterze dobrej wróżki w stylu disnejowskim, w różowej szatce i z czarodziejską różdżką w rąsi powaliła mnie dokładnie, zaczęłam chichotać, a on mnie jeszcze raz uścisnął, BARDZO CIEPŁO.

Po czym rzucili się na nas liczni krewni, znajomi i przyjaciele, którzy też chcieli nam życzyć wszystkiego najlepszego i żebyśmy im też życzyli... potem szampan zrobił swoje i było świetnie już do rana.

Ale Leszkowi nie przepuszczę.

Lula

Bardzo kocham święta wszelkiego rodzaju, ale jednak jest to słuszne ze wszech miar, że są one tylko raz w roku. Bo jeszcze trochę, a chybabym padła.

Doprowadziliśmy Rotmistrzówkę do normalnego stanu, Wiktor z Ewą i Rupert z Malwiną wyjechali, babcie leczą sfatygowane wątroby za pomocą różnych patentowanych środków polsko-niemiecko-domowo-farmakologicznych, a za kilka dni przyjeżdżają do nas goście. Tym razem będzie to jakieś biznesowe towarzystwo; okazało się, że te dwie biznesmenki, Megi i Beti, rozgłosiły naszą sławę tu i tam (choć wciąż nie ma jeszcze magazynu „Trendy", czy jak on tam ma się teraz nazywać, chyba „Tylko Ty"). W efekcie zamierzają u nas zorganizować ekskluzywne spotkanie kilku znajomych ludzi interesu, polskich i zagranicznych, jeszcze nie wiem, zza której granicy. Ma być jednocześnie wytwornie, luźno, elegancko, niezobowiązująco, wesoło, etykietalnie, tralala, ciekawe, jak my zdołamy pogodzić ogień z wodą!

Janek, oczywiście, zbagatelizował moje wątpliwości i obawy.

– Kochanie ty moje – powiedział, bawiąc się moimi włosami (siedziałam właśnie przed lustrem w moim nowym różowym peniuarze, w którym czuję się jak petersburska kokota, a który budzi jego zachwyt za każdym razem, ja już nic nie rozumiem, nic o sobie nie wiem, a zwłaszcza nie wiem nic o mężczyznach, a zwłaszcza o jednym takim, co to chodził zawsze w podkoszulkach z nadrukowanymi fraktalami i wyglądał, jakby nie uznawał innego przyodziewku!!!)... – Kochanie ty moje. Masz za bardzo rozwinięte poczucie odpowiedzialności za świat. Uwierz mi, on nie leży w całości na twoich, jakże zgrabnych ramionach – tu pocałował mnie w lewe ramię, co spowodowało dłuższą przerwę w konwersacji.

– Jest nas tu kilkoro – kontynuował po chwili, już poważniej. – Może nie mamy wielkiego doświadczenia w przyjmowaniu takich biznesowych gości, ale za to jesteśmy inteligentni. Prawda? No więc. Oni z kolei przygotowani będą na wizytę w wiejskim dworku, z tradycją ziemiańską, a nie pałacową. Pamiętasz, jak się bałaś tych wszystkich Niemców, których tu Kostas przywoził? Zwłaszcza tych pierwszych. Improwizowaliśmy wtedy jak szaleni, a i tak nam wyszło. A teraz mamy prawdziwe nalewki, prawdziwe ciasta, wędliny domowe, dziczyznę, sześć koni do jazdy, czworo, na dobrą sprawę, instruktorów do tych koni, bryczkę lub sanie, małe sanki, jakby się chcieli chłopcy trochę poprzewracać; jednym słowem mamy wszystko. A najlepsze, co mamy, to dwie babcie, jedną tradycji polskiej, a drugą niemieckiej; zaręczam ci, że obie zrobią furorę.

– A jeśli będą chcieli jeździć na nartach?

– To się ich wyśle do Karpacza. Wynajmiemy im instruktora narciarskiego, może nawet Olga będzie chciała zarobić, a jak nie, to ona nam na pewno poradzi, do kogo się zwrócić. Nie wiem, czy będzie pogoda na narty. Chyba nie jest najlepiej ze śniegiem. Nie znam się na tym. Musimy sobie przygruchać na stałe jakiegoś instruktora od tych rzeczy. Najlepiej z zaprzyjaźnioną wypożyczalnią sprzętu narciarskiego.

– I co, naprawdę myślisz, że wszystko będzie takie proste?

– Jestem o tym absolutnie przekonany. A teraz wykorzystajmy ten czas, kiedy jeszcze nie mamy tabunu wymagających biznesmenów na garbie...

Wykorzystaliśmy go w pełni.

Emilka

Ho, ho, za dwa dni przyjeżdżają trzy biznesowe pary i dwie sztuki luzem, dookoła których mamy skakać jak koło śmierdzącego jajka, albowiem mają indywidualne wymagania – ale też zostanie im policzone według bardzo indywidualnych stawek. Za poradą Olgi zaśpiewaliśmy im taką cenę, że omal sama się nie przewróciłam z wrażenia, kiedy ją zaakceptowali bez zmrużenia oka.

– Zero skrupułów, moi kochani, zero skrupułów – mówiła nam Olga życzliwie, odwiedziwszy nas nazajutrz po naszym zabójczym sylwestrze. – Jeżeli nie będziecie się cenić, nikt was cenić nie będzie. Musicie wiedzieć, ile jesteście warci!

– A skąd mamy to wiedzieć? – zapytała nieśmiało Lula.

– Z założenia. Macie zakładać, że jesteście świetni, jedyni, niepowtarzalni, wasza oferta bije na głowę wszystkie inne, a waszym największym atutem jest wasza babcia. A jeśli nie wiecie dlaczego, to wam powiem. Bo wszyscy goście mogą być traktowani jak goście pani rotmistrzowej, a nie jak płatni wczasowicze. Pani babcia, z tego, co wiem, lubi sobie pokonwersować z przybyszami, bardzo dobrze, niech rozmawia, czasem anegdotką sypnie, a jeśli wyczuje, że gościom nie chce się gadać, to niech im odpuści, cały czas dając im do zrozumienia, że są JEJ osobistymi gośćmi, którzy są tu mile widziani i którym tu wszystko wolno.

– Wszystko, to nie wiem – mruknęłam. – A jakby tu chcieli zrobić... tego...?

– Bordello, kędy mamy zacne leże – zaśmiała się babcia Stasia, chyba kogoś cytując.

– Nie przesadzajmy! Wszystko w granicach dobrego wychowania! W obrębie zasad, które wy sami wprowadzacie. A w zamian za przestrzeganie tych zasad, otwieracie im niebo. I za każdym razem w bramce tego nieba stoi kasjer i kasuje, kasuje...

Zaczęliśmy chyba pojmować, o co jej chodzi.

– A jak już stąd wyjadą – powiedziała Lula rozmarzonym tonem – to mają nam zrobić opinię taką, że wprawdzie jest cholernie drogo, ale warto tę forsę wydać. Dobrze mówię?

– Dokładnie tak mają o was mówić. I jeszcze dajcie im do zrozumienia, że nie wszystkich do siebie zapraszacie, że wybieracie sobie gości, takie tam blablabla.

– A kiedy będą chcieli znowu przyjechać albo przysłać nadzianych kolegów – podjął Janeczek – to nie będziemy od razu krzyczeć „przyjeżdżajcie, przyjeżdżajcie", tylko najpierw dokładnie sprawdzimy w kalendarzu, czy aby możemy ich przyjąć w takim terminie, w jakim będą chcieli, czy może mamy już zaplanowanych gości, a potem się jednak okaże, że dla tak wyjątkowych... tytyryty... dobrze mówię?

– Bardzo dobrze – pochwaliła Olga. – Widzę, że wszystko doskonale rozumiecie, a jakbyście mieli jakiekolwiek problemy, to natychmiast dzwońcie do mnie, będziemy radzić. Nic nie ma prawa was zaskoczyć. W obrębie zasad, naturalnie.

– A czy ja nie mogę bycz tutaj dodatkową atrakcją? – wtrąciła się znienacka milcząca dotąd Omcia. – Mogę na pczykład robicz za ducha przeszłoszczy, hehehe. Jeszli mi Stanyslawa da tej wiszniowej nalewki, to nawet mogę kogosz postraszycz na schodach...

– Jak my się z Marianną zabierzemy do przyjmowania gości, to już będzie zupełnie „Arszenik i stare koronki" – zachichotała babcia Stasia, bardzo zadowolona z perspektywy zabawiania wyżartych japiszonów.

– Ja mogę za rozmowę ze mną liczycz na pczykład dwadżeszcza ojro za pół godżyny – dodała niewinnie Omcia. – Wszystko, oczywiszcze na konto Rotmisz... szówki. Ta nazwa szę nie da powiedżecz.

Olga spojrzała na babcie leciutko spłoszona, bo jako osoba stojąca jednak nieco z boku nie wiedziała jeszcze, do czego nasze poczciwe staruszki potrafią się posunąć. Widocznie uznała jednak, że dwie szurnięte babcie to też niezły chwyt marketingowy, bo nic nie powiedziała.

Ostatecznie doszliśmy do wniosku, że jak zwykle, musimy oprzeć się na naszej niezawodnej inteligencji. Jeśli o to chodzi, uważam, że stanowimy zespół nie do przebicia!

Lula

Wpadła dzisiaj do nas Ania sołtyska, pogadać. Dawno, jak twierdzi, wybierała się z tym tematem, ale stale jej coś przeszkadzało, potem martwiła się synem w Iraku, teraz ma od niego regularne wiadomości, więc się trochę przestała bać, oczywiście, nie do końca, ale już nie ma zdrowia do tego bania, więc musi jakoś konstruktywnie zadziałać. Tak nam powiedziała jednym tchem, po czym zapytała, czy nie mielibyśmy jej za złe, gdyby poszła w nasze ślady i też otworzyła u siebie agroturystykę.

– Oczywiście, ja bym to miała na zupełnie innej zasadzie – wyjaśniła, zaczerpnąwszy tchu po raz kolejny. – Bo wy macie wytworność, konie, bryczki i galerię, a u mnie goście mogliby wydoić krowę, popilnować gęsi na łące, poleżeć pod drzewem i nie robić w ogóle nic. Wędzarnię bym małą założyła, całe jedzenie domowe, mogę piec chleb, bo umiem, jeszcze babcia mnie nauczyła, jak byłam całkiem mała. U mnie by było jak u jakiejś ciotki na wsi. Przy sprzątaniu mi dzieciaki pomogą, a przy gotowaniu mama. Jak myślicie?

Wyraziliśmy kolektywny aplauz.

Po czym okazało się, że nie tylko Ania zamierza brać z nas przykład. Synowa starej Kiełbasińskiej zainspirowała swojego męża, Frania Kiełbasińskiego pomysłem agroturystyki nad stawem rybnym.

– Przecież Kiełbasińscy nie mają stawu – zdziwiła się Emilka, która niepojętym dla mnie sposobem wie wszystko o wszystkich mieszkańcach Marysina.

– Celinka Kiełbasińska mówi, że jakby im się udało sprzedać tę chałupę po babce, tę koło was, prawie przez płot, toby mieli na wykopanie i zarybienie stawu. Ta chałupa jest w dobrym stanie, trochę tylko tak wygląda... mało reprezentacyjnie. Ale mury zdrowe, dach cały, woda jest, światło, gaz, wszystko dociągnęli, jak się wieś modernizowała. Tylko to potem podupadło, jak tu nikt nie mieszkał, bo Franek i Celinka wzięli babcię do siebie. No i zarosło takim buszem, że nic nie widać.

– A mają już jakiegoś kupca upatrzonego na tę chałupę? – zapytała szybko Emilka.

– A co, chcesz kupić? – zdziwiła się Ania.

– Ja, jak ja, ale mam coś na myśli. Proszę, powiedz Kiełbasińskim, żeby nie robili żadnych ruchów jeszcze przez krótki czas. I tak jest zima, nic by nie można było przy niej zaczynać.

– Co masz na myśli, Emilko? – nie wytrzymałam.

– Co mam, to mam – powiedziała Emilka tajemniczo i skierowała konwersację na zupełnie inne tory; zabraliśmy się mianowicie do zbiorowego udoskonalania pomysłów Ani na jej własną agroturystykę. Ostatecznie doszliśmy do takiej konkluzji, że jak już będą te trzy gospodarstwa, to zawrzemy spółkę, będziemy się razem ogłaszać i razem jeździć na różne targi turystyczne.

Obie babcie były obecne przy tej naradzie – o ile babcia Stasia brała czynny udział w dyskusji, o tyle Marianna – zupełnie nie jak ona – siedziała cicho i tylko bardzo uważnie przysłuchiwała się wszystkiemu, co było mówione. Od czasu do czasu kiwała loczkami aprobatywnie, ale zdania swojego nie wyraziła. Może przygotowywała się do roli ducha przeszłości, którego zamierza odegrać jutro przed naszymi nowymi gośćmi.

Emilka

Wygląda na to, że Marysin stanie się wsią agroturystyczną! Kiedy Ania Szczepankowa przyszła do nas, żeby nas lojalnie zawiadomić o nowych koncepcjach w łonie wsi, w pierwszej chwili pomyślałam, że po co nam konkurencja. Ale zaraz potem doszłam do wniosku, że w jedności siła, będziemy mieli większe możliwości reklamy, kontaktów, takich tam rzeczy. Niech kwitnie sto kwiatów. Tak mówił nasz profesor na trzecim roku, ale nie wiem, czy to sam wymyślił, czy z czegoś zacytował.

Największą bombą dla mnie jest jednak to, że chałupa po starej Kiełbasińskiej pójdzie na sprzedaż! Wiktor po prostu MUSI się zdecydować jak najszybciej!

Jak tylko Ania poszła do domu, cała w optymistycznych skowronkach (ona wie, że się narobi, ale nie boi się pracy), poleciałam do swojego pokoju i zadzwoniłam do Wiktora na komórkę.

– Emilka – zdziwił się gdzieś w Krakowie. – A ja właśnie miałem do ciebie dzwonić...

– Coś ty? – zelektryzowało mnie. – Sukces?

– Drugi miesiąc! Jesteś genialna, dziewczyno!

– Kurczę, patrz, ja to podejrzewałam, jak tu byliście, miałam ci powiedzieć, ale w końcu się nie zdecydowałam. I tak strasznie się wtrącam. A powiedz, co na to Ewa?

– Jeszcze w szoku. Dowiedziała się dzisiaj, dosłownie godzinę temu była u lekarza. Teraz siedzi na kanapie i się zastanawia, co dalej. Muszę do niej zaraz wrócić, więc wybacz, ale rzucam cię jak starą marynarkę...

– Czekaj, Wiktor, jeszcze mnie nie rzucaj. Słuchaj, chałupa starej Kiełbasińskiej jest do kupienia. Młody Kiełbasiński lada chwila zacznie szukać kontrahenta. Ja ci radzę, ty kuj żelazo, póki gorące. Zapłaciły ci za „Trendy"?

– Zapłaciły. Teraz pracuję nad tym nowym tworkiem--potworkiem. Megi też mi sypnęła groszem za wychodki. Nie widziałaś reklam w telewizji? Chodzą przed wiadomościami. *Prime time*. I całe strony w kolorówkach. Wiesz, ile ją to kosztowało? Lepiej nie mówić przed nocą.

Ja też z niej zdarłem. Czy one już u was są z tymi swoimi nowymi kontrahentami?

– Jeszcze nie. Jutro będą.

– Proszę, Emilko, traktujcie ich jak śmierdzące jajko. Oni muszą u was dojść do porozumienia, inaczej Megi i Pegi, tfu, Megi i Beti będą musiały spuścić z tonu. Mam na myśli finanse. Wiesz, one sobie poradzą, ale może już nie będą miały na mnie.

– Rozumiem. Tu ma dojść do jakiejś fuzji?

– A cholera ich wie. Ja w to nie wnikam. Coś tam u was będą załatwiać, dwóch facetów, którzy przyjadą, reprezentuje jakiś belgijski kapitał, czy może francuski, nie mam pojęcia.

– Masz to u nas. Będziemy ich nosili na rękach. Czekaj, mówiłeś, że ci zapłaciły? To znaczy, że stać cię na chałupę?

– Niewykluczone. Tylko nie wiem, co Ewa na to.

– Wiktor! Zrobiłeś już, co najważniejsze, a teraz został ci drobiazg! Sam wiesz, że nigdzie nie znajdziesz lepszego lokum! Prawie przez płot z Rotmistrzówką! Galeria tu czeka na ciebie! Ksiądz Paweł ma tysiąc pomysłów na minutę! Podobno chcesz malować! Dzieci będziesz miał razem z naszymi! Przecież Lula z Jankiem chyba też będą chcieli mieć jakieś dziecko!

– A ty? – spytał znienacka.

– Co ja, co ja?

– A ty nic nie planujesz w życiu osobistym?

– Ja na razie płynę na fali – powiedziałam beztrosko, acz trochę kłamliwie, bo już pewne myśli na wiadomy temat zaczęły po mnie chodzić. – Ty się tu nie wymiguj. Idź natychmiast do Ewy i przekonaj ją, że nie ma co marnować najpiękniejszych lat na uczelni! Habilitacja poczeka, a hormony się mogą skończyć w międzyczasie. Tylko nie zróbcie jakiegoś głupstwa, na miłość boską!

– Masz na myśli usunięcie? No, nie, to już bym chyba walnął się jak Rejtan w progu i nie pozwolił. Dobrze, masz rację, ponownie wypuszczam cię z objęć z brzękiem i lecę do mojej żony. I dziecka. Trzymaj się, przyjaciółko.

– Całuski – powiedziałam ciepło do ciągłego sygnału w słuchawce i wyłączyłam się.

Na wszelki wypadek powiem Kiełbasińskim, żeby rezerwowali chałupę dla Wiktora.

Lula

Znowu mamy gości i zrobiło się jakoś normalniej. Chyba już przyzwyczaiłam się do Rotmistrzówki nie tylko jako do domu, ale też i miejsca pracy. Lubię, kiedy coś konkretnego się dzieje, kiedy wiem, co mam zrobić i na którą godzinę – i tak dalej.

Oczywiście, wieczory i noce są wciąż nieprzewidywalne, ale to już nasza z Jankiem słodka tajemnica alkowy. Podoba mi się to: pierwszy raz w życiu mam naprawdę tajemnice alkowy! Bo taka tajemnica, że w wieku powyżej trzydziestki sypiałam czasem przytulona do kota Arystofanesa – świeć Panie nad jego kocią duszą – jest warta funta kłaków. Kocich.

Koło południa przyjechali nasi goście. Megi i Beti z małżonkami, jakaś belgijsko-francuska para małżeńska i dwóch zblazowanych czterdziestolatków luzem, jak mówi Emilka. Mężowie naszych znajomych biznesmenek też są biznesowi, co po nich od razu widać, Belgijka jest przyszłą redaktorką naczelną magazynu „Tylko Ty", a jej mąż Francuz ma tam prowadzić dział

210

mody. Zblazowane czterdziestolatki stanowią coś w rodzaju zaprzyjaźnionej konkurencji, o ile taki oksymoron ma w ogóle prawo istnieć. We własnym gronie mówią przeważnie po francusku albo angielsku. Emilka pokazała im pokoje, rzucili też w Janka towarzystwie okiem na obejście i poszli się kąpać przed obiadem. Jakie to szczęście, że zrobiliśmy stosowną liczbę łazienek w ramach remontu!

Przy poobiedniej kawie i herbacie z nalewkami do wyboru ustaliliśmy program pobytu naszych kosztownych gości. A więc jazdy konne, bryczka, narty i obwożenie po okolicy. Musimy zrobić grafik – kto czym kiedy ma się zajmować.

Nie będzie lekko!

Ale i nie będzie tanio.

Robię się materialistką! Chyba tak podziałało na mnie świeżo odczute brzemię odpowiedzialności za Rotmistrzówkę.

W ramach tej świeżej odpowiedzialności Janek postanowił zrobić nam stronę internetową, wykorzystując milion zdjęć, które dostaliśmy od księdza Pawła.

– Nie wiem, czy nie przymierzę się od razu do strony dla całej wsi – powiedział wieczorem, objadając się świeżym ciastem, które upiekłam dla gości. – Bo jeżeli mamy mieć stowarzyszenie, to warto by mieć wspólną stronę też. Na razie zrobię luźny projekt, a potem pokażę wszystkim i spytamy, co oni na to. Co ty na to?

– Bardzo dobrze – pochwaliłam. – A jak twoje oczy?

– Moje oczy mają się świetnie. Przez ostatnie pół roku bardzo odpoczęły i obejrzały wiele pięknych widoków. Wiesz, mam wrażenie, że z grzbietu końskiego wszystko jest jakieś ładniejsze, no i mniej szkodzi na wzrok...

Emilka

Są nasi dziani goście!

Megi i Beti przywiozły mężów, którzy wyglądają jak ich wierne kopie płci odmiennej – duzi, przystojni, świetnie ubrani, pięknie pachnący i kompletnie bez własnego wyrazu. Aura wielkiego szmalu otacza ich głowy z włoskami pięknie ułożonymi na żel. Muszę poprosić księdza Pawła, żeby ich sfotografował wszystkich razem, będą piękne zdjęcia pamiątkowe do albumu pod tytułem „VIP-y". Bo trzeba taki album założyć, koniecznie. Mąż Megi nazywa się Aleksander Moroń, czy jakoś tak, i ona nigdy nie mówi do niego Olek ani Aleks, tylko zawsze Aleksandrze... Podobnie Beti, za żadne skarby nie zdrobni swojego Jerzego Różańskiego na zwykłego Jurka. Obaj panowie mają jakieś własne biznesy, jeszcze nie rozpracowałam, jakie właściwie. Raczej spore.

Przyjechało poza tym redakcyjne małżeństwo, podobno belgijsko-francuskie, ale nazywają się Jakovsky, pewnie tatuś Jacques'a taki Francuz, jak i ja, dziadek najdalej nazywał się normalnie Jackowski, dopiero Jakubka należy wymawiać „Żakofski". Niech mu tam. Żak – Żakofski. Bardzo godnie brzmi. Żona ma na imię Marie Anne, czyli kolejna Marianna w Mariendorfie. Chuda, wysoka, z głodnymi oczami, bardzo elegancka, w sam raz redaktorka naczelna do wytwornego magazynu. Dwaj faceci luzem, którzy z nimi przyjechali, na moje oko wcale nie są takim luzem, tylko stanowią komplet. Jeden jest ewidentnie Anglikiem, drugi nie wiem czym, może Polakiem. Peter i Edward, przy czym Edwarda się owszem, zdrabnia na Eddiego.

Podczas ostatniego pobytu Megi i Pegi, przepraszam, Beti, u nas trochę się im przyjrzałam i doszłam do wniosku, że należy na ich cześć zrobić malutkie przedstawionko na dzień dobry – tak więc, kiedy się zjawili, najpierw wypchnęłam ich do apartamentów (tak doraźnie przemianowaliśmy nasze pokoje na górze) i kazałam im się wykąpać, to znaczy, wyraziłam przekonanie, że zechcą się odświeżyć przed obiadem.

Obiad w wersji koronacyjnej przygotowała Lula, poganiając do posług świeżo umytą Żaklinę, ale zanim go podaliśmy, zarządziłam zapoznawczego drinka w ogródku zimowym, który urządziłam na tarasie, zamkniętym na głucho i zabezpieczonym przez zimnem. Towarzystwo złapało konwencję, odstrzelili się wszyscy jak do Pierwszej Komunii – ale żadne z nich nie dorównało naszym babciom, które przyżeglowały niby dwie fregaty czy może barkentyny (nie wiem, co jest bardziej majestatyczne) pod pełnymi żaglami – w powłóczystych szatach, omotane szalami, sznurami pereł, z medalionami podzwaniającymi na łańcuchach, szalenie z siebie zadowolone i – niech pęknę, jeśli nie popróbowały przedtem nalewek z tajnej apteczki, to znaczy z filii apteczki głównej z salonu (tę filię babcia Stasia założyła w gabinecie Rotmistrza).

– Witam moich drogich gości – wygłosiła babcia Stasia głosem spiżowym, który natychmiast oderwał gości od kontemplacji własnych kieliszków. – Jak miło mi ponownie spotkać panie w moich skromnych progach – to było do Megi i Pegi, które rzuciły się witać, lekko jednak onieśmielone królewskim, żeby nie powiedzieć cesarskim stylem naszej staruszki. – Obie jesteśmy szczęśliwe, to znaczy ja i moja przyjaciółka, baronowa von Krueger, że zechciały panie wrócić do nas i jeszcze przywieźć wszystkich państwa...

– Och, ja tu jestem tylko na prawach goszcza – wtrąciła lekko (ale bardzo głośno) Omcia. – Dżękuję czy, Stanyslawa, że ty mówisz „do nas"...

– Jesteś u siebie, Marianno – rzuciła pobłażliwie babcia. – Nie będziemy sobie głowy zaprzątać wichrami historii w tym domu. W jakim języku państwo życzą sobie rozmawiać, bo słyszałam, że towarzystwo międzynarodowe?

– W istocie – bąknęła Megi, pod wrażeniem wzięcia naszych staruszek. – Międzynarodowe. Polsko-francusko--belgijsko-angielskie. Ale wszyscy staramy się mówić po polsku, nasi przyjaciele przecież prowadzą tu interesy, mieszkają w Polsce. Panie pozwolą, mój małżonek, Aleksander Moroń... Aleksandrze, czy zechcesz przedstawić paniom resztę towarzystwa?

Aleksander sprawnie przejął na siebie rolę mistrza ceremonii strony wizytującej, tak więc kolejne minuty upłynęły na ściskaniu rąk lub ich całowaniu zgoła, ukłonach i reweransach. Przez ten czas Żaklina wniosła przystawki i mogliśmy zaprosić wszystkich do stołu.

Dalej było już łatwo, zostawiliśmy im babcie na pożarcie (a może to ich zostawiliśmy na pożarcie babciom), a sami wycofaliśmy się na z góry upatrzone pozycje. To znaczy do kuchni. Jeżeli dalszy rozwój wypadków wykaże, że goście chcą się z nami fraternizować, to proszę bardzo. Będziemy się fraternizować. Na moje oko jednak o wiele mniej fatygująca jest prosta obsługa, nawet jeśli w grę będą wchodzić jazdy w teren i inne figle. Zresztą na weekend mają przyjechać Wiktory, będzie łatwiej.

Lula

Grunt to organizacja. Zagospodarowaliśmy gości niemal bezszelestnie, zaplanowaliśmy im zajęcia w grupach i podgrupach, tak że nawet miałam czas odwiedzić moje muzeum i – niestety – zawiadomić szefa, że w związku ze zmianą mojej sytuacji osobistej, chyba zrezygnuję z pracy. Oczywiście od czasu do czasu, jako absolutna wolontariuszka, chętnie wpadnę i zrobię to lub owo. Tyle że nie mogę być dyspozycyjna.

Szef się trochę zmartwił, ale co tam. Ja mu naprawdę pomogę, a dyspozycyjna to wolę być w odniesieniu do Janka.

Emilka

Wróciliśmy do zajęć z chorymi dziećmi. Trochę nas dręczyły wątpliwości, jak to się pogodzi z naszymi komercyjnymi gośćmi, ale uznaliśmy, że jednak dzieci nie mogą tracić regularnych ćwiczeń. Powiedzieliśmy gościom, w jakich godzinach nie mogą liczyć na Latawca i Hanysa pod siodło, a oni przyjęli to życzliwie. Natomiast wyszli sobie popatrzeć, co my robimy w ramach ćwiczeń.

Akurat woziliśmy takich dwóch chłopców – jednego z Jeleniej, a drugiego spod Kamiennej Góry. Obaj z dziecięcym porażeniem mózgowym, dość okropnie (jak dla nieprzyzwyczajonych oczu) powykręcanych, no i prawie zero kontaktu w przypadku jednego z nich, takiego Mareczka, lat osiem, autystycznego jak jasny gwint. Ciekawe, czy można być mniej lub bardziej autystycznym? Muszę zapytać Rafała, on wie. No więc, Markiem zajmował się Rafał jako bardziej doświadczony, a ze mną jeździł Filip, nazywany przez swoją mamę Gutkiem. Ten Gutek wszystko rozumiał i miał dużo dobrych chęci, tylko nie bardzo mu się udawało spełnianie moich poleceń. Więc mu pomagałam utrzymać się na koniu, a on się uśmiechał, jak potrafił.

Kiedyś takie uśmiechy doprowadziłyby mnie do łez, ale teraz już się tak nie wzruszam. Rafał miał rację – mogłabym się zaryczeć na śmierć, ale nic konstruktywnego bym nie osiągnęła. Więc gadałam do niego bez przerwy różne głupoty, on robił, co mógł, i tak sobie współpracowaliśmy.

A kilka metrów od nas stała francusko-belgijska para i oboje płakali rzewnymi łzami. Oczywiście wytwornie i dyskretnie, ale przecież mam oczy i widzę, co się dzieje. Po chwili dołączyła do nich Pegi, czyli Beti, i coś tam konferowali, pokazując nas palcami. Czyżby kombinowali kolejny wzruszający reportaż do magazynu „Tylko Ty"?

Owszem. O tym właśnie rozmawiały panie, podczas gdy pan ograniczał się do gwałtownego kiwania głową. Podsłuchałam trochę, przejeżdżając, a kiedy pożegnawszy chłopców i ich rodziców, odprowadzaliśmy konie do stajni, powiedziałam o tym Rafałowi.

– Wcale nie jestem pewna, czy chcę z siebie robić małpę w takiej sprawie – oświadczyłam, wprowadzając Latawca do boksu. – Już ja wiem, jak wyglądają takie artykuły. Robi mi się słabo na samą myśl, że ktoś mnie opisze w taki sposób...

– W jaki? – zainteresował się Rafał.

– Za pomocą cholernych, egzaltowanych równoważników zdań, naładowanych nie moimi wyrażansami, które zostaną mi przypisane bez skrupułów. „Nie – mówi Emilia, odgarniając włosy z czoła – nie potrafiłabym zrezygnować. Nie z tych zajęć. One w nas wierzą. Te dzieci. Ta wiara w ich oczach. I to cierpienie w oczach rodziców. I ta świadomość, że jednak pomagam". Nie czytasz damskich magazynów, to nie wiesz, jak tam się pisze.

Rafał oparł się na murku oddzielającym boksy Latawca i Hanysa i w ten sposób nasze oczy znalazły się raczej blisko siebie.

– A mnie to wisi – zakomunikował pogodnie. – Niech piszą, jak chcą, byle nazwiska nie przekręcili.

Zdumiałam się.

– A co też ty mówisz? Myślałam, że wisi ci raczej popularność i reklama!

– Prywatnie jak najbardziej. Ale przemyślałem sprawę dogłębnie i doszedłem do wniosku, że zależy mi na tym, żeby pisano i mówiono o hipoterapii jak najwięcej. Bo jak się ludzie dowiedzą, że to pomaga, mam na myśli ewentualnych zainteresowanych, to może będą się domagali powstawania takich ośrodków jak nasz? Wiesz, powstanie popyt na konkretne usługi, a wtedy pojawią się i usługi. Emilko, sama widzisz, że to jest pożyteczne.

– No, sama widzę. A nie będzie ci przeszkadzało, że rodzona matka cię nie pozna w tym glancusiu, którego oni z ciebie zrobią?

– Moja matka będzie zachwycona, ponieważ ona uwielbia kobiece magazyny – zaśmiał się, a ja pomyślałam, że to jest dobry moment, żeby zapytać go troszkę o tę jego rodzinę, o której nic nie wiem, a chciałabym wiedzieć cokolwieczek...

– Kim jest twoja mama? – rzuciłam od niechcenia.

– Żoną mojego taty. Nie, Emilko, ja się nie wykręcam. Ona jest żoną taty, i to wszystko. Nigdy nie należała do gatunku kobiet przesadnie aktywnych, więc z ulgą rzuciła pracę, kiedy ojciec zaczął zarabiać większe pieniądze i mogła zająć się tylko domem i nami, to znaczy dziećmi, bo ja mam jeszcze dwie siostry. A ojciec jest lekarzem.

– Neurologiem? – wyrwało mi się i omal się nie zadławiłam własnym pytaniem. A jeśli jego ojciec to ten ordynator?... Matko Boska!

Pokręcił głową. Dzięki Ci, Panie!

– Nie, ginekologiem położnikiem. Jest bardzo dobry w tym, co robi, a kilka lat temu założył z dwoma zięciami prywatną kliniczkę pod Wrocławiem. Nawet z Niemiec przyjeżdżają do niego się leczyć kobitki. Oczywiście chciał, żebym poszedł w jego ślady, miał mi za złe najpierw, kiedy wybrałem neurologię na specjalizację, a potem, kiedy rzuciłem szpital w cholerę, omal mnie nie zabił. On ma dość silny charakter, ale ja też. Tylko że ja jestem łagodniejszy – przewrócił oczami pociesznie.

– Czekaj. A ja myślałam, że ty masz rodzinę w Janowie Podlaskim.

– Tam mieszka rodzina mojej żony. Moi byli teściowie, którzy wciąż mnie lubią. Czasem ich odwiedzam, a przy okazji wpadam do stadniny w różnych końskich sprawach. Mam tam paru przyjaciół. W swojej własnej rodzinie nie jestem przesadnie chętnie widziany. Ojciec uważa, że jestem mięczak. Kobiety są podobnego zdania.

– O kurczę. To przykro. A twoje siostry też robią w medycynie?

– Jasne. Starsza, Halina, jest specjalistką od neonatologii, wiesz, co to znaczy?

– Najmniejsze dzieciaczki.

– Tak. No więc Halina jest od dzieci, potem ja byłem średni, to wiesz, a moja młodsza siostra, Asia, specjalizowała się w ginekologii, jak ojciec. Wszystko pod kątem rodzinnego biznesu szpitalnego.

– Jak ten kwartet smyczkowy w rodzinie babci Omci!

– Coś w tym rodzaju. Dziewczyny powychodziły za kolegów ze studiów i naprawdę prawie cała ta kliniczka jest obsadzona przez rodzinę. Ale moim zdaniem to nic złego, skoro wszyscy są naprawdę dobrzy.

– Ale czemu ty się tak jeden wyłamałeś?

– A bo ja wiem? Może ja nie lubię grać w orkiestrze ani nawet w kwartecie smyczkowym?

– Tylko solówki?

– Nie, nie tylko. Ale nic na siłę.

Muszę to zapamiętać – nic na siłę – i nigdy go do niczego nie zmuszać. Wprawdzie jeszcze nie wiem, do czego miałabym go zmuszać, ale na wszelki wypadek dobrze będzie nastawić się na daleko idącą dyplomację w różnych życiowych kwestiach...

Zamknęliśmy boksy i poszliśmy do domu.

A kiedy wychodziliśmy ze stajni, wydało mi się, że widzę za murem sylwetkę – jakby Misiaka???

Natychmiast powiedziałam o tym Rafałowi, ale kiedy rozglądaliśmy się dookoła, nikogo już nie było w naszym polu widzenia.

Niestety, znowu zrobiło mi się niedobrze od tego wszystkiego, co sobie zdążyłam pomyśleć.

Lula

Ależ bomba!

Ewa będzie miała dziecko!

Przyjechali na weekend, nieco poszerzony, bo Ewie wypadły z planu jakieś zajęcia, coś tam sobie przy okazji

219

poprzekładała, i są na cały tydzień. Bomba wybuchła już pierwszego wieczora, kiedy goście poszli spać – bardzo wcześnie, jak na nich, bo już koło dziesiątej. Normalnie szli do siebie dopiero po pierwszej, ale tym razem popadali jak muchy, bo ich Olga przeczołgała na jakimś stoku w Karpaczu (udało nam się ją namówić na zajęcie się ekstra naszym międzynarodowym towarzystwem, za ekstrawynagrodzenie, rzecz jasna). Zasiedliśmy więc sobie spokojnie i rodzinnie w salonie, rozkoszując się atmosferą przyjaźni, ciepła i spokoju. Dzieci, mimo późnej, jak na nie, pory, odmówiły pójścia do siebie, bo chciały pobyć z nami wszystkimi. Zrobiło się po prostu pysznie. Babcia Stasia wyciągnęła z apteczki jakąś ciemnoczerwoną ciecz, gęstą, mało alkoholową, za to bardzo aromatyczną, a Janek wydzielił każdemu z nas po trochu do małych kieliszków.

– Kominek tu trzeba zrobić, koniecznie – rzucił od niechcenia Wiktor. – Nie rozumiem, jak mogliśmy dotąd o tym nie pomyśleć...

– Myśleliśmy, myśleliśmy – przypomniała niecierpliwie babcia – tylko przecież milion rzeczy trzeba było zrobić w pierwszej kolejności! I zrobiliśmy milion rzeczy. Coś trzeba sobie zostawić na zaś. Ale masz rację, Wiktorku, kominek musi być.

– Żeby się przy nim psy legawe wylegiwały – dodała Emilka. – Ty, Lula, co to są właściwie psy legawe?

– Nie mam pojęcia – powiedziałam prawdomównie, wywołując na jej twarzy wyraz rozczarowania. Dlaczego ona mnie pyta o wszystko? I chce, żebym wszystko wiedziała?

– No jak to, ciocia – włączył się Kajtek. – To są właśnie takie, co się wylegują. Jak sama nazwa wskazuje.

– Czy kobiety też mogą być legawe? – zastanowiła się Emilka. – Bo ja bym się lubiła wylegiwać przed kominkiem, najlepiej na skórze jakiegoś dużego stworzonka. Miękkiego. Ewentualnie na perskim dywanie. Nawet lepiej, bo ekologicznie, stworzonka mogłoby mi się zrobić żal. Omciu, co Omcia na to?

– Kobiety to ja nie wiem, moja kochana Emilko. Ale dżeczy to są legawe, moim zdaniem, a najbardżej takie małe niemowlaki. To bardzo ładnie wygląda, jak szę jeden albo dwa takie dżeczaszki wylegują na skórze nedżwedża, koło kominka, ogień szę pali, a te dżeczy są gołe. I wtedy im szę robi zdjęcza.

Nie rozumiem, dlaczego obie babcie spojrzały w tym momencie na nas, to znaczy Janka i mnie – a miały ułatwione, bo siedzieliśmy we dwójkę na jednym dużym fotelu i można nas było objąć zaciekawionym wzrokiem. A jeszcze bardziej nie rozumiem, dlaczego Emilka spojrzała pytającym wzrokiem na Wiktora.

To znaczy, teraz rozumiem, tylko skąd ona, do licha, wiedziała?

A Wiktor spojrzał na Ewę.

– Przyznajemy się?

Wzruszyła tylko ramionami z jakimś takim bezradnym wyrazem twarzy, jakiego nigdy u niej nie widywałam.

Babcie zelektryzowało i natychmiast przeniosły sokoli wzrok z nas na Ewę i Wiktora.

– Wiktorku! Ewuniu!!!

Wiktor podszedł do swojej żony i otoczył ją opiekuńczym ramieniem.

– Nie będziemy kręcić – powiedział stanowczo. – Dobrze babcie myślą, Ewa jest w drugim miesiącu. Może nawet prawie w trzecim.

– W drugim – sprostowała Ewa słabym głosem.

Wydaliśmy kilka kolektywnych okrzyków, które miały oznaczać gratulacje, aprobatę, radość i wiele innych pozytywnych uczuć. Tylko mała Jagódka lekko się nachmurzyła.

– No nie – odezwała się z lekką pretensją. – Dlaczego ja jeszcze nic nie wiem?

– Przepraszam cię, córeczko. – Wiktor zagarnął ją sobie na kolana, zanim zdążyła się nadąć i zaprotestować. – Mieliśmy ci to dzisiaj przed pójściem spać uroczyście zakomunikować jako osobie najważniejszej, ale sama widzisz, tak jakoś wyszło, że się zgadało o tych dzieciach. To już powiedziałem, bo przecież i tak byśmy się ujawnili.

– To będzie siostra czy brat? – Kajtek, oczywiście, był konkretny.

– Za wcześnie, żeby stwierdzić. – Wiktor pokręcił głową.

Jagódka przeniosła się do matki.

– Mamo, a ty jak myślisz?

– Ja nie mam pojęcia, kochanie – westchnęła Ewa. – Ja jestem jeszcze trochę oszołomiona, bo dopiero od kilku dni wiem o tym dziecku. Słuchajcie, ja w ogóle teraz nic nie wiem.

– Czego właściwie nie wiesz? – Emilka tryskała entuzjazmem. – Ewka, przecież to jest rewelacja! Jagusi dawno należy się jakieś rodzeństwo, Wiktor zarobił teraz kupę szmalu, możesz wziąć urlop, możecie się urządzić; oczywiście nie w Krakowie, tylko tutaj.

– Na strychu w Rotmistrzówce? – wyrwało się Ewie.

– Możecie na strychu. – Emilka miała w oczach chytre błyski. – Ale ja wam coś powiem: Kiełbasińscy sprzedają chałupę po babce...

– Jaką chałupę, Emilka? O czym ty mówisz?

– O chałupie babci Kiełbasińskiej! Za naszymi padokami! Będziecie mieli przez płot do nas!

– Emilka, zwariowałaś? Ta stara ruina?

– To nie jest taka ruina. Ja ją oglądałam. To fajna chatka, zdrowa i wszystko w niej jest, tylko strasznie zarośnięta. Jak się ten cały busz wytnie, to sama zobaczysz. Mały remoncik i macie dom na wsi!

– Wiktor. – Ewa zwróciła się do męża jakby o ratunek przed dzikim optymizmem Emilki, ale mąż miał niemądry wyraz twarzy, a nawet jakby się zaczerwienił.

Czyżby był w zmowie z Emilką? Bo jakoś mało go zaskoczyła ta stara chałupa!

Co tu się wyrabia? Nic nie rozumiałam, natomiast odniosłam wrażenie, że Janek i Rafał świetnie się bawią całą sytuacją – nalali sobie babcinego likworu poza kolejką i lekko się podśmiewając, stuknęli kieliszkami.

Ewa postanowiła chyba jednak się bronić.

– Ja nie wiem – powiedziała słabawo. – Ja nie wiem. Dlaczego wy wszyscy mi tak życie urządzacie. A ja nie wiem. Przecież mam pracę. Habilitację na głowie. Dopiero co wróciłam na uczelnię. Pomyślą, że jestem niezrównoważona wariatka...

– A to niech pomyślą. – Babcia Stasia z impetem odstawiła kieliszek na stół. – Nalej mi, Jasiu, jeszcze troszkę. Ewuniu, a co też ty opowiadasz. Niezrównoważona! Jeżeli ktoś może o tobie tak pomyśleć, to sam jest niezrównoważony. Ale tutaj sama zobacz: natura przemówiła! Nie lekceważ tego! Nie będę ci mówiła, że to znak z nieba, ale na twoim miejscu dobrze bym się zastanowiła, co ważniejsze, uczelnia czy rodzina! Rafałku, jesteś lekarzem, dobrze, ja wiem, że niepraktykującym, ale przecież lekarzem i uczyłeś się tych rzeczy, powiedz jej, że czas najwyższy, bo potem może chcieć, ale już może nie móc!

Rafał uśmiechnął się pod wąsem. On ma miły uśmiech i trochę rozumiem Emilkę.

– Babcia ma rację. A ja powiem coś jeszcze, co mi mówił mój ojciec, który jest właśnie specjalistą od tych rzeczy. Najlepsze są dzieci zrobione przypadkiem...

– Rafale, co ty mówisz, przy Jagódce, przy Kajtku... – jęknęła Ewa. Kajtek z Jagusią udawali, że ich nie ma w pobliżu.

– O, przepraszam, faktycznie. To co, mam nie mówić?

– Mów, mów – zażądał Wiktor. – To jest ciekawe, co mówisz! Dlaczego one są najlepsze, te przypadkiem, wiesz... W jakim sensie najlepsze i dlaczego?

– Wiem. One są najlepsze w sensie ogólnym. Bo tu babcia miała wielką rację, natura przemówiła. A kiedy natura się wypowiada, to wie, co mówi. I one się potem rodzą zdrowe, ładnie się rozwijają, nie ma z nimi większych kłopotów. Takie dzieci, na które się czeka latami, kiedy kobieta ma trudności z zajściem w ciążę, czasem leży miesiącami w szpitalu, żeby donosić, bywają chorowite i słabe. Tak pokazuje statystyka. A więc przypuszczam, Ewuniu, że będziesz miała wspaniałe dziecko, czego wam wszystkim życzę z całego serca.

Wydaliśmy z siebie kolejne zbiorowe okrzyki pełne aplauzu i zachęty na przyszłość. Wiktor wziął Ewę w ramiona i przytulił do siebie (w ogóle nie zrobiło to na mnie wrażenia!!!), a ona mu trochę bezwładnie zwisła z tych objęć, więc ją posadził na kanapie, sam usiadł obok, Jagódka wpakowała się pomiędzy nich i tak sobie siedzieli.

Renesans rodziny, jak mamę kocham!

I bardzo dobrze, niech będą jak najszczęśliwsi. Nie wiem, czy przebiją nasze z Jankiem osiągnięcia w tym zakresie.

Ostatecznie postanowili obejrzeć chałupę i zastanowić się nad dalszymi posunięciami jutro.

Emilka

Bomba pękła. To znaczy Wiktorek pękł, bo Ewa pewnie by się jeszcze tajniaczyła, zastanawiała i wymyślała różne głupoty, ale sytuacja się zrobiła jakaś taka sprzyjająca i wygadał się. Bardzo dobrze. Zamierzałam go i tak zmusić do tego, bo jak się takie rodzinne forum do nich zabierze, to Ewa w końcu MUSI skapitulować.

Jutro będą oglądać chałupę starej Kiełbasińskiej pod kątem ewentualnego nabycia i zagospodarowania. Dopadłam Wiktora w kącie i poradziłam mu, żeby zaprowadził tam Ewę pod pretekstem dobrego światła w miarę wcześnie – żeby jeszcze była troszkę zmęczona porannym rzygankiem (uprawia takowe; biuletyn o jej stanie zdrowia wydarłam z niego natychmiast po ich przyjeździe), to się z nią łatwiej będzie pertraktowało...

Rafał chyba uczynił poważny wyłom w jej świadomości, wygłaszając twierdzenie o wyższości dzieci nieplanowanych nad planowanymi. Widziałam, że zrobiło to na niej duże wrażenie.

– Rafałku – spytałam go, kiedy odnosiliśmy wspólnie nakrycia do kuchni – ty mówiłeś serio o tej przemawiającej naturze czy to było tylko na cześć Ewy?

– Serio, serio, jak najbardziej. Opowiadałem ci o moim ojcu, który jest wybitny w swojej specjalności i chciał, żebym ja był wybitny w tej samej; on mnie przygotowywał do zawodu i wtłaczał mi do głowy mnóstwo różnej wiedzy z tej dziedziny. Wiesz, gdyby nie był taki strasznie nachalny i apodyktyczny, to może bym się nawet zdecydował na to położnictwo. Fajnie jest, jak się dzieci rodzą. Ale tatuś przesadził z agitacją. Na pewnym etapie nienawidziłem wszystkiego, co się wiązało z ginekologią. Potem mi przeszło. A potem, jak ci wiadomo, w ogóle medycyna mi przeszła.

– Nigdy nie żałowałeś?

– Żałowałem. Ale nie tego, że ją rzuciłem, tylko jej samej i tego, że musiałem to zrobić. To trochę skomplikowanie brzmi, ale chyba wiesz, o co chodzi. W końcu ładnych parę lat z życiorysu mi uciekło. Ale nie potrafiłbym się zmusić do pracy w tym naszym systemie. Wiesz, czasem miałem wrażenie, że u nas się już w ogóle ludzi nie leczy, tylko jakieś cholerne przypadki. Po kawałku. A ludzie są od tego coraz bardziej chorzy. No a potem była ta sprawa z wypadkiem mojej żony...

– Jak ona miała na imię?

Spytałam i aż się spociłam. Pomyśli, że jestem wścibską małpą.

Chyba nie pomyślał, bo odpowiedział całkiem zwyczajnie.

– Karolina. A córeczka miała być Katarzynka.

– Przepraszam cię, Rafale, tak odruchowo spytałam, nie powinnam była...

– Nie, dlaczego? Ja już mogę o tym mówić, nie przejmuj się. To było moje poprzednie życie, a teraz mam kolejne.

– To masz ich kilka? Jak Kajtek w swoich grach komputerowych?

– Kilka. Chcesz herbaty? Takiej dobrej, z liści, a nie na szelkach?

Przytknął guziczkiem elektrycznego czajnika, którego używaliśmy do indywidualnych herbatek. Siedliśmy w kącie kuchni. Jakoś nam przyjemnie było... przy jakże nastrojowym szumie zmywarki, którą włączyłam, dołożywszy do niej uprzednio kieliszki po likworze.

Postanowiłam drążyć temat jego życia.

– Powiedz, ile ich naliczyłeś? Tych żyć?

– Dwa i pół.

Rozśmieszył mnie.

– Jak to liczysz? Czemu pół?

– Pierwsze życie – powiedział, zalewając herbaciane listki w imbryczku – to było od zera do tego wypadku Karoliny. Normalne, poukładane życie, z takim standardowym rozwojem od dzieciństwa poprzez szkoły, akademię, małżeństwo, pierwszą pracę, takie tam. Rozumiesz, co mam na myśli?

Przytaknęłam i podałam mu cukierniczkę, którą odsunął, bo przecież nie słodzi herbaty.

– Potem to wszystko padło na pysk. I się skończyło pierwsze normalne, bezpieczne życie. To znaczy, ono nie było bezpieczne, ale takim się zdawało. Potem przez jakiś czas żyłem na pół gwizdka. Tego okresu nie liczę jako normalnego życia. A więc połówka. I teraz, od jakiegoś czasu żyję normalnie. To będzie życie numer dwa.

Strrrrasznie chciałam go zapytać, od którego momentu liczy to normalne życie numer dwa, ale jakoś nie zapytałam. Bo mógłby nie odpowiedzieć, że od chwili poznania nas i Rotmistrzówki.

I mnie.

Zamiast tego rzuciłam lekko:

– No i jak znajdujesz to kolejne życie?

– Pozytywnie. – Uśmiechnął się i podsunął mi cukierniczkę, której nie użyłam, bo z zasady nie słodzę herbaty.

– Nie masz takich pomysłów, żeby wrócić do medycyny?

– Nie. To się skończyło definitywnie. Mogę robić wiele pożytecznych rzeczy, nie używając mojego dyplomu Akademii Medycznej. Sama wiesz, bo też to robisz.

– A jak ci jest z nami?

– Nie widać tego po mnie? – Zaśmiał się beztrosko. – Wtapiam się. Jeżeli już biorę udział w zbiorowej agitacji Ewy... żeby nie powiedzieć: indoktrynacji...

– Ależ to jest w słusznej sprawie!

– Dlatego się nie wymiguję, tylko agituję! Emilko, dziewczynko, przyznaj się, czy ty wszystkim spotkanym na drodze ludziom chcesz urządzać życie, czy tylko najbliższym przyjaciołom? Bo tak się angażujesz w sprawy Ewy i Wiktora... a mam podejrzenia co do twojej roli w szczęśliwym złączeniu się Jasia i Luli...

– Ty nie bądź taki inteligentny, bo się nie uchowasz! Cyganie cię porwą!

– Aaaa, przyznajesz się?

– Ja to małe piwo – oświadczyłam, nagle zdecydowana opowiedzieć mu wszystko. – A wiesz, że babcie wynajmowały za pieniądze studentki, żeby podrywały Jasia?

Że on się nie rozleciał ze śmiechu, to istny cud. Może rekompensował sobie te wszystkie lata, kiedy śmiać się nie mógł. Kiedy już się trochę wyśmiał, wydusił ze mnie szczegóły i ciąg dalszy na temat mojego rzucania się na Janka. Wcale się zresztą nie opierałam. Kwadrans potem oboje umieraliśmy ze śmiechu nad kuchennym stołem i chłodnymi resztkami naszej herbaty.

Uwielbiam się śmiać!

Lula

To zdumiewające, ale Ewa prawie bez oporów zgodziła się na kupno chałupy babci Kiełbasińskiej! Oględzin dokonaliśmy zbiorowo wczoraj i rzeczywiście, Emilka miała rację, po wycięciu szalejącej wokoło dżungli będzie to zupełnie przyjemny domek, wymagający oczywiście szybkiego remontu, jakichś niewielkich przeróbek, modernizacji łazienek – ale to w zasadzie wszystko, nie będą potrzebne żadne wielkie inwestycje.

– Wiesz, Ludwisiu – powiedział Janek, kiedy wieczorem, już w sypialni omawialiśmy wydarzenia minionego dnia (ostatnio weszło nam to w zwyczaj) – ja myślę, że Ewie wcale nie było za różowo na tej uczelni, bo chyba atmosfera tam nie jest zbyt przyjemna, sądząc z jej opowiadań... I moim zdaniem ona z ulgą przyjęła tę swoją nową przymusową sytuację.

– Uważasz, że dziecko w drodze to jest przymusowa sytuacja?

– Pewnie. A ty nie? W jak najbardziej pozytywnym sensie. Przecież to będzie normalne dziecko w normalnej rodzinie, nie żaden, za przeproszeniem, wynik gwałtu czy czegoś tam innego, w wyniku czego kobieta usuwa ciążę. W bardzo odpowiednim momencie im się trafiło, warunki mają doskonałe, zwłaszcza teraz, kiedy się zdecydowali na tę chałupę. Wiktor będzie zarabiał na rodzinę, a Ewa może spokojnie chować malucha. I Jagódce to świetnie zrobi, wreszcie jej się ustabilizuje życie, będzie miała oboje rodziców na co dzień. Same przody.

– To ty uważasz – spytałam podstępnie – że rolą męża jest zarabianie, a rolą kobiety chowanie dzieci, gotowanie obiadków i sprzątanie mieszkania? I to ma jej wystarczyć na całe życie?

– Nie wrabiaj mnie w takie poglądy, moja słodka. Jak dla mnie kobiety mogą robić dowolne kariery w dowolnych dziedzinach, mnie się to nawet podoba i lubię z kobietami pracować. Ale jeśli można poświęcić kilka lat na chowanie dzieci, to przecież nie ma w tym nic złego, prawda? Dla tych dzieci to nawet wręcz przeciwnie, samo dobre, taka mama na miejscu. Małym dzieciom mama jest potrzebna. A jak podrosną, mama spokojnie wróci do pracy i będzie dalej robiła karierę.

– Ty myślisz, że to tak łatwo, wrócić do zawodu po paru latach?

– Kto mówi, że łatwo? A co w ogóle w życiu jest łatwe? Tylko ja myślę, że wszystko jest kwestią wyboru, a gdybym był Ewą, wybrałbym na te kilka lat rodzinę.

– Tak się mówi. Nie jesteś Ewą! A gdybym ja, teoretycznie to mówię, miała teraz dziecko i chciała robić karierę, to ty byś się zgodził siedzieć w domu i gotować zupki?

– Nie wykluczam. A co, masz może jakieś mdłości poranne?

– Mówiłam ci, że teoretyzuję!

Odsunął się ode mnie na odległość ramienia i wnikliwie spojrzał mi w oczy.

– Lula!

– Co Lula, co Lula.

– Nic? Naprawdę?

– Naprawdę. Przecież mówię.

Westchnął.

– Kurczę, a ja już się prawie ucieszyłem...

– Kurczę, chciałbyś mnie zamknąć w domu, przy dziecku?

– Kurczę, sam bym się zamknął, gdybyś ty nie chciała...

– Kurczę, kurczę. Kto ci powiedział, że bym nie chciała?

– Wydawało mi się.

– Nie słuchasz, co do ciebie mówię.

– To co? Przestajemy się zabezpieczać?

– I będę grubą panną młodą?

– Jaką tam zaraz grubą. Jakby nam się od razu udało, to w czerwcu byłabyś... no, może trochę...

– Nie trochę. Piąty miesiąc to hoho...

– No to przyspieszymy ślub, jakby co. Ten kwiecień też może być całkiem fajny...

– Ostatecznie może być maj. Ja tam nie jestem przesądna tak naprawdę... A w razie czego ubiorę się w luźną kieckę, wiesz, taką maskującą.

Emilka

Jak tylko śniegi stopnieją, Wiktorek rusza z remontem swojego nowego domu!

Niech pęknę z hukiem, jeśli Ewie nie ulżyło w momencie, kiedy podjęła decyzję. Wiktor natychmiast zaczął ją nosić na rękach, zupełnie dosłownie; chyba się naprawdę ucieszył. No więc jest po prostu świetnie, w tym układzie górka będzie do wzięcia, dla Jasia i Luli. A jest to bardzo słodka górka!

Zaraz. Skoro Jasio i Lula mają być docelowo gospodarzami Rotmistrzówki, to może oni jednak powinni mieszkać na dole, a górka...

A dla górki znajdzie się jakiś inny szczytny cel.

Lula

Bardzo miło jest NIE UWAŻAĆ.

Emilka

Cholerny Leszek znowu dał głos. Telefonicznie. Już mi się nawet z nim gadać nie chce, co to, cholera, znaczy, ostatnie ostrzeżenie!

– No, może zresztą przedostatnie – wycedził tym swoim paskudnym głosem.

– Bo co? Bo mnie zabijesz? Zastrzelisz zza krzaka? Czy Rafała zastrzelisz? Kota masz? Przecież wiesz doskonale, że policja cię pilnuje!

– Znajdę sposób, dzidzia, znajdę, żeby ci dopiec. Tobie albo twojemu doktorkowi...

– Jakiemu mojemu, jakiemu?

– A, to on jeszcze nie twój? Bo mi się tak jakoś wydawało. Stale was widzę razem...

– Pracujemy razem, ty głąbie kryminalny!

– Oj, nie denerwuj mnie – powiedział i się wyłączył.

Ochłonęłam. Może naprawdę niepotrzebnie obrzucam go wyzwiskami. Ale co to za maniery, przerywać rozmowę! Cholerna dżuma.

Zadzwoniłam do Misia.

– Słuchaj, Misiu – powiedziałam bez zbędnych wstępów. – Mój były kryminalista znowu dzwonił i mnie denerwował. Co ja mam zrobić twoim zdaniem?

– Groził ci?

– Tak jakby. Ale nie konkretnie, tylko tak jakoś...

– Jak jakoś?

– No tak blablał, że ostatnie ostrzeżenie, potem zmienił zdanie i powiedział, że przedostatnie, ale że się do mnie dobierze albo do Rafała. Ty słuchaj, czy nie można go zamknąć w pudle za uporczywe nękanie obywatelki?

– Za samo nękanie, niestety, nie. Emilka, ja cię proszę,

ty nic nie rób na własną rękę, dobrze? Ja ci nie mogę nic powiedzieć, ale my nad nim pracujemy. Uwierz mi i nic nie kombinuj.

– To znaczy, że jest nad czym pracować? Lesio nie próżnuje na wolności?

– Emilko, proszę cię.

– Misiu, ale może ja mogłabym jakoś pomóc!

– Emilko, proszę.

– Misiu, ja też proszę! A zresztą, niech ci będzie, i tak na razie będę zajęta, wyprawiamy bankiet dla naszych biznesowych gości i nie mam czasu na głupoty. Ale jak oni już wyjadą, to nie ręczę za siebie!

Westchnienie Misia przeszło w jęk, ale nic już nie powiedział. Niech no oni nie będą tacy tajemniczy, ci faceci w kominiarkach! W końcu to o moją głowę chodzi albo o głowę...

No właśnie. MOJEGO doktorka? Mojego?

Lula

Nasi biznesowi goście będą wyjeżdżać niebawem, ale przedtem zażyczyli sobie uroczystej kolacji – zdaje się, że doszli do porozumienia, robią jakąś nad wyraz intratną fuzję międzynarodową, dzięki czemu Wiktor nie musi się martwić o przyszłe zarobki w dziedzinie reklamy. Dla uczczenia tego przedsięwzięcia mamy ich nakarmić i napoić wytwornie, po staropolsku, ale żeby od tego nie utyli, broń Boże. Moim zdaniem nie ma takiej możliwości! Albo po staropolsku, albo nietuczącо!

Co ja im dam?

Może ryby. Od ryb się tak bardzo nie tyje.

Coś wykombinuję.

Emilka

Megi, Pegi i cała reszta wyjechali, nażarłszy się przedtem jak bąki. Jakoś się przestronniej zrobiło. Chociaż niby sympatyczni i bezpośredni, ale coś jednak w powietrzu wisiało, jakiś przymus, nie potrafię tego dobrze określić.

– Bo oni sztuczni są jak PCW – powiedziała babcia Stasia, rozsiadłszy się po drugim śniadaniu w kuchennym fotelu. Takie fotele mamy dwa, dla obydwu staruszek, które uwielbiają przesiadywać w kuchni i patrzeć nam na ręce, kiedy gotujemy. Przeważnie są to ręce Luli, ale i ja czasem pomagam. Babcie w tym czasie bawią nas konwersacją na dwa głosy.

– Co to jest PCW, babciu? – nie wiedział Kajtek.

– Polichlorek winylu. Takie tworzywo, kiedyś się z tego robiło płytki na podłogę. Ohydne i podobno rakotwórcze.

– To znaczy można od nich dostać raka? – zapytała Jagódka. – Od naszych gości?

– Nie, dziecinko. Raka nie.

– A czego? – dociekało dziecko.

– Niczego. Jagusia, ty nie musisz iść do szkoły?

– Przecież my już wróciliśmy, babciu! Były tylko dwie lekcje, bo wysiadło ogrzewanie i puścili nas do domu. Ale możemy sobie pójść do koni.

– No to zbierajcie się i nie przeszkadzajcie starszym...

– Babcia zawsze każe się zmywać, kiedy coś chlapnie – mruknął pod nosem Kajtek i zwiał czym prędzej.

Babcia chlapnęła czystą prawdę. Może ja ich krzywdzę, tych wszystkich biznesmenów, ale coś mi się wydaje, że za mało pokoleń przodków w rodzinie nosiło frak, żeby on teraz na nich dobrze leżał. Ten frak. A może smoking, nie pamiętam. To przenośnia, oczywiście, słyszałam takie określenie od Luli i bardzo mi przemówiło do wyobraźni. Kiedy na nich patrzyłam, a zwłaszcza kiedy z nimi rozmawiałam, miałam wrażenie, że czytam kolorowy magazyn dla pań wytwornych. Ze świeżego awansu społecznego. Ale to chyba korzystnie, skoro zamierzają taki magazyn wydawać?

Wczorajszego wieczora święcili dobicie jakiegoś wielkiego interesu, dogadali między sobą jakieś fuzje-smuzje i byli szalenie zadowoleni. Biedna Lula od rana kombinowała jak koń pod górę, żeby im zrobić delikatną i nietuczącą ucztę Babette (był taki film, świetny po prostu), w końcu wpadła na pomysł z rybami i owocami morza – oczywiście Jasio musiał po to całe badziewie jechać do Wrocławia, chyba przekroczył więcej przepisów drogowych, niż mu się udało przez całe życie... ale zdążył na czas z ładunkiem krewetek, ślimaczków i jakichś okropnych małżowin. Ryby mieliśmy na szczęście w zamrażarce, więc można było w międzyczasie produkować wykwintne dania rybne. Doginałyśmy uczciwie we trzy, z Lulą i Ewą, a Żaklina pod naszym zbiorowym okiem wykonywała pośledniejsze czynności kuchenne.

Coś mi się wydaje, że na Żaklinie piorunujące wrażenie wywiera Wiktor. Za każdym razem, kiedy cudny ten mężczyzna pojawiał się w okolicy kuchni, wzdychała i płoniła się jak pomidorek.

W przeciwieństwie do kochanej Luli, która chyba raz na zawsze przestała się płonić w temacie Wiktora, albowiem za swoim Jasiem świata bożego nie widzi, jak najbardziej z wzajemnością.

Oprócz szalenie wyszukanych dań z ryb i owoców morza plus wielka ilość zieleniny – podałyśmy na stół troszkę naszych dyżurnych specjałów typu bigos „śmierć wątrobom", pieczone mięcho jak najbardziej wieprzowe, tłuste pasztety zapiekane i drożdżowe paszteciki z nadziankiem grzybno-mięsno-kapuściano-jajecznym (osobno te nadzianka, nie razem). Miało to być w zasadzie dla domowników, zwłaszcza dla naszych chłopców mięsożernych. Ale cóż się okazało – całe to niezdrowe żarcie znikło w pierwszej kolejności jak sen jaki złoty. Musiałam prawie wyrywać biznesmenom z pyska pierożki, bo przecież nie będę z własnej woli jadła małżowin!!!

Ogólnie było miło, a Wiktorowi chyba kamień z serca spadł, bo nowo narodzone konsorcjum (czy jak to się tam nazywa) wydawniczo-reklamowe zapewni mu tłuste bytowanie na najbliższe lata. Będzie mógł na zawsze zerwać z tą swoją poprzednią agencją i pracować bezpośrednio dla Megi – Pegi. O wiele lepiej na tym wyjdzie. One go kochają prawdziwą miłością i nie poskąpią mu grosza. W swoim własnym, dobrze pojętym interesie – ostatecznie Megi zarobiła już mnóstwo szmalu dzięki jego koncepcjom i zna wartość jego talentu. No i dobrze. Miesięcznik „Tylko Ty" ma się ukazać w marcu, na Dzień Kobiet, i będzie w nim wielki materiał o Wiktorze. A w kwietniu lub maju o naszej hipoterapii.

No i bardzo dobrze wręcz!!!

Lula

Mieliśmy dziś u siebie niespodziewane zebranie założycielskie. Razem z Anią Szczepankową, Celinką i Franiem Kiełbasińskimi, księdzem Pawłem, Krzysiem Przybyszem i taką jedną Dorotką Paciak (Dorotka ma sześćdziesiąt pięć lat, ale nikomu nie przychodzi na myśl nazywać ją Dorotą

– taka jest zabawna, okrągła i przyjacielsko nastawiona)
– założyliśmy Towarzystwo Przyjaciół Marysina.

Najpierw, koło południa, zadzwoniła Ania i zapowiedziała się na wieczór w towarzystwie Kiełbasińskich, Dorotki i placka z kruszonką. Ucieszyliśmy się wszyscy z perspektywy miłego wieczoru z sympatycznymi ludźmi. Tym przyjemniej nam było, że Ewa znalazła sobie jakiś pretekst, żeby nie pojawiać się na uczelni jeszcze przez dwa dni i Łascy wcale nie wyjechali tak, jak zamierzali, razem z Megi i resztą. Okazało się jednak, że nie tylko przyjemne pogaduchy o niczym nas czekają – Ania, która jest patriotką lokalną, zaproponowała, żebyśmy zawiązali jakieś stowarzyszenie dla rozwoju Marysina.

– Ty myszlisz, dżecko, że Mariszyn ma jeszcze szansę jakosz szę rozwinącz? – zapytała sceptycznie Marianna. – Chcesz z niego zrobicz drugi Krummhuebel, to znaczy Karpacz, przepraszam?

– Karpacz nie – odrzekła stanowczo Ania. – Karpacz to jest kurort, tam są wielkie hotele i drogie pensjonaty, a u nas będzie tylko kilka gospodarstw agroturystycznych. Ale moglibyśmy postarać się, żeby nasz Marysin miał jakiś określony charakter. Rozumiecie mnie? Żeby to nie była taka sama wioska, jakich setki więdnie dookoła, tylko żeby się coś działo, żebyśmy się czymś wyróżniali. Gdzieś kiedyś czytałam o wioskach tematycznych, podobno w jakimś grajdołku na Pomorzu ktoś robi Hobbiton, ja nie mówię, żebyśmy od razu zamienili Marysiń w Hogwart albo inne dziwadło, ale może warto by coś wymyślić, żeby wieś się ludziom z czymś kojarzyła. Ja nie wiem, czy się jasno wyrażam...

– Jasno, jasno. – Babcia Stasia kiwała energicznie głową, najwyraźniej pomysł jej się spodobał. – Dobrze mówisz, Aniu i jestem z tobą. Tylko co to ma być? Końska wioska? Na to mamy za mało gospodarstw z końmi, poza tym Zimmer ma już swoje miasteczko westernowe, nie przebijemy go...

– Ja widziałam w telewizji – wtrąciła nieśmiało Dorotka Paciak – jedną taką wieś blisko morza, ale nie nad morzem, ona się nazywała Naćmierz, ta wieś, i oni sobie wymyślili „strefę dobrego wypoczynku", pół wsi żyje z turystów, chociaż niby nic tam nie ma, ale oni festyny dla gości robią, bawią się. No i goście do nich wracają.

– Ja się boję – Franek Kiełbasiński był sceptyczny – że wszystkie patenty gdzieś w okolicy są już wykorzystane. Do gór od nas niby blisko, ale niewygodnie, łatwiej z Karpacza, tam są wszystkie szlaki, wyciągi, orczyki, diabli wiedzą co, nartostrady. Stare sztolnie, kamienie, minerały, agaty, Walończycy, poszukiwacze złota, to też w okolicy już jest wykorzystywane. Co my możemy wymyślić?

Zapadła cisza. I w tej ciszy słychać było tylko siorbanie bardzo gorącej kawy, bowiem Dorotka Paciak pije dosłownie wrzącą, więc musi siorbać.

No i naprawdę nie wiem, dlaczego to nie ja wpadłam na ten pomysł! A przecież powinnam była, chociażby ze względu na zawód wyuczony, chociaż ostatnio nieuprawiany!

Wpadła Emilka, która nie odróżnia Fałata od chałata.

– Ja wam powiem – zaczęła powoli, patrząc intensywnie na Wiktora, a Wiktor pod wpływem tego spojrzenia jakby sam zaczynał się domyślać, o co jej chodzi. – Ja wam powiem. Możemy w Marysinie zrobić centrum sztuki.

– No, no – powiedział Wiktor. – Kontynuuj.

– Już. No więc to by była taka wiocha, gdzie by się robiło plenery dla artystów...

– I dla amatorów też – wtrącił Wiktor. – Można by im robić kursy...

– Jakie kursy? – Ewa podniosła wysoko brwi.

– Warsztaty. Rysunku i malunku. – Emilka najwyraźniej miała natchnienie. – I fotografii artystycznej...

– Czekajcie. – Wiktor złapał się za kieszeń i wydobył komórkę. – To trzeba zadzwonić po Pawła.

– Księdza Pawła – poprawiła babcia.

– Księdza – zgodził się Wiktor i już rozmawiał z naszym genialnym fotografikiem.

– To ja zadzwonię po Krzysia Przybysza – oznajmiła Emilka. – On też może mieć fajne pomysły i na pewno będzie chciał z nami pracować.

I też wyciągnęła telefon.

W niespełna kwadrans obaj panowie byli już u nas, a nasza koncepcja zaczęła się krystalizować. Po kolejnej godzinie nabrała rumieńców. Powstała wizja wsi z kilkoma galeriami sztuki – największą, oczywiście, w nowym nabytku Wiktorów, obejmującym nie tylko chałupę po starej Kiełbasińskiej, ale i sporą stodołę, która miała ulec rozebraniu, ale, jak się okazało, pożyteczniejsza będzie po remoncie. Będzie się tam robiło wystawy. Nasza galeria domowa, oczywiście, zostaje. Dorotka Paciak zapaliła się do ustawienia sobie kilku do kilkunastu rzeźb współczesnych w ogrodzie i domu. Skąd weźmie te rzeźby, nie wiadomo, ale Dorotka nie przejmuje się drobiazgami. I słusznie, bo Wiktor natychmiast przypomniał sobie kilku swoich przyjaciół rzeźbiarzy, z którymi będzie można podjąć negocjacje w sprawie ogrodu Dorotki. Będziemy organizować plenery, warsztaty, kursy. W tym dla niepełnosprawnych, co podpowiedział nam, oczywiście, Rafał. Emilka spojrzała na niego w tym momencie z dużą dozą uczucia. Uczucie uczuciem, ale to naprawdę dobry pomysł. Rehabilitacja poprzez sztukę! Oczywiście w Rotmistrzówce nie rezygnujemy ani z koni, ani z hipoterapii.

– Ależ się narobimy – powiedziała z satysfakcją Emilka. – Padniemy na pysk!

Co mi się u niej zdecydowanie podoba, to to, że nie boi się pracy, a nawet chyba naprawdę lubi pracować. A przecież dwa lata jedwabnego życia w totalnym nieróbstwie mogły ją tej pracowitości pozbawić...

– Trzeba będzie wejść w kontakt ze szkołami artystycznymi – dorzuciła Ewa. – I z jakimiś specami od tych niepełnosprawnych.

– Przede wszystkim trzeba zrobić ładną stronę internetową. – To Janek, oczywiście. – I opracować sobie ofertę do przedstawienia na targach, bo musimy wreszcie zacząć uczestniczyć w targach.

– Ja myślę – wtrąciła Dorotka Paciak, miłośniczka form przestrzennych – że w całej wsi będzie można ustawiać rzeźby, takie wielkie, plenerowe. I robić te takie... jak to się nazywa? Jak instalacje elektryczne...

– Właśnie instalacje – potwierdziłam nieprecyzyjną wiedzę Dorotki. – Instalacje przestrzenne. Wiecie, można by organizować happeningi...

– Ogłaszając przedtem w prasie, radiu i telewizji – dodała praktyczna Emilka.

– I opisując wszystko post factum w ekskluzywnym miesięczniku dla pań „Tylko Ty". – Wiktor miał minę kota, który zjadł śmietankę. – Pościągamy telewizorów, będzie można w ramach chwytów marketingowych zorganizować jakiś weekend albo trzydniówkę na koniach dla dziennikarzy.

– Ale to na początku będzie nas sporo kosztowało. – Ewa była praktyczna, a poza tym chyba nie planowała wydawania pieniędzy, które Wiktor zarobi w reklamie, na wiejskie galerie sztuki.

– Jakoś sobie poradzimy. – Wiktor tryskał optymizmem, w który, moim zdaniem, wprawiała go perspektywa pracy w kręgu sztuki, nie tylko w kręgu najwytworniejszych nawet toalet (w sensie łazienek, nie ubiorów!) oraz najbardziej nawet kolorowej prasy dla pań.

Ewa sceptycznie pokręciła głową.

I tu niespodziewanie głos zabrała Marianna, wprawiając nas w zdumienie.

– Słuchajcze, kochani – zaczęła i odchrząknęła. – Poproszę łyk koniaczku, bo będę mówicz ważne rzeczy. I o uwagę poproszę tyż.

Nikt z nas nie śmiałby nie uważać podczas przemowy starszej damy. Dama łyknęła sobie odrobinkę szlachetnego trunku i kontynuowała.

– Podoba mi szę to, co tu wszyscy mówicze. Podoba mi szę, że traktujecze Maryszin jak swoje miejsce na żemi. Podoba mi szę, że chcecze tu zaprowadżycz Kunst, to znaczy sztukę. Podoba mi szę, że to, co robicze, to ma bycz na lata, a nie tylko na chwilkę. No więc ja nie widzę... pczeszyw... pczeczysz...

– Przeciwwskazań – podrzuciła Emilka.

– Otóż to. Nie widzę ich... tych, co Emilka mówisz, żeby wam nie pomóc w tym, żebyszcze zreazowaliszcze te wasze fajne plany.

– Co masz na myśli, Marianno? – nie wytrzymała babcia Stasia.

241

– Mam na myszli fundację – oświadczyła godnie Marianna. – Fundację Przyszłoszczy Wszy Maryszin. Ja dam pieniędze...

– Pieniądze – mruknęła babcia.

– Pieniądze, dżękuję, Stanyslawa. I założymy fundację, z której będżecze mogli organizowacz te swoje galerie i happening. Ja nie wiem, jak szę fundację zakłada, ale myszlę, że Ewunia będże wiedżała, a jak nie będże, to szę dowie. Bo ja bym chczała, żeby finansowym szefem tej fundacji została Ewa. Ona ma wielką głowę do finansów.

– Dziękuję za uznanie – bąknęła Ewa, chyba w lekkim szoku.

– A merytorycznym? – spytała Ania.

– Co meryto... rycznym? Szefem, rozumiem. To ja już nie wiem, sami wybierzcze. Tu jest dużo osób, co szę znają na rzeczy.

– Wiktor? – bąknęłam, bo mi się to wydało oczywiste. Ale Wiktor potrząsnął głową.

– Ja nie, Luleczko. Ja się nie nadaję na żadne oficjalne stanowiska, co nie zmienia faktu, że możecie na mnie liczyć w każdym momencie, wszystkie wysokopłatne wychodki rzucę natychmiast, żeby pracować dla fundacji.

– No przecież ty się znasz na sztuce, Lula – zawołała Emilka. – Pracowałaś w Muzeum Narodowym! Kończyłaś historię sztuki!

– Nawet ze wskazaniem na sztukę nowoczesną – dodał Wiktor z chytrym błyskiem w oku.

Poczułam się kompletnie spłoszona. Spojrzałam na Jasia, ale on się tylko uśmiechał radośnie.

– Ależ kochani – jęknęłam. – Ja mam się przecież z Jasiem zajmować Rotmistrzówką!

Miałam nadzieję, że babcia mnie poprze, ale ona ani myślała.

– Możemy zmienić koncepcję – powiedziała beztrosko. – Tylko krowa nie zmienia poglądów. Rotmistrzówką w sensie końsko-turystycznym zajmie się Janek, a Emilka z Rafałkiem mu pomogą. A poza tym praca w fundacji nie będzie zabierała wam całych dni i nocy! Ja wierzę w to, że jak się dobrze zorganizujecie, to sobie poradzicie ze wszystkim. W sprawach organizacyjnych przecież chyba i Ania, i Krzyś, i ksiądz nie odmówią pomocy! Jak już będzie co organizować, oczywiście. A pracę koncepcyjną można wykonywać nawet przy klejeniu pierogów...

– A jeśli będę miała dziecko?

Nie chciałam tego powiedzieć, wymknęło mi się, ale wszyscy natychmiast zaczęli wrzeszczeć bez sensu.

– Wy też, wy też? – dopytywała się Ewa, szarpiąc mnie za rękaw.

Rafał i Krzysztof już ściskali prawicę Jankowi, który, drań jeden, nic nie wyjaśnił, tylko się śmiał.

– Ja tylko hipotetycznie! – wrzasnęłam wreszcie i zapadła cisza.

Przerwała ją babcia Stasia.

– No to jak już będziesz je miała, to też ci wszyscy pomogą. Wam, znaczy.

Aha, pomogą. No to świetnie.

Babcia uznała sprawę za załatwioną ostatecznie, ale jeszcze jedna kwestia nie dawała jej spokoju.

– A ty, Marianno, powinnaś być prezesem tej fundacji – powiedziała spokojnie. – Bo, jak się domyślam, nie masz w najbliższych planach wyjazdu do Tyrolu?

– Stanyslava, ja czę proszę, ty do mnie mów proste zdania. Ale chyba ja rozumiem. Ty masz rację. Mne szę do Tirol... lu nie chce jechacz. Mnie tu z wami jest dobrze. Ja szę nie nudzę. Wy wszyscy jesteszcze młodży...

– Dziękuję ci, Marianno – mruknęła babcia, przewracając oczyma.

– Nie mówię o tobie, Stanyslawa – zachichotała Marianna – chocz ty szę do nich upodobałasz...

– Upodobniłaś?

– Tak. Upodobniłasz. Nie jestesz... jak to mówił Kajtusz... upierdliwą staruszką...

– Matko Boska – jęknął Janek, a cała reszta towarzystwa ryknęła śmiechem. – Ja mu dam, szczeniakowi... Gdzie on jest?

– Na górze, z Jagódką biegają po Internecie, to znaczy, tego, odrabiają lekcje – zawiadomiła, płacząca ze śmiechu Emilka. – Zawołać go, żebyś mógł go zabić?

– Nie, nie, Jasiu, nie waż się – zaprotestowała babcia. – Twój syn, o ile dobrze zrozumiałam naszą drogą Mariannę, powiedział, że NIE jestem upierdliwą staruszką!

– Genau. Ty mnie dobrze zrozumiałasz. No i ja tyż nie chcę bycz upierdliwą staruszką, a w Tirolu ja bym szę taka stała bardzo szybko. Z samych nudów. Tu z wami ja szę nie nudzę. Wy jesteszcze młodży, powiedżałam, wy macze dużo fajnych pomysłów i życze macze czekawe, nawet gangstera macze własnego...

W Emilkę jakby piorun strzelił, ale Marianna nie zwróciła na to uwagi najmniejszej.

– Policjantów macze pczyjemnych i ludże do was pczyjemni pczyjeżdżają... a propos, dawno Tadża mojego nie widżałam, czeba go koniecznie zaproszycz! Chcę zobaczycz jego dżewczynę i tę jej biedną chorą córeczkę... Może szę da cosz zrobicz. Może nie w Polsce, Rafał, ty pomyszlisz?

– Ja już dawno myślę – westchnął Rafał. – Na razie jeszcze nie bardzo potrafimy leczyć takie przypadki, nie tylko w Polsce, niestety... Ale będę się dowiadywał.

– No więc, jeszli wam to nie pczeszkadza, to ja tu jeszcze zostanę. Nie wiem, jak długo, dopóki mnie szę nie odechce. A mój Rupert też nie chce wracacz do Austrii, to będę do niego miała bliżej. Bo oni z Malwiną na pewno tu wiosną wrócą. Do tych robaczków. No więc jak, czy ja mogę zostacz?

Obrzuciliśmy ją mnóstwem zapewnień, że jest nam z nią bardzo dobrze, potem Emilka rzuciła się jej na szyję i wycałowawszy solennie, dorzuciła chytrze:

– Ja uważam, że Omcia nie może nigdzie wyjeżdżać, dopóki się nie wyjaśni sprawa tych klejnotów, co to gdzieś są, tylko nie wiadomo gdzie! Ja mam pewną koncepcję, Omciu!

– Co ty mówisz, dżecko? Masz koncepcję? Mów mi szybko!

– Omciu – zaczęła uroczyście Emilka. – Omciu i wy wszyscy. Moja koncepcja jest następująca. Trzeba zagonić do szukania Kajtka i Jagódkę.

– Do czego trzeba zagonić nas? – Kajtek wkraczał właśnie do pokoju, a pół metra za nim podążała Jagódka, bardzo zadowolona, jak zawsze, kiedy znajdowała się w towarzystwie swojego „starszego brata".

– Nie zagonić, tylko pogonić – mruknął jego ojciec, ale Omcia trzepnęła go po łapie, więc zamilkł.

– Kajtuszu, synku, chodż do mnie. Czocza Emilka mówi, że czeba was zagonicz do szukania moich biżutów. Czy ona ma rację?

– Pewnie, że ma – powiedział niedbale Kajetan. – My z Jagodą omówiliśmy tę sprawę dokładnie i chyba wiemy, gdzie trzeba szukać, tylko że teraz nie można.

– A dlaczego teraz nie można – obruszyła się Marianna. – Co to znaczy nie można? Zawsze można, jak szę chce!

– Babcia poczeka, zaraz wytłumaczę, jaki był tok naszego rozumowania...

Tu Jagódka aż się zarumieniła z zadowolenia, że Kajtek traktuje ją jak równorzędną partnerkę.

– W domu klejnotów nie ma – ciągnął Kajtek. – To wiemy, bo ta skrytka w murze była pusta, a potem były różne remonty, to by się klejnoty znalazły w międzyczasie. Więc na pewno dziadek pana Krzysia, czy tam pradziadek, zabrał je z domu i gdzieś schował.

– To też wiemy – burknęła babcia Stasia. – Nie nadużywaj naszej cierpliwości, chłopcze.

– Już mówię dalej. No więc nasze rozumowanie poszło w tym kierunku. Gdybyśmy byli dziadkiem pana Krzysia, tobyśmy chcieli schować klejnoty tak, żeby ich nikt niepowołany nie znalazł, ale żeby się pani baronowa, to znaczy właścicielka, to znaczy babcia Omcia domyśliła.

– Ty jesteś mały szadyszta? – spytała kąśliwie pani baronowa.

– Broń Boże, babciu Omciu. Ale niech babcia sama pomyśli. Które miejsce w Marysinie babcia najbardziej kocha?

– Wszystkie – rzekła z mocą Marianna.

– Eeeee, ale przecież nie wszystkie jednakowo, proszę babci.

– Kajtek, ja czę zabiję.

– U nas tego nie wolno robić dzieciom – powiedział Kajtek bezczelnie. – Babcia sobie przypomni. Jak babcia tu przyjechała pierwszy raz, to znaczy na jesieni. Pamięta babcia? To babcia gdzie poleciała najpierw? To znaczy, gdzie babcia poszła najpierw?

Patrzyliśmy po sobie, intensywnie usiłując sobie przypomnieć, jak to było z tym przyjazdem.

– Zanim jeszcze babcia się przywitała ze wszystkimi – podpowiedział mój przyszły pasierb i pokazał na migi Jagódce, że ma siedzieć cicho. Jagódka pokwikiwała z radości.

Pierwsza przypomniała sobie, naturalnie, Emilka.

– Jabłonka! – wrzasnęła na całe gardło. – Jabłonka! Babcia poleciała pod jabłonkę!

Tu zaczęliśmy krzyczeć wszyscy. Oczywiście, że jabłonka! Ukochany Apfelbaum Marianny, drzewko przez nią samą posadzone, Boże, jakie osły z nas, przecież ona tam siadała przy każdej okazji i bez okazji, Wiktor ją tam malował!

– *Mein Gott!* – ryknęła Marianna, przekrzykując nas wszystkich. – Gdże wy macze jakiesz szpadle???

– Janek, Rafał, Wiktor, Krzysiu, księże Pawle! – zawtórowała jej babcia Stasia. – Bierzcie łopaty, jakieś latarki i biegniemy kopać!

Już prawie byliśmy we drzwiach, ale zatrzymali nas dwaj przytomni. Janek i Rafał.

– Spokojnie, kochani – powiedział Rafał. – Nic się nie da zrobić, dzieci mają rację, trzeba poczekać...

– Dlaczego ja mam znowu czekacz? – jęknęła Marianna dramatycznie. – I do kiedy ja mam czekacz?

– Do ocieplenia – zawiadomił ją rzeczowo Janek. – Droga pani, to znaczy, droga babcia sobie raczy przypomnieć: jest zima...

– Prostymi zdaniami! – jęknęła Marianna po raz drugi. – Co to jest „raczy"? I co z tego, że jest żyma?

– Mrozy były. Ziemia zamarzła. Nie wbijemy żadnej łopaty. Kamień.

– *Krrrreuzhimmeldonnerwetter* – zaklęła Marianna (podejrzewam, że to Kajtuś nauczył ją tego wyszukanego przekleństwa, które znalazł gdzieś w literaturze, czy nie w Szwejku, choć nie jestem pewna), po czym powietrze z niej wyszło i padła z powrotem na fotel, z wyrazem straszliwego rozczarowania na twarzy. – Nic szę nie da zrobicz...

– Niestety. – Rafał poklepał ją pocieszająco po ręce. – Ale niech się babcia nie martwi. Mamy takie przysłowie: co się odwlecze, to nie uciecze.

– To jest głupie przysłowie – mruknęła babcia Stasia. – Mój nieboszczyk, świeć Panie nad jego duszą, tak samo mówił, jak grzebał w ścianie. I nie chciało mu się iść po narzędzia. A staremu Przybyszowi, przepraszam cię, Krzysiu, się chciało. I biżutki diabli wzięli.

– Ale tym razem – koił Rafał – nikt z nas nie zamierza po te biżutki sięgać. I wszystkich obecnych prosimy o dyskrecję.

Rozległ się zbiorowy pomruk aprobaty.

– No to poczekam do wiosny – westchnęła Marianna. – Ale teraz sami widżycze, ja nie mogę jechać do Tirolu, muszę tu pilnowacz tego czasu, kiedy żemia zrobi szę miękka.

Widzieliśmy.

– To ja proponuję – zaproponował przytomnie ksiądz Paweł – żebyśmy wrócili do spraw organizacyjnych naszej przyszłej wsi artystycznej oraz fundacji, o której mówiła szanowna pani baronowa.

Wróciliśmy.

W efekcie ciągu dalszego narady, która trwała jeszcze z półtorej godziny, ustaliliśmy, że fundacja, którą zamierza stworzyć nasza osobista baronowa, będzie się nazywała „Fundacją na rzecz rozwoju Marysina", w skrócie „Fundacja Marianna". Babcia Omcia zostaje dożywotnim prezesem honorowym, prezesem rzeczywistym – wbrew moim protestom – mianowano mnie, w sprawach finansowych głos decydujący ma mieć Ewa, a w kwestiach merytorycznych decydować będzie Zbiorowa Burza Mózgów. W kwestiach formalnych bardzo liczymy na Krzysia Przybysza, który w końcu od wielu lat jest urzędnikiem państwowym – chociaż leśnym – i ma doświadczenie w kontaktach z biurokracją.

Nie jestem pewna, czy ja nie oszalałam przypadkiem – zgadzać się na prezesowanie jakiejś nieistniejącej jeszcze fundacji...

Ale skoro już zanosi się na to, że Marysin na długie lata pozostanie moim domem – to niech to już lepiej będzie dom w fazie rozwoju, a nie taka bidna wiocha, z której wszyscy poniżej czterdziestki zamierzają prędzej czy później uciec.

Emilka

Słyszałam już kiedyś w szkole o przerabianiu ludzi w aniołów, ale przerobienie Marysina w jedną wielką galerię sztuki to jest dopiero patent.

Uważam, że bardzo dobry, sama na niego wpadłam.

Trzeba będzie przeprowadzić we wsi rozeznanie – kto jeszcze chciałby przystąpić do naszego stowarzyszenia agroturystycznego, bo jak już się zaczniemy rozwijać, to trzeba będzie ten rozwój zaplanować kompleksowo. Boże jedyny: galerie, happeningi, obozy, warsztaty, a do tego obsługiwanie normalnych gości, szkółka jeździecka

i hipoterapia! I jeszcze działalność targowo-reklamowo-
-marketingowa!!!

Jedno jest pewne: narobimy się jak wariaci. I to lubię!

Teraz dopiero dociera do mnie – tego mi właśnie brakowało podczas moich dwóch miodowych lat szczęśliwego pożycia z gangsterem.

Boże, ten gangster. Znowu SMS – z trzema znakami
zapytania i trzema wykrzyknikami. Nie mam już do niego zdrowia. Muszę jakoś przeciąć ten cholerny węzeł,
jak mu tam, gordyjski. Coś we mnie wzbiera i chyba
na dniach udam się do domu Łopucha i przeprowadzę
zasadniczą rozmowę z kolegą Kałasznikowem. Bo teraz nie mogę spać spokojnie, śni mi się po nocach, jak
ten drań robi krzywdę Rafałowi albo któremuś z nas,
albo jakiemuś choremu dziecku. I niech mi policyjny
Misio nie każe czekać do uśmiechniętej śmierci, bo nie
wytrzymam!

Robię się nerwowa.

Lula

Zaczynam się martwić o Emilkę. Niby wszystko jest
w porządku, wygląda zdrowo, prezentuje świetny humor,
tryska pomysłami, ale ja ją przecież znam i widzę, że coś
ją gryzie. Zapewne sprawa tego jej całego Leszka.

Jak jej pomóc?

Janek mówi, że nie ma na to sposobu. Nasi zaprzyjaźnieni policjanci, Misiu i Gula, proszą usilnie, aby nie robić żadnych posunięć. Mamy czekać, aż oni go oficjalnie
na czymś przyłapią i wsadzą do więzienia na dłużej i bez
możliwości wyjścia za kaucją albo za pomocą lewego
zaświadczenia lekarskiego.

Ja mogę czekać, ale ją rozerwie od środka. Ta dziewczyna ma w sobie dynamit.

Emilka

W telewizyjnych wiadomościch na czołowym miejscu była dziś wiadomość o wielkiej strzelaninie pod Mielnem, ktoś dopadł jakiegoś mafiosa w jego nadmorskiej posiadłości i go ukatrupił, przy okazji dokładając dwóm bandyckim gorylom i, niestety, jednemu policjantowi, który teraz walczy o przeżycie w szpitalu. Pokazali mordę nieboszczyka, Jerzego B. ksywa Makrela, na szczęście z archiwum, a nie w stanie po odstrzeleniu. Przez moment pomyślałam sobie, co by to było, gdyby Leszek był na jego miejscu, ale tak naprawdę nie życzę mu śmierci. Chciałabym natomiast, żeby wrócił do mamra!!! Ale on, jak się zdaje, ma się świetnie i nigdzie się nie wybiera z Łopuchowa. Ostatni SMS wysłał mi wczoraj, mniej więcej w porze, kiedy tamci bandyci się ostrzeliwali nawzajem.

Byłam tak zdenerwowana tym materiałem, że o mało co od razu, tego samego wieczoru poleciałabym do domu Łopucha, stawiać Leszkowi ultimatum i dzwonić forsą (na razie tylko wirtualnie, bo nie mam gotówki), ale babcie zagoniły mnie do remika, bo cała reszta populacji zajmowała się sprawami fundacji „Marianna" (też na razie wirtualnej)...

Po wyjeździe Wiktorów (ciekawe, kiedy Ewie uda się wymiksować na dobre z uczelni?) zabraliśmy się ostro do pracy organizacyjnej na rzecz fundacji. Na razie prezesowa Lula wraz z organem doradczym w postaci Krzysia Przybysza oraz Anią, księdzem i Janeczkiem na dokładkę zagrzebali się w papierach i studiują przepisy, które pozwolą nam na skonsumowanie tej kupy szmalu, którą Omcia zamierza poświęcić na rozwój Mariendorfu, obecnie Marysina, gmina Karpacz... Omcia jeszcze tego samego wieczoru, kiedy podjęła tę męską decyzję, wykonała telefon do Niemiec i powiadomiła swojego adwokata o pomyśle. Zdaje się, że niebawem będziemy mieć gościa z Tyrolu.

Mnie ostatnio największą przyjemność sprawiają jazdy z pokręconymi dzieciaczkami. Im to naprawdę pomaga. Mój mały Gutek jest jakby odrobinę mniej sztywny, łapki mu lepiej chodzą, silniej chwyta, a na pewno bardzo mu się to podoba i lubi Latawca, czemu daje wyraz specyficznym gulgotem. Zaczynam rozumieć ten gulgot!

Zaczynam też rozumieć Rafała. Powiedziałam mu o tym, oczywiście.

– Wiedziałem, że tak będzie – odrzekł najspokojniej w świecie. – Masz dryg do koni i do dzieci, i potrafisz połączyć współczucie z konkretnym podejściem do zagadnienia. To była tylko kwestia czasu.

– Co, że polubię?

– Że polubisz, że zrozumiesz. Ja się bardzo cieszę, że złapałaś tego bluesa.

– A ja się martwię, że jak przyjdzie wiosna i lato, i przybędzie nam klientów, to będziemy mieli za mało czasu na wszystko.

– Czas jest rozciągliwy, jakoś się zorganizujemy, a poza tym nie martwiłbym się niczym na zapas. Bo co tu mówić o wiośnie, kiedy jutro może nam cegła spaść na głowę...

Kazałam mu odpukać, ale natychmiast pomyślałam sobie, że przecież prawda. Ja tu robię plany na miesiące naprzód, a Leszek u Łopucha siedzi i nie wiadomo, na jaki pomysł może wpaść...

Mam tego dosyć, coś z tym MUSZĘ ZROBIĆ!!!

Lula

Obie babcie zawołały mnie dzisiaj w dużej konspiracji na naradkę. Myślałam, że chodzi im o fundację albo o stowarzyszenie, ale one miały inne zmartwienie.

– Powiedz jej, Marianno – poleciła babcia Stasia – a ja tymczasem naleję nam po naparsteczku wiśniówki od Krzysia...

– Babcia się myli – zaprotestowałam. – To nie jest wiśniówka Krzysia, to moja własna pestkówka! Z tej wiśni w rogu sadu, za stodołą!

– Co ty mówisz, dziecko? – zadziwiła się babcia. – To ty robisz pyszne nalewki! Masz talent do gospodarstwa. Wiedziałam, że będziesz najlepszą gospodynią Rotmistrzówki! Z tobą i Jasiem nie zginie ona, a Kazimierz, świeć Panie nad jego duszą, będzie miał spokój na tamtym lepszym świecie... a i ja też, kiedy przyjdzie mój czas...

– Niech no babcia nie gada takich rzeczy, bo słuchać się nie chce, prawda, babciu Marianno?

– Mówisz o tym naszym czasie? To prawda. Nie czeba wywoływacz... jak wy mówicze? Wilka?

– Wilka z lasu, babciu Marianno.

– No właśnie. Wilka z lasu. Ja tam nie liczę swoich lat, bo mam ich tak strasznie dużo, że mnie szę myli. Nasze zdrowie, *prosit!*

– Miałyście powiedzieć, jakie macie zmartwienie.

– To w zasadzie nie jest takie znowu zmartwienie – zaczęła kręcić babcia Stasia. – Ale wiesz...

– Nie wiem...

– Dobrze, to ja powiem – zdecydowała się Marianna. – Nam chodży o Emilkę.

– A co Emilka? Wiem, myślicie o tym jej narzeczonym... ale to przecież policjanci prosili nas, żebyśmy niczego nie próbowali robić ani się dowiadywać. Oni sami prowadzą jakąś ściśle tajną akcję i nie mogą nam o niej opowiedzieć, boby przestała być taka ściśle tajna. Matko Boska, czy wy chcecie jakoś zadziałać na własną rękę?

– A co nas obchodzi jakiś kryminalista. – Babcia Stasia przewróciła oczami, moim zdaniem fałszywie, bo przecież pamiętam, jak jej się te oczka świeciły przy opowieściach Misia. – Nam chodzi o coś ważniejszego. Bo widzisz, kochana: Wiktor z Ewą przestali się kłócić, nawet będą mieli dziecko, tobie i Jasiowi się ułożyło bardzo ładnie, tylko ona, biedaczka, wciąż sama... A ten Rafał to do niej nic nie czuje?

– Nie mam pojęcia! Ja z nimi nie rozmawiam na te tematy!

– Bardzo źle – skrytykowała mnie natychmiast Marianna. – Pczyjaczółki powinny szę zwierzacz. Ty ją spytaj pczy okazji, jak to z nimi jest.

– Mnie się wydaje, że nijak nie jest. No owszem, lubią się, pracują z tymi dziećmi razem, dobrze im to wychodzi, Rafał jest z Emilki zadowolony...

– Och, Lula, ty mówisz o nim, jakby on był jakisz dyrektor, a ona urzędnyczka! Ty na nich popacz po ludzku!

– Babciu, do czego babcia mnie właściwie namawia?

– Lula, dżecko drogie, czy ty nie masz wrażenia, że pczyjaczele powinni jakosz pomóc?

– W czym, na Boga?!

Babcie popatrzały na siebie z niesmakiem i westchnęły.

– Chyba nic z tego nie będzie, Marianno – pokręciła głową Stanisława. – Ona się nie nadaje.

– Do czego się nie nadaję, babciu Stasiu?

– A, nieważne. Nie zawracaj sobie tym głowy, kochana Ludwisiu.

– No dobrze, chyba naprawdę nie będę sobie zawracała głowy waszymi konspiracjami, bo umówiłam się dzisiaj w muzeum na małą godzinkę, to ja was żegnam, babcie, zobaczymy się przy kolacji.

Coś pomamrotały niewyraźnie, ale nie miałam czasu ich słuchać. Zresztą uważam, że nie ma się co bawić w żadne swatanie, co ma być, będzie, najlepszym dowodem jesteśmy my z Jankiem!!!

Emilka

Przyjeżdża baroński adwokat. Miałam nadzieję, że będzie von und zu, ale on jest prosty Schmidt. Klaus albo może Helmut. Pewnie z awansu społecznego.

W ogóle nie robi to na nas wrażenia – do przyjmowania wytwornych zagranicznych gości jesteśmy PRZYZWYCZAJENI! Janek jedzie po niego jutro do Wrocławia, dokąd pan Klaus – Helmut – Johann czy jakmutam przyleci samolotem z Warszawy, do której przyleci uprzednio samolotem ze swojego Tyrolu (gdzie w Tyrolu jest lotnisko, przecież tam są góry?).

Żre mnie sprawa Leszka. W jakiś niewytłumaczalny sposób czuję jego oddech na plecach. A może na karku. Chyba jednak na dniach sprzedam astrę i dam łobuzowi wszystko, co mi zostało. Nie będzie to 120 tysięcy, ale zawsze trochę, I będę żyła z pracy rąk! A jak będę gdzieś chciała pojechać, to chyba któryś z naszych chłopców pożyczy mi bryczkę?

Myślałam, żeby o tym z kimś porozmawiać, to znaczy najchętniej z Rafałem, ale nie. On by mi kazał czekać, aż policja zrobi swoje. A czy ja wiem, kiedy policja wreszcie go zamknie?

Może jeszcze dzień, dwa podejrzewam, ale dłużej niż tydzień raczej nie wytrzymam!

Lula

Trochę mi te babcie dały do myślenia i nawet zaczęłam obserwować Emilkę i Rafała, ale ja chyba nie mam daru obserwacji, przynajmniej w tej materii. Wydaje mi się, że oboje są najnormalniej w świecie zaprzyjaźnieni. Ani ona do niego nie wzdycha jakoś spektakularnie, ani on za nią oczami nie wodzi. Może to, co babcie chciałyby widzieć, powstało tylko w ich wybujałej wyobraźni?

Na razie mam co innego na głowie. Janek przywiózł pana Helmuta Schmidta (nie można się chyba nazywać banalniej, istny Jan Kowalski!), który jest mocno starszym, choć nie tak jak Marianna, zażywnym jegomościem o pięknej siwej czuprynie. Coś mi tu nie pasuje, takie czupryny miewają przeważnie ludzie szczupli, tędzy przeważnie przylizują kilka włosków na czubku głowy. W efekcie pan Helmut wygląda trochę jak sztuczny.

Chyba jednak sztuczny nie jest, bo Marianna go rozpoznała i przywitała, choć bez zbytniej serdeczności. Przywiózł jakąś wielką tekę dokumentów i zamierzał natychmiast po przyjeździe zamknąć się z Marianną i teką w ustronnym miejscu, ale udaremniliśmy mu ten zamiar, podając obiad. Trochę fukał w kilku językach (ze swoją baronową, Rafałem i Jasiem rozmawia po niemiecku, z babcią Stasią po francusku, a z resztą po angielsku), ale dał się przekonać, że sprawy urzędowe nie uciekną. Moim popisowym daniom oddał sprawiedliwość, wchłonął straszne ilości wszystkiego, pochwalił, wypił kawę, spożył sery i natychmiast potem pociągnął opierającą się nieco Mariannę (ona lubi posiedzieć po obiedzie) do gabinetu Rotmistrza, który babcia Stasia udostępniła im do celów konferencyjnych.

Mniej więcej po kwadransie z zamkniętego pokoju dały się słyszeć głosy – były coraz głośniejsze i coraz bardziej wzburzone.

Siedzieliśmy jeszcze przy szarlotce i usiłowaliśmy z całych sił nie podsłuchiwać, ale niemiecki bardzo się nadaje do głośnych kłótni, Marianna nie miarkowała tonu, Helmut też darł się coraz bardziej – może myślał, że ona nie dosłyszy, a może tylko chciał wzmóc siłę przekonywania. Jakiś czas udawaliśmy, że nas to w ogóle nie obchodzi, w końcu jednak babcia nie wytrzymała.

– Jasiu, ja już dłużej nie mogę udawać, że mnie nie obchodzi, o czym oni mówią. Powiedz natychmiast, przecież widzę, że rozumiesz, bo kręcisz głową! Dlaczego kręcisz głową?

– Bo mi się nie podoba, co ten Krzyżak do babci Marianny wrzeszczy.

– Boli go, że chce dać pieniądze na Marysin?

– Ogólnie biorąc, tak. Próbuje ją namówić, żeby przynajmniej nie dawała tyle, na ile się zdecydowała.

– Dlaczego? Pewnie rodzinka się zaniepokoiła!

– Czekajcie, niech posłucham...

Zamarliśmy w nerwowym oczekiwaniu. Janek chwilę nasłuchiwał to głośniejszego, to cichszego szwargotu, wreszcie przemówił.

– Mieliście rację, rodzina się sprzeciwia. Uważają, że to, co Marianna robi, to fanaberie. On to jakoś mało oględnie określił, nie wiem, jak to przetłumaczyć...

– Starcze brednie? – podsunęła babcia Stasia.

– Coś w tym rodzaju. Oooo, tym ją zdenerwował... czekajcie, czekajcie. – Janek zasłuchał się w gromkie okrzyki Marianny i nagle zaczął się śmiać. – Ale mu dała popalić! Dzielna staruszka!

– Ale co powiedziała, co powiedziała? – niecierpliwiła się Emilka.

– Powiedziała, że Rita i Johann... to są chyba rodzice Ruperta... przez całe życie tylko marnowali pieniądze, więc ona nie ma zamiaru im dać swoich na zmarnowanie... czekajcie... Rupert, mówi, dostanie swoje, jak ona oczy zamknie, ma to zagwarantowane w testamencie, wszystkie nieruchomości i aktywa bankowe, tak to się mówi?

– Nie mam pojęcia. – Babcia wzruszyła ramionami. – Jak Ewa przyjedzie, to ją spytamy.

– No więc Rupert jest zabezpieczony, na swoje potrzeby ona ma, więc co jej szkodzi dać trochę pieniędzy na szlachetny cel?...

Tym razem bas mecenasa Helmuta zdominował na chwilę stentorowy głos Marianny.

– A ten czego znowu? – skrzywiła się babcia Stasia.

– On pyta, czy Marianna chce docelowo wykupić swoje dawne posiadłości...

– A to gadzina – mruknęła Emilka, a babcia aż podskoczyła.

– Ciszej bądźcie, bo nie słyszę – poprosił Janek. Rozmowa w gabinecie jakoś przycichła.

– Jasiu, ja cię proszę, słuchaj uważnie!

– Już, babciu, już wiem... Ona mu powiedziała, że jest osłem, jak Boga kocham. I że ma powyżej uszu nudnej rodzinki, tysiąc razy woli popatrzeć, jak tutaj ludzie robią coś pożytecznego. Ach... i jeszcze mu powiedziała, że jeśli chce, może Ricie i Johannowi powiedzieć, że starsza pani się zaparła i nie popuści, bo ją sentymenty chwyciły z dawnych lat i nie ma siły się im opierać. Poza tym zostaje, żeby mieć oko na wnuka. Poza tym... czekajcie... poza tym zostaje, bo tak jej się podoba i koniec gadania. Ale numer!

Numer okazał się chyba skuteczny, bo męska połowa duetu nagle zamilkła jak nożem uciął. Marianna powiedziała jeszcze coś, ale już o wiele ciszej, tak że Jasio nie zdołał podsłuchać. Dotarły do niego tylko pojedyncze słowa, jak nam oznajmił, a z tych słów niczego nie można było wywnioskować.

Po jakimś czasie męski głos odezwał się znowu, cicho i potulnie – tak w każdym razie stwierdziła autorytatywnie babcia Stasia.

– Mówię wam, jest potulny jak Tygrysek, który zgubił się we mgle. – Zachichotała, bardzo zadowolona. – Podoba mi się, że poprzedni mieszkańcy tego domu też posiadali charakter... rozumiecie, takie rzeczy składają się na *genius loci*.

– Co to jest, babciu? – zapytała Emilka. – Dlaczego mówisz do nas po łacinie?

– Żeby było uroczyściej, kochanie. *Genius loci* to znaczy duch miejsca. Chyba nie zaprzeczysz, że Rotmistrzówka posiada takowy?

Zgodziliśmy się z babcią wszyscy. Rzeczywiście, mnóstwo świetnych ludzi tu bywało na przestrzeni dziejów, a ileż rozegrało się między tymi ludźmi dramatów, dramacików, czasem też pewnie komedii; ile szczęścia i nieszczęścia widziały te stare mury...

– O czym mówicze? – zapytała znienacka Marianna, wyłaniająca się z gabinetu, gdzie już najwyraźniej dopięła swego, bo mecenas, który za nią podążał, był jakby mniejszy i znacznie mniej bojowy niż przedtem.

Powiedzieliśmy jej, znowu zbiorowo, do jakiego wniosku udało nam się dojść, a ona pokręciła głową.

– Tu jeszcze czegosz brakuje, moi drodzy – oświadczyła, potrząsając koafiurą. – Tu szę jeszcze nikt nie urodżył. Bo umarł, tak, twój mąż, Stanyslawa, umarł w tym domu. A teraz muszy szę urodżycz dżecko. Ja swoje urodżyłam po wojnie, jak nas tu już nie było. Potem tu wszyscy przyjeżdżali i odjeżdżali, ty, Stanyslawa, miałasz dużo cudzych, a swojego własnego dżecka nie miałasz. Ten dom stoi już szedemdżesząt lat, a ja myszlę, że on dopiero będże prawdżywym domem, kiedy szę w nim urodży dżecko. Bo żeby dom był dom, to ktosz w nim muszy umrzecz, a ktosz muszy szę urodżycz.

Wszyscy jak na komendę spojrzeli na nas, na mnie i Janka. Poczułam, że się czerwienię jak burak. Janek tylko się uśmiechnął.

– Nie patrzcie na nas – nie wytrzymałam. – Przecież nawet gdyby co... to i tak Wiktory będą pierwsze!

– Ale Ewa urodzi prawdopodobnie nie tu, tylko u starej Kiełbasińskiej – wyrwała się Emilka i natychmiast pożałowała, bo obie babcie natychmiast obróciły swoje stalowe spojrzenia w jej stronę. I zaraz przeniosły je na Rafała.

Rafał podniósł się z fotela.

– Rozumiem, dlaczego babcie tak na mnie patrzą potępiająco – oświadczył i lekko się skłonił w stronę starszych pań, co przyjęły z zadowoleniem. – Rzeczywiście, jest już czwarta i na pewno przyjechali nasi klienci, a my tu gadamy w najlepsze. Emilko, moja droga, ty też się zagapiłaś. Pozwól, że cię zdyscyplinuję...

– O kurka wodna! – wykrzyknęła Emilka, udając przerażenie. – Mama Gutka zawsze przyjeżdża przed czasem! Lecimy!

I oboje najspokojniej uciekli, pozostawiając mnie i Jasia na pastwę losu. Na szczęście Helmut zainteresował się przyczyną tak błyskawicznej ucieczki dwojga z nas, trzeba mu więc było wyjaśnić, czym zajmują się Emilka z Rafałem, opowiedzieć o hipoterapii i pokręconych dzieciaczkach (to okropne określenie, Emilka go używa, a co najgorsze, jak widać, przeszło na mnie!) – wyglądało nawet, że mecenas lekko się wzruszył, więc wyciągnęliśmy go na ujeżdżalnię, gdzie właśnie zaczynały się zajęcia.

To był chyba najlepszy pomysł tego dnia, bo mecenas postał, pooglądał jazdę, trochę jakby zmalał w sobie i od tej chwili patrzył na nas wszystkich jakby nieco przychylniejszym okiem. Aczkolwiek co jakiś czas wzdychał powątpiewająco.

Emilka

Która to pani premier była nazywana Żelazną Lady? Muszę spytać Lulę. A Bismarck był Żelaznym Kanclerzem, to wiem sama. Ale chyba oboje wysiadają przy naszej babci Omci, która jest zrobiona z jakiegoś o wiele twardszego stopu, nie wiem, co to powinno być, ale na pewno technologie kosmiczne wchodzą tu w grę. No a charakter ma wysadzany brylantami większymi od Ko-hi-noora. Czy jak mu tam było.

Co do tego stopu kosmicznego, wniosek sam się narzucił po tym, jak potraktowała biednego Helmuta. Wprawdzie niewiele rozumiałam z tego, cośmy kolektywnie podsłuchiwali, a co nam Jasio dopiero tłumaczył, ale sam ton i sposób mówienia to było coś! Księżna Pani przemawiała za drzwiami gabinetu Rotmistrza! Oczami duszy widziałam, jak Helmut kuli się i drży! Wyszedł z tego gabinetu mniejszy o jakieś piętnaście centymetrów!

Potem Omcia była bardzo milutka już do końca dnia, ale widocznie coś z tej Księżnej Pani w niej zostało na dłużej, bo wieczorem skinęła na mnie rączką, a ja nawet nie pomyślałam, że mogłabym nie pójść za nią do jej pokoju!

– Słuchaj, Emilko – ostatnio nauczyła się używać prawidłowych wołaczy. – Ty mnie, dżecko, martwisz. Ja widzę, że ty masz jakiś... zg... zgr... ZGRZYT. Tak szę mówi? Problem, kłopot, no, idiom wasz?

– Zgryz, Omciu – westchnęłam. – Mówi się zgryz. Masz rację. Coś mnie gryzie.

– Aha, gryzie cię. Tak szę mówi. No to powiedz, dżecko, co czę gryże. Może mnie szę uda poradżycz. Ja lubię, jak ty szę uszmiechasz, a ty szę ostatnio mało uszmiechasz. Cosz z Rafałem czy nie wychodży?

– O matko, dlaczego z Rafałem? Co ma mi nie wychodzić z Rafałem? Z Rafałem jest wszystko w porządku!

– Emilka, ty wiesz, o co mi chodży z Rafałem! Nie wykręcaj szę!

– Omciu. Chcesz, to ja cię nauczę jeszcze jednego idiomu?

– Proszę, naucz, ja chętnie. Ale i tak muszysz mi powiedżecz...

– To uważaj, Omciu. Nie wybiegaj przed orkiestrę. My się z Rafałem tylko przyjaźnimy.

– Aha, to ja wybiegam przed orkiestrę? Tak? To dlaczego jesteś smutna?

– Ja chyba jestem raczej zła, babciu Omciu. To może podobnie wygląda. Wszystko przez mojego byłego narzeczonego...

Pękłam. Wygadałam się przed Omcią ze wszystkich moich zmartwień i strachów powodowanych przez cholernego Kałacha, te jego telefony, SMS-y, pogróżki, zagadkowe i niekonkretne, a obrzydliwe i denerwujące głędzenie...

– Ja już dawno bym mu oddała te zakichane pieniądze, tylko ich nie mam! Dostałam sto osiemdziesiąt pięć tysięcy, osiemdziesiąt włożyłam w Rotmistrzówkę, więc są nie do ruszenia, za pięć dych mniej więcej kupiłam samochód, trochę mi poszło, mam w banku czterdzieści pięć tysięcy. Ja te czterdzieści pięć tysięcy mogę łobuzowi dać, ale on chce sto dwadzieścia! Mogę sprzedać samochód, ale to potrwa. A poza tym i tak nie dobiję do tych stu dwudziestu.

– A powiedz, dżecko, dlaczego policja nic nie robi w tej sprawie?

– Policja podobno robi, tylko ogólnie, nie akurat w tej sprawie. Bo ta sprawa jest praktycznie nie do ruszenia. Pogróżek mu nikt nie udowodni. Weźmie forsę i powie, że miałam wobec niego zobowiązania, które spłacam. A jak mu podskoczę, to boję się, że zrobi krzywdę koniom albo Rafałowi, bo też mu już groził, to znaczy mnie groził...

– A, ty szę boisz o Rafała. Dobrze – ucieszyła się Omcia. – A jak powiedżałasz? Że mu podskoczysz?

– Taki idiom, babciu. To znaczy, że się sprzeciwię.

– Rozumiem. Ale szę boisz podskoczycz.

– No pewnie, że się boję. Pamięta babcia, co chcieli zrobić Latawcowi? Gdyby ich chłopaki nie przyłapali, byłoby po koniu! A możemy nie zawsze mieć tyle szczęścia.

– Ja wszystko rozumiem. To teraz ty posłuchaj. Ja mam taki plan. Ja czy pożyczę pieniądze na twój wkład w Rotmiszsz...ówkę. Te oszemdżesząt tyszęcy. Ty mnie spłaczysz, kiedy będżesz mogła. Ty nic nie mów, na raże ja mówię. Dołożysz do tego czterdżeszczy, co masz w banku, albo sprzedasz auto, jak wolisz. I zapchasz mu gębę. Czy to jest dobry idiom?

– Doskonały! – Zaśmiałam się przez ściśnięte gardło. Jak ja mam przyjąć taką pożyczkę od starszej pani? Przecież w życiu jej nie spłacę, nie zdążę, do diabła! Czym na nią zarobię? Wożeniem pokręconych dzieci? Przy naszym cenniku?

Starsza pani chyba dobrze wiedziała, co mi chodzi po głowie, bo nagle położyła dłoń na mojej ręce, spojrzała mi głęboko w oczy i powiedziała:

– Emilko. Ja nie wiem, co bym zrobiła na twoim miejscu. Ale kiedy chodży o konie, albo on by grożył, że zrobi krzywdę mojemu mężowi, to znaczy mężczyźnie, którego ja kocham, tobym nie ryzykowała. Tak samo jak ty. Ty mnie nie każ tego wszystkiego tłumaczycz po polsku, bo mnie szę mózg zagotuje. To mnie Kajtek nauczył, tego idiomu. Czy idioma? Idiomu? *Gut*. Sytuacja jest taka: ja mam pieniądze, ty nie masz. Ja ich tyle nie poczebuję, co mam. Starczy mi do końca życza i jeszcze dużo zostanie. Ja nie wiem i nie chcę wiedżecz, co będże po mojej szmierczy, ale teraz jeszli mogę zrobicz cosz pożytecznego, to ja chcę to zrobicz. Podpiszemy kontrakt. Ja czy dam dwadżeszcza lat na oddanie tej pożyczki. Nie pacz tak na mnie. Czy uważasz, że ja nie pożyję dwadżeszcza lat?

Rzuciłam się jej na szyję i oświadczyłam, że pożyje jeszcze setkę.

– Setki nie, ale z oszemdżesząt – zachichotała. – Będę starsza niż ten dżadek z Kaukazu, co miał sto czterdżeszczy... Po rewolucji pażdżernikowej!

– Omciu, kurczę, nie wiem...

– Emilka! Nie mów tyle! Tylko pamiętaj, żeby wżącz od gangstera kwit. Że ty mu oddajesz sto dwadżeszcza tyszęcy za samochód. I on ma podpisacz, że nie ma pretensji. Mój Helmut spisze umowę dla was, a Janek ją przetłumaczy na polski. I czeba szę z tym spieszycz, dopóki Helmut jest w szoku...

– To jednak Helmut jest w szoku! Tak nam się wydawało!

– Podsłuchiwaliszcze?

– Nie da się ukryć...

– Trochę na niego nawrzeszczałam – oświadczyła swobodnie Omcia. – On nie znoszy, kiedy ja na niego wrzeszczę, mówi, że jestem stara jędza.

– Omci to mówi w oczy?

– Tak, bo my jesteszmy starzy przyjaczele. Ale ja mu płacę, więc on muszy słuchacz. No dobrze, dżecko, to jutro od rana robimy te papiery, a teraz ja już pójdę spacz, żeby mi szę cera nie pomarszczyła jeszcze bardżej. *Gute Nacht*, kochana Emilko.

– Dobranoc, Omciu. Śpij słodko.

Wyściskałyśmy się (delikatnie, żeby mi się babcia Omcia nie rozsypała) i oddaliłam się do swojego pokoju, specjalnie starając się na nikogo nie natknąć, bo nie byłam w nastroju do rozmów z kimkolwiek.

Byłam w szoku, jak Helmut. Omcia miała dziś najwyraźniej dobry dzień.

Lula

Coś Emilka naknuła z Marianną, tylko nie chce nikomu powiedzieć, ale od rana siedzą u niej z Jankiem i mecenasem Helmutem i produkują jakieś urzędowe papiery. Próbowałam Janka podpytać, wołając go do kuchni po tacę z ciastem i kawą dla nich wszystkich, ale tacę wziął, a słowa nie pisnął, zasłaniając się cudzą tajemnicą.

– Ale nie martw się, kochanie moje – powiedział, całując mnie na pocieszenie. – Jak się sprawa cała zakończy, dowiesz się o wszystkim. Emilka z babcią Omcią na pewno wydadzą specjalny komunikat.

I prysnął z mojego pola widzenia. Muszę go uświadomić, że po ślubie nie zamierzam tolerować podobnych praktyk.

Albo może lepiej nie będę go uświadamiać, po co uprzedzać fakty?

Siedzieli nad papierami do obiadu, przy czym Emilka opuściła ich nieco wcześniej, obiad zjedli w roztargnieniu, chociaż zrobiłam solę atlantycką w koperkowym sosie – i sola mrożona, i koperek, ale trudno, żeby ryba z Atlantyku dojechała do Jeleniej Góry inaczej niż w stanie zamrożonym; a koperek jest nasz, z ogródka, zrobiłyśmy tego z Emilką sto dwadzieścia takich małych trumienek jak od dwuosobowych lodów, albo od dziesięciu deka smalcu domowego w delikatesach w Karpaczu (odkąd odkryłam ten smalec, przestałam robić sama). Po obiedzie Janek wymamrotał coś na kształt przeprosin, że znika przed deserem, zabrał Emilkę i Helmuta i gdzieś pojechali.

I znowu nic nie powiedzieli po powrocie!

Jak tak dalej pójdzie, zastanowię się nad separacją Janka od stołu i łoża.

No, może na razie tylko od stołu. Od łoża byłoby mi szkoda.

Emilka

Byłam w szoku jak Helmut, a teraz jestem w szoku jak dwa Helmuty. Nie, jak dziesięciu Helmutów, jak cały pułk Helmutów, czy może cały batalion, nie wiem, co jest większe, batalion czy pułk. Ja jestem w takim szoku jak to większe.

Wczoraj zaraz po śniadaniu zebraliśmy się u Omci, żeby napisać dla mnie dwie umowy – z Omcią o pożyczkę gotówkową i z Leszkiem o rekompensatę za samochód. Przy okazji wyszło na jaw, że przyzwoity i prawdomówny Jan Pudełko też w razie potrzeby potrafi kręcić jak pies ogonem. Potrzeby, nawiasem mówiąc, swoiście pojętej!

Tę umowę z Omcią Helmut najpierw wyprodukował na laptopie w wersji niemieckiej, potem Janek zabrał się do tłumaczenia, ale już mi podsunęli papiery do podpisania – więc podpisałam, bo komu mam wierzyć bardziej niż moim przyjaciołom, a w szczególności Janowi Pudełko???

No i kiedy Pudełko zrobiło tłumaczenie, okazało się, że któryś tam osiemset sześćdziesiąty, albo coś koło tego, punkt przewiduje spłatę przeze mnie długu Omci – owszem, w ciągu dwudziestu lat – jednakowoż z zastrzeżeniem, że w razie śmierci Omci pozostała do spłacenia część długu automatycznie ulega zatarciu, czy jak tam oni się prawniczo wyrażali.

No więc teraz podstępna staruszka MUSI pożyć jeszcze dwadzieścia lat!

Powiedziałam jej o tym, a ona tylko machnęła na mnie ręką. Helmut się śmiał, co dowodzi, że zaczyna podlegać dziwnym wpływom Rotmistrzówki.

Oczywiście, zmusiłam ich wszystkich do przyrzeczenia, że o całej sprawie będą milczeć jak rodzinne grobowce do momentu, kiedy już Kałach dostanie forsę, a ja odetchnę z ulgą. Inaczej zaczęłyby się narzekania, dobre rady, a ja mam już dość tego wszystkiego! Nadeszła pora czynu!!!

Zanim przystąpiłam do czynu, tego właściwego, pojechaliśmy z Jasiem i Helmutem do Wrocławia i w kapiącej złotem i marmurami (czy można kapać marmurem?) filii niemieckiego banku odwiecznie obsługującego rodzinę Kruegerów – do innych ani Omcia, ani Helmut nie mieli zaufania – podjęliśmy potworną sumę pieniędzy w gotówce. Janek zapakował to ładnie w nierzucający się w oczy granatowy plecak, lekko podniszczony. Potem odwiedziliśmy mój bank i plecak zrobił się pękaty.

– A teraz słuchaj, moja droga – powiedział, już w samochodzie, Janek, a ton jego nie dopuszczał żadnego sprzeciwu. – Jak widzisz, pomagamy ci, nikt nikomu słowa nie pisnął, nawet ja Luli, choć to nie było łatwe. Konspiracja jest absolutna. Ale co innego zachowanie tajemnicy, a co innego puszczenie cię samej na konferencję z bandytą, w towarzystwie plecaka ze stu dwudziestoma tysiącami złotych. Otóż sama nigdzie nie pójdziesz. Ja pójdę z tobą jako twój bodyguard.

Helmut po słowie „bodyguard" chyba się domyślił, o czym Jasio mówi, bo zaczął energicznie kiwać swoją imponującą, siwą głową.

Spojrzałam na Jasia i oto dostrzegłam faceta, któremu sprzeciwić się niepodobna. No, no. Rozumiem Lulę. Taki mężczyzna to jest MĘŻCZYZNA! Takiemu mężczyźnie ja też się nie sprzeciwię.

Ja tylko troszeczkę go oszukam.

Nie jestem pewna, czy można oszukać troszeczkę, to tak jak to jajeczko częściowo nieświeże. Ale coś mi mówi, że lepiej będzie, jeśli sama udam się na spotkanie z Leszkiem, ostatecznie byliśmy z sobą dwa lata, nie sądzę, żeby miał zrobić mi jakąś krzywdę. A przy obcym facecie może dostać głupawki, będzie chciał zaimponować, diabli wiedzą co jeszcze. Porozmawiamy sobie szczerze, dam mu pieniądze, on podpisze mi te kwity i wreszcie się ode mnie odczepi raz na zawsze!

Przemyślawszy sprawę błyskawicznie, zakomunikowałam Jasiowi, że zaraz zadzwonię do Leszka i umówię się z nim, po czym oddaliłam się w kierunku mojej komórki, a po powrocie zełgałam Jasiowi, że umówiłam się na jutro. To znaczy na dziś, bo to było wczoraj.

Nadziewany plecak zabrałam do swojego pokoju, tłumacząc, że chcę jeszcze trochę pobyć w towarzystwie takiej dużej forsy. Sprawia mi to przyjemność. No i ostatecznie jest to coś w rodzaju pożegnania na wieki, bo nie sądzę, aby udało mi się kiedykolwiek mieć tyle naraz.

Już na popołudniowych jazdach z Guciem and Company zaczęłam symulować lekki ból głowy, a przy kolacji opowiadałam głodne kawałki o szalejących frontach atmosferycznych, nadciągającym halnym (on się tu nazywa fen) i galopujących zmianach ciśnienia. Musiałam być wcale, wcale sugestywna, bo obydwie babcie zaczęły nagle odczuwać podobne objawy. Jasnym było, że w tym stanie nie będę uprawiać żadnego wieczorowego życia towarzyskiego, tylko trzymając się za czerep i pojękując dyskretnie, udam się do swoich pieleszy.

W pieleszach, jak każdy porządny konspirator, miałam już wszystko przygotowane. Nie spiesząc się, zmieniłam ubranie na bardziej sportowe – w spódnicy niewygodnie jest wyłazić przez okno, a to właśnie miałam w planie – założyłam ciepłą wiatrówkę i przystąpiłam do dzieła. Najpierw otworzyłam okno i udawałam przez chwilę, że delektuję się nocnym powietrzem. Nie było wprawdzie zbyt późno, ale w zimie słońce zachodzi wcześnie, jak wiadomo. Poza tym niebo było zachmurzone i ściemniło się jeszcze przed kolacją. Wynik mojej obserwacji był pozytywny – nigdzie żywej duszy. Przeżegnałam się na wszelki wypadek i przełożyłam przez parapet jedną nogę. Cisza. Oba psy, piecuchy, też od dawna w domu, grzeją kosmate zadki przy kaloryferze w salonie. Naprawdę trzeba im zrobić kominek, psy powinny grzać się przy kominku, tak jest bardziej stylowo.

Przełożyłam drugą nogę i wyskoczyłam na śnieg.

Nic. Nadal cisza.

Po czym, cholera jasna, stwierdziłam, że zapomniałam wziąć plecak z forsą i umowy, które leżą sobie spokojnie na stole!

Wejście do domu normalnie, przez drzwi, nie wcho- dziło w grę, boby mnie już z niego nie wypuszczono, możliwe, że przykuto by mnie do poręczy łóżka babci Stasi, bardzo solidnej, metalowej z mosiężnymi gałkami (poręczy, nie babci). Okno było nieco zbyt wysoko, że- bym mogła podciągnąć się na rękach, zresztą nie sięgałam tymi rękami do parapetu. Musiałam sobie znaleźć coś, po czym mogłabym się wdrapać.

Rozejrzałam się wokoło, ale niewiele widziałam w tych ciemnościach. Trochę się zdenerwowałam.

Spokojnie, Emilko, pomyślałam, wciąż chyba tro- chę pod wrażeniem tego niezłomnego i spokojnego Janka. Zastanów się, co na twoim miejscu zrobiłby niespotykanie spokojny mistrz wschodnich walk i ta- kiejż filozofii?

On by poczekał, aż mu się wzrok przyzwyczai do ciemności.

Genialne w swojej prostocie. Po minucie lub dwóch dostrzegłam wokół siebie kontury krzaków i zarys płotu.

Przy płocie powinien być stary kocioł do bielizny! W lecie posadziłam w nim liliowce pomarańczowe i żół- te, bardzo ładnie wyglądały! Potem je przesadziłam do gruntu, a o kotle udało mi się zapomnieć. Jest wciąż jesz- cze pełen ziemi, więc mogę na nim stanąć, nie wlecę do środka...

Był pełen ziemi, owszem, co sprawiło, że ważył ze dwie tony. Albo i trzy. Zaparłam się jednak w sobie i przekulgałam go ostrożnie pod moje okno.

Cisza świdrowała w uszach.

Bardzo ostrożnie wlazłam na kocioł. Nie rozleciał się, być może dzięki temu, że ta namoknięta ziemia, którą był wypełniony, zamarzła na kamień. Udało mi się dosięgnąć rękami nie tylko parapetu, ale i futryny okiennej, za którą mogłam się złapać.

Wlazłam do środka, przeklinając własne gapiostwo.

Papierzyska leżały sobie spokojnie na stole, plecak czekał na krześle, gotów do drogi. Włożyłam umowy do wewnętrznej kieszeni kurtki, plecak przerzuciłam przez ramię i wyekspediowałam się ponownie do ogrodu.

Tym razem nie odbyło się to tak bezszelestnie, bo wleciałam prosto na kocioł. Podziękowałam Opatrzności za tę zlodowaciałą ziemię w środku – gdyby był pusty, obudziłabym cały Marysin i pół Karpacza.

Dalej wszystko poszło jak po maśle – znowu odczekałam chwilę, zaczęłam widzieć, przemknęłam się pod płotem za stajnię, po raz kolejny podziękowałam Opatrzności – tym razem za to, że nie zdążyliśmy postawić zamykanej wiaty i nasze liczne automobile wciąż stoją pod chmurką oraz za płotem.

Czując się jak bohaterka filmu grozy, wsiadłam do mojej astry, uruchomiłam silnik, po raz trzeci podziękowałam Opatrzności za to, że tak cicho chodzi, i nie włączając świateł, bardzo wolno odjechałam spod stajni.

Bardzo się bałam, że wpadnę w jakiś dół, ale na szczęście pamiętałam dobrze wyjazd na drogę, można powiedzieć, że miałam go w rękach. Tych na kierownicy.

Światła zapaliłam dopiero na ulicy.

Wciąż jadąc bardzo wolno, zastanawiałam się, czy dobrze pamiętam, gdzie mieszka Łopuch? A może teraz zadzwonić do Leszka? Nie, lepiej nie. Będzie miał niespodziankę, a z zaskoczenia szybciej zgodzi się podpisać kwit.

Przypomniałam sobie – Łopuch mieszka na drugim końcu Marysina, praktycznie już przy wylocie na Kowary. Duża, wypasiona willa, w sam raz schowanko dla gangstera. Można zajechać od frontu, ale stąd, gdzie jestem, wygodniej będzie od tyłu, jest tam chyba jakieś wejście. A jeśli nie ma, to będę dzwonić.

Po raz setny lub tysięczny wyobraziłam sobie, jak to będzie wyglądało. Zajeżdżam. Dzwonię. Otwiera Łopuch – albo może Łopuchowa, podobno piękna kobieta – albo może syn Łopuszy, bo wiem, że istnieje takowy – maturzysta czy student, czy coś w tym rodzaju. Ja do pana Brzezickiego. A jeśli go nie ma, to proszę mu powiedzieć, że pani Emilia Sergiej w pilnej sprawie, wtedy na pewno okaże się, że jednak jest. Proszę o rozmowę w cztery oczy. Leszek wygłasza kilka swoich idiotycznych domniemań na temat celu mojej wizyty, nie sądzę, aby się domyślił, że mam pieniądze, raczej będzie myślał, że chcę się dogadać. No i ja go w te cztery oczy obuchem w łeb – dostaniesz pieniądze, ale liczę na to, że jako dżentelmen podpiszesz zobowiązanie, że nie będziesz miał do mnie więcej pretensji finansowych. Tu Lesio, oczywiście, przyjmuje swoją ulubioną pozę dżentelmena, upewnia się, że dostanie tyle, ile żądał, ja otwieram plecaczek, on unosi brwi wysoko w górę, liczymy kasę i on podpisuje. Podpisuje, bo nie miałoby najmniejszego sensu niepodpisanie. Znam go. On się szybko nudzi, a i tak dosyć długo wytrzymał w tym dręczeniu mnie. Odczuje ulgę, że ma mnie z głowy. Taki to typ.

Prawie że sama odczułam ulgę, ale ofuknęłam się, bo jednak za wcześnie.

Tylne wejście istniało, owszem, ładnie oświetlone, śnieg odmieciony, połbruczek od drzwi do furtki.

A jeśli furtka będzie zamknięta?

To pójdę od przodu! Dosyć bezproduktywnych dywagacji!

Była otwarta. Weszłam i nawet pomyślałam, że mogą tu być psy, ale już mnie zezłościło to piętrzenie trudności i machnęłam ręką. Psy mnie lubią, dogadam się.

Przy drzwiach nie było żadnego dzwonka, więc zastukałam, ale od razu zwątpiłam, że mnie ktoś usłyszy. Spróbowałam wejść – nie było zamknięte na klucz. Znalazłam się w mrocznym korytarzu, ale użyłam inteligencji, domyśliłam się, gdzie powinien być wyłącznik od światła – i był tam. Skierowałam się zatem w stronę wnętrza domu, skąd słychać było jakieś głosy. Zapewne rodzina i przyjaciel domu siedzą przy kolacji, może oglądają film kryminalny w telewizji, nie wiem, czemu mi to przyszło do głowy, może to charakter odgłosów...

Przeszłam jeszcze kilka kroków, korytarz rozszerzał się w obszerną sień, za którą musiał znajdować się salon, skąd dobiegały odgłosy. Nie zastanawiając się już nad niczym, pchnęłam drzwi z wprawionym w nie pięknym, brązowo-czerwonym, witrażem – i dech mi zaparło.

Matko Boska, czy to się nazywa deja vu?

Leszek znowu siedział na krześle, z wściekłością w obliczu i kajdankami na rękach, jak najbardziej, jego kumpel Łopuch też, piękna kobieta, chyba Łopuchowa, trzymała się za serce i palpitowała w okolicach okna, pryszczaty wyrostek z ponurą gębą trzymał się za głowę w okolicy kominka, a poza tym całe prawie obecne towarzystwo miało na głowach i twarzach czarne kominiarki, a w rękach giwery!

Z wyjątkiem moich dobrych przyjaciół, Misia i Guli, którzy ubranka mieli cywilne, a w oczach duże zadowolenie z dobrze spełnionego obowiązku...

Kiedy wdarłam się do sympatycznego saloniku, natychmiast kilka luf skierowało się w moją stronę, ale jakoś nikt mnie nie zastrzelił, tylko Gula syknął przez zęby:

– Kto pilnuje tylnego wejścia?

Jeden z typków w kominiarkach coś tam zaczął tłumaczyć, ale Gula tak na niego spojrzał, że natychmiast się zamknął, wyjął z kieszeni radio i zaczął pospiesznie z kimś porozumiewać.

– Ja bardzo przepraszam – powiedziałam głupio. – Przyszłam do pana Brzezickiego, porozmawiać, ale widzę, że nie trafiłam w porę.

– W rzeczy samej – mrukął Gula. – Ale nic się nie stało właściwie. Nam pani nie przeszkadza.

Natychmiast zrozumiałam, że w okolicznościach służbowych jesteśmy z powrotem na pan i pani.

– To może ja już pójdę?

– Najpierw musimy chwilę porozmawiać. Komisarz z panią załatwi.

Skinęłam głową potulnie, a Misiu wziął mnie dwornie pod ramię i skierował w stronę okna przeciwległego do tego, przy którym wciąż palpitowała Łopuchowa. Odruchowo wyjrzałam na jasno oświetlony podjazd. No tak, gdybym podjechała jak człowiek, od frontu, nadziałabym się na tę całą kolumnę pojazdów opancerzonych... to znaczy nie wiem, czy opancerzonych, ale wyglądały bardzo solidnie. Przestałam patrzeć na pojazdy i spojrzałam na Misia.

– Bardzo narozrabiałam?

– Nie, skądże. Drobiażdżek. Słuchaj, Emilko, co masz w tym plecaku? Nie forsę przypadkiem?

– A skąd wiesz?

– Inteligentny jestem. Po co miałabyś przyjeżdżać do swojego osobistego szantażysty, jeśli nie po to, żeby mu dać forsę?

– Pogadać...

– Dziewczyno, nie obrażaj mnie. Pogadać mogłabyś sobie z nim przez komórkę. Niemniej trzymaj się tej wersji, zwłaszcza w odniesieniu do pana Kałacha. To znaczy Brzezickiego. Boże, jaka ty jesteś niemądra!

– O co ci chodzi?

– Nie przyszło ci do głowy, że on mógłby zrobić ci jakąś krzywdę?

– Przyszło, ale potem mi wyszło, że to by nie miało sensu.

– Ja już nie mam do ciebie zdrowia. Dobrze, na razie nic nie mów, i tak będziesz proszona o złożenie szczegółowych zeznań u nas, a teraz cię odwieziemy do domu...

– Mam samochód.

– Prawda. Czekaj, co tam się dzieje?

Wyjrzeliśmy przez okno i zobaczyliśmy, że sytuacja na tym jasno oświetlonym podjeździe nieco się zmieniła. Do wozów policyjnych dołączył jeden cywilny, a mianowicie skoda felicja. I z tej skody felicji właśnie wysiadają dwaj faceci, na których czeka już kilku tak podziwianych przez babcię Stasię funkcjonariuszy w kominiarkach i z giwerami. I ci faceci, to oczywiście Janek i, kurczę blade, Rafał...

Misiu też ich poznał, uchylił okno i zawołał:

– W porządku, chłopcy, tych panów znamy osobiście, poproście, żeby tu przyszli!

Janek i Rafał jak na komendę spojrzeli w górę. Pomachałam im z drugiego skrzydła tego okna, żeby się już nie denerwowali. Rafał jakby się przygiął w sobie, ale nie wiedziałam, czy to wynik ulgi, czy zdenerwowania.

Minutę później konferencja przy oknie zrobiła się pięcioosobowa, Gula porzucił bowiem swoich aresztantów na pastwę kolegów w kominiarkach, którzy wyprowadzili ich do samochodów, sam zaś dołączył do nas, a po chwili doszli Janek z Rafałem.

– Emilko – powiedział Janek. – Ja cię zabiję.

Rafał nie powiedział nic, tylko patrzył na mnie dziwnym wzrokiem. Nie mogłam nic z tego wzroku wywnioskować.

– Wytłumaczę wam wszystko w domu. Nie mogłam przewidzieć, że trafię na takie kino akcji...

– Swoją drogą – zwrócił się Janek do Guli – jak to się stało, że właśnie dzisiaj zamykacie tych panów?

– Aaaa, to wynik ciężkiej pracy zjednoczonych organów ścigania – zaśmiał się zadowolony Gula. – Nie wiem, czy zwróciliście uwagę jakiś czas temu na zabójstwo takiego jednego, co miał daczę nad morzem, ksywa Makrela... No więc tu obecny – obejrzał się, ale jego załoga już zabrała Leszka i Łopucha – przepraszam, tam obecny – wskazał na auta za oknem – pan Brzezicki vel Kałach jest bardzo poważnie podejrzany o to, że stał za tym zabójstwem, a nawet, mogę wam powiedzieć, bardzo blisko stał, był w Mielnie tego dnia...

– Przecież on nie wyjeżdżał z Marysina – wyrwało mi się. – Siedział tu na tyłku i mnie denerwował!

– Ostatnio denerwował cię zaocznie – przypomniał Misiu. – A komórki działają równie dobrze nad morzem, jak tutaj.

– A nie wiem, czy wam wiadomo – kontynuował Gula – że jeśli facet zwolniony warunkowo, na przykład z przyczyn zdrowotnych, jak nasz przyjaciel, jest podejrzany o popełnienie jakiegoś przestępstwa, a już zwłaszcza morderstwa, jak w tym przypadku, to automatycznie wraca do pudła. I pan Brzezicki właśnie wraca.

– O matko – westchnęłam z niebotyczną ulgą. – A macie na to dowody?

– My uważamy, że mamy. My i nasi koledzy znad morza. Ale i tak wam nie powiemy, jakie, bo to jest nasza tajemnica służbowa.

– Nie musicie nam mówić – zauważyłam. – Ale jak przyjdziecie na kolację, bo będziemy chcieli w Rotmistrzówce uczcić wasz wspólny sukces uroczystą kolacją, to babcie i tak z was wszystko wyduszą.

– Przygotujemy sobie jakąś opowiastkę dla starszych pań – machnął ręką Gula, ale Misiu, lepiej znający nasze staruszki, pokręcił głową z powątpiewaniem.

– No dobrze – rzekł. – My teraz musimy się oddalić, ażeby czynić swoją powinność gdzie indziej. A wy zabierzcie tę kobietę do domu i oczekujcie wezwania na przesłuchanie w charakterze świadków.

– Misiu – nie wytrzymałam. – To znaczy panie komisarzu. I panie inspektorze. Czy macie pewność, że on, to znaczy Leszek, mój były i na szczęście niedoszły, nie wyjdzie na kolejne L-4? I nie przyjedzie tu znowu?

– Spokojnie – powiedział Gula. – Nie ma takiej możliwości. Myśmy naprawdę solidnie się przyłożyli do tej roboty. Tu i w Szczecinie, i w Koszalinie. Nie martw się, droga Emilko. Będziesz miała spokój.

– Nie mogę w to uwierzyć...

– Ja też – odezwał się milczący dotąd Rafał. – Nasza Emilka, jeśli będzie miała za dużo spokoju, to sama wymyśli coś rozrywkowego. Taka już jest.

– I za to ją kochamy – dodał Janek, a mnie kamień z serca spadł, bo już wiedziałam, że przestał się na mnie wściekać.

Pozostało nam tylko ładnie się pożegnać, a ponieważ funkcjonariusze w czapeczkach wszyscy gdzieś zniknęli i rodzina Łopusza też poszła się martwić gdzie indziej, uznałam, że mogę rzucić się obu moim policyjnym przyjaciołom na szyję. Co przyjęli pozytywnie nad wyraz. Wyszliśmy na dwór. Policyjna kawalkada właśnie odjeżdżała, a na podjeździe pozostała samotna felicja.

– Wiesz co, Rafał, ty jedź z nią. – Janek otworzył sobie drzwi i mościł się za kierownicą. – Będę spokojniejszy, rozumiesz...

– Jasne – odrzekł Rafał. – Jeśli Emilka nie ma nic przeciwko temu?

– Nie mam. Będzie mi bardzo miło – powiedziałam słabo, czując, jak puszcza mi napięcie nerwowe, co objawia się u mnie słabością w kolanach. – Jasiu, ale nie będziesz na mnie zły?

– W tej sytuacji to by już nie miało sensu – zaśmiał się praktyczny Janek, wyznawca filozofii Wschodu. – Na razie.

Zawarczał silnikiem i odjechał, lekko się ślizgając na swoich łysawych oponach.

Poszliśmy na tyły rezydencji. Rafał milczał, ale się uśmiechał.

– Ty, Rafał – zagaiłam stylem Kajtka. – Dlaczego nic nie mówisz? Teraz ty jesteś na mnie wściekły?

– Ja? A broń Boże. – Zaśmiał się. – Tylko tak się zastanawiam, co zrobić, żebym się o ciebie nie musiał niepokoić w przyszłości?

Ucieszyłam się.

– Bałeś się o mnie? Ale tak ogólnoludzko albo jak lekarz o pacjenta, zawodowo, czy może indywidualnie?

– Jak najbardziej indywidualnie. Omal nie dostałem zawału na myśl, że mogłoby ci się coś stać.

– Nie gadaj. Naprawdę?

– Naprawdę.

Spojrzałam na niego. Wyglądał zdrowiutko.

– Nie wiem, czy mogę ci wierzyć. Ale to miłe, co mówisz.

Stanęliśmy przy astrze. Rafał westchnął ciężko.

– Emilko. Jak mam ci udowodnić, że mnie obchodzisz?

Miałam pewien pomysł, ale co ja się będę wychylać... Rafał patrzył na mnie jak sroka w kość. Podałam mu kluczyki.

– Boże mój – powiedział, otwierając drzwi, a ponieważ zapomniał o wyłączeniu alarmu, auto zaczęło natychmiast strasznie wyć. – Gdzie to się wyłącza?

– Duży guzik. Dlaczego mówisz „Boże mój" nadaremno?

– Mówię „Boże mój", bo chyba nie mam wyjścia i muszę ci się oświadczyć. Emilko, proszę, zostań moją żoną...

– Po to, żebyś miał na mnie oko?

– Po to, żebym miał ciebie. I nawzajem. Kurczę, Emilko, ja cię kocham.

Dotarło do mnie nagle znaczenie tego, co on do mnie
mówił.

On mówi, że mnie kocha!

A ja? Czy ja go też kocham?

Głupie pytanie! A co to jest, że kiedy mi znika z oczu,
to mnie fizycznie boli? Że kiedy prowadzimy razem jazdę, to mi nic więcej do szczęścia nie potrzeba? Że wszystko, co on mówi i robi, wydaje mi się głęboko słuszne? Że
dobrze się czuję tylko pod warunkiem, że on jest gdzieś
w pobliżu?

No to chyba jest szansa, żeby go mieć JESZCZE
BARDZIEJ w pobliżu!

A on stał i patrzył na mnie tymi swoimi oczami,
alarm wył, śnieg zaczynał padać, a ja nie mogłam się
odezwać, bo mi gula jakaś – przepraszam, nie gula, gula
to Gula, coś mi stanęło w gardle i zatkało mnie kompletnie, Jezus Maria, on pomyśli, że ja go nie chcę, co
zrobić???

Znalazłam wyjście. Kiedy kobietę zatyka w sytuacji
krytycznej, zawsze może się ona osunąć w ramiona ukochanego mężczyzny.

Osunęłam się.

Zrozumiał to z wrodzoną sobie bystrością umysłu.

Ja też coś zrozumiałam. Bo przecież jestem już kobietą po przejściach i jako taka znajdowałam się już
w kilku kompletach ramion i niby kochałam właści-
cieli tych ramion, bo bez uczucia seks nie ma dla mnie
sensu – ale nigdy nie poczułam tego, co poczułam
teraz. Otóż aby poczuć to, co każda kobieta poczuć
chciałaby, i co jej się zresztą jak najbardziej należy

od losu – trzeba znaleźć się w ramionach WŁAŚCI-
WEGO mężczyzny.

Zdumiało mnie tylko, że nikt z rodziny Łopuszej nie
wyleciał z domu i nie kazał nam wreszcie wyłączyć tego
alarmu. Pewnie też byli w szoku.

Drogi Panie Doktorze.
Miałam napisać pocz-
tówkę, kiedy Pana kura-
cja wreszcie poskutku-
je. Trochę to trwało,
ale się udało. Fajne te
pana niekonwencjonal-
ne metody. Pozdra-
wiam, Emilia (jeszcze)
Sergiej.

dr Grzegorz Wroński
ulica Rozmarynowa 11
Szczecin

Posłowie

Jak zwykle w podobnych wypadkach, uprzejmie zawiadamiam, że wszystko wymyśliłam.

No... może nie tak do końca wszystko, ale na pewno bohaterów i ich przygody. Nawet wieś pod Karkonoszami wymyśliłam osobiście i wstawiłam ją gdzieś w okolicę Ściegien – przesuwając je nieco bardziej w stronę Kowar i wpychając między nie i Karpacz mój Marysin, czyli Mariendorf.

Bardzo jest to piękna okolica i bardzo ją kocham, mieszkałam kiedyś w Karkonoszach przez dwa lata i wiem, co mówię. Umieściłam tam akcję dla samej przyjemności wyobrażania sobie przy pisaniu, na jakie też krajobrazy patrzą moi nieprawdziwi bohaterowie.

Kilka epizodów rozgrywa się w Książu, który również jest bliski mojemu sercu. Ja wiem, że nie ma już w zamku tego fantastycznego sklepu z porcelaną, do którego jeździłam namiętnie (do dziś piję kawę z biało-niebieskich filiżanek stamtąd), ale nie mogłam się powstrzymać od przypomnienia go na kartkach książki. Dowiedziałam się również tego lata ze smutkiem, że nie ma już w książeńskim Stadzie Ogierów wspaniałego zaprzęgu – czwórki karych koni rasy śląskiej, podziwianych przeze mnie na różnych zawodach w powożeniu. Nie żyje też doskonały powożący tym zaprzęgiem pan Adamczak – ale niech nam się wydaje, że wciąż mamy szansę, jak babcia Marianna, zobaczyć ich na jakimś szalonym crossie.

Jest za to pod Ściegnami westernowe miasteczko, wymyślone i powołane do życia przez Jerzego Pokoja (dla niepoznaki zwanego w tej powieści Zimmerem...) – tam miłośnicy koni mogą podziwiać całkiem inny sposób jazdy i zupełnie niezwykłe umiejętności koni i dosiadających je kowbojów.

Właściwie byłoby miło, gdyby w którejś karkonoskiej wsi powstało takie agroturystyczne centrum z końmi i sztuką nowoczesną, z plenerami, obozami i warsztatami... Kto wie, może kiedyś powstanie?

W KOLEKCJI UKAŻĄ SIĘ:

Mail:

Wyślij e-mail na adres **BOK@edipresse.pl**,
w tytule wpisz
„Klub Książki Kobiecej Monika Szwaja",
w treści podaj swój adres
oraz wariant prenumeraty.

Opłaty dokonasz przy odbiorze pierwszej przesyłki z tomami
1 lub 2, wpłacając należną kwotę na podany numer konta,
który będzie dostarczony wraz z przesyłką.

Internet:

Płacąc w systemie DotPay na stronie
internetowej www.hitsalonik.pl

System obsługuje najbardziej znane banki w Polsce
oraz karty płatnicze Visa Classic i Master Card.

Koszt tomów archiwalnych to
13,99 zł/egz. + koszt wysyłki 13,50 zł

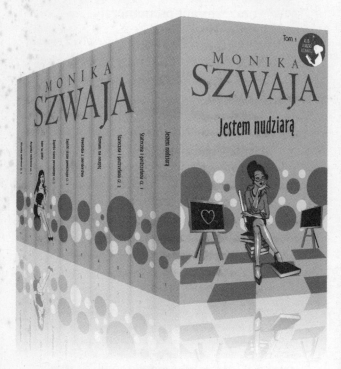